D1296045

# POUTINE,
# L'HOMME SANS VISAGE

Masha Gessen

# Poutine, l'homme sans visage

Traduit de l'anglais (États-Unis)
par Odile Demange, Sylvie Lucas
et Marie-France de Paloméra

Fayard

Titre original :
*The Man Without a Face.*
*The Unlikely Rise of Vladimir Putin*
Publié par Riverhead Books, un département
de Penguin Group, New York



ISBN : 978-2-213-66856-7

# Prologue

Je me suis réveillée. Kate me secouait, visiblement terrifiée. « Ils parlent de Galina à la radio, m'a-t-elle dit tout bas. Et puis d'un pistolet, je crois... Je n'ai pas très bien compris. »

Me levant d'un bond, je me suis précipitée dans la minuscule cuisine où Kate était occupée à préparer le petit déjeuner en écoutant Écho de Moscou, la meilleure station d'informations et de débat du pays. C'était un samedi matin, et il faisait un temps inhabituellement lumineux et frais pour un mois de novembre à Moscou. Je n'étais pas vraiment inquiète : l'angoisse de Kate ne m'impressionnait pas beaucoup. Ce qu'elle avait entendu – et probablement mal compris, car elle ne parlait pas très bien le russe – pouvait être l'amorce d'un nouveau sujet d'article passionnant. Principale correspondante de la plus grande revue d'informations russe, *Itogui*, je considérais tous les sujets d'actualité comme mon fief. Et ils ne manquaient pas. Dans un pays en cours de création, toutes les villes, toutes les familles et toutes les institutions étaient, en quelque sorte, des territoires inexplorés. Nous étions en 1998. Depuis le début des années 1990, la quasi-totalité des articles que j'écrivais racontaient des histoires que personne n'avait encore relatées : je passais près de la moitié de mon temps hors de Moscou, dans des zones de conflit et des mines d'or, des orphelinats et des universités, des villages abandonnés et des villes pétrolières en plein essor, pour écrire ce qui s'y déroulait. En échange, mon journal, qui appartenait au même magnat qu'Écho de Moscou et était financé par lui, ne me reprochait jamais mon invraisemblable programme de voyages et mettait souvent mes sujets en une.

Autrement dit, je faisais partie de ceux qui avaient tout gagné dans les années 1990. Bien d'autres, plus âgés et plus jeunes que moi, avaient au contraire payé chèrement cette transition. La génération précédente avait vu ses économies dévorées par l'hyperinflation et son identité engloutie par la destruction apparente de toutes les structures du régime soviétique. La génération suivante grandissait dans l'ombre de la peur et souvent aussi de l'échec de ses parents. Moi, j'avais fêté mes vingt-quatre ans l'année de l'effondrement de l'Union soviétique, et nous avions passé la décennie 1990, mes pairs et moi, à inventer nos carrières et ce que nous pensions être les mœurs et les institutions d'une société nouvelle. Malgré l'épidémie de crimes violents qui semblait frapper la Russie, nous nous sentions parfaitement en sécurité : nous observions et, occasionnellement, décrivions le milieu de la pègre sans jamais imaginer qu'il pourrait nous affecter personnellement. En réalité, j'étais même convaincue que certaines choses ne pouvaient que s'améliorer : je venais d'acheter un ancien appartement communautaire délabré au cœur même de Moscou et avais entrepris des travaux de rénovation en attendant de quitter le logement que je partageais avec Kate, une rédactrice britannique qui travaillait pour une publication de l'industrie pétrolière. Je me voyais bien fonder une famille dans ce nouveau logement. Et ce samedi-là, précisément, j'avais rendez-vous avec l'entrepreneur pour choisir des éléments de salle de bains.

Kate a fait un geste vers le poste comme s'il était une source de toxines et m'a jeté un regard interrogateur. Galina Starovoïtova, dont le présentateur ne cessait de répéter le nom, était député à la Douma, la chambre basse du Parlement. C'était une des femmes politiques les plus connues de Russie, et c'était une amie. À la fin des années 1980, alors que l'empire soviétique était au bord de l'effondrement, Starovoïtova, ethnographe de profession, avait milité en faveur de la démocratie et était devenue la principale porte-parole de la population du Nagorno-Karabakh. Cette enclave arménienne de l'Azerbaïdjan était en train de s'enfoncer dans le premier des nombreux conflits ethniques armés qui jalonneraient la dissolution du bloc de l'Est. Comme un certain nombre d'universitaires entrés en politique, Galina avait donné l'impression de surgir brusquement sous les feux des projecteurs. Bien qu'elle ait vécu à Leningrad depuis sa plus tendre enfance, le peuple d'Arménie l'avait choisie pour le représenter au premier Soviet suprême élu plus ou moins démocratiquement, et, en 1989, une écrasante majorité l'avait portée au Parlement. Au Soviet suprême, elle avait fait partie, aux côtés d'Andreï Sakharov et de Boris Eltsine, de la direction du Groupe interrégional, un rassemblement minoritaire démocrate. Dès qu'Eltsine fut élu président de la Russie en 1990 – c'était alors un poste essentiellement honorifique, sinon décoratif –, Galina devint sa plus proche conseillère, chargée officiellement de lui donner son avis sur les questions ethniques, et officieusement sur tout le reste, y compris les nominations gouvernementales. En 1992, Eltsine envisageait de confier à Galina le portefeuille de la Défense ; la nomination d'une civile, et d'une femme dont les idées flirtaient avec le pacifisme, aurait constitué un geste grandiose, dans le plus pur style de l'Eltsine du début des années 1990, un message révélant que rien ne serait plus jamais comme avant en Russie ni, peut-être, dans le monde.

Que rien ne soit plus jamais comme avant : c'était le cœur du programme de Galina, radical même aux yeux des militants démocrates du début des années 1990. Dans le cadre d'un petit groupe comprenant des juristes et des spécialistes de la politique, elle chercha vainement à faire passer en jugement le Parti communiste d'URSS. Elle signa un projet de loi sur la *lioustratsia*, ou lustration[1], un mot dérivé du grec ancien signifiant « purification » et qui commençait à s'imposer dans les pays de l'ancien bloc de l'Est pour désigner le processus interdisant aux anciens agents du Parti communiste et de la police secrète d'occuper des postes dans la fonction publique. En 1992, elle apprit que le KGB avait reconstitué une organisation du Parti interne[2] – en violation directe du décret publié par Eltsine en août 1991 déclarant le Parti communiste russe illégal à la suite du coup d'État avorté[3]. Au cours d'une réunion publique, en juillet 1992, elle avait voulu obliger Eltsine à agir sur ce point ; il l'avait renvoyée sans ménagements, mettant ainsi fin à la carrière gouvernementale de Galina et révélant sa complaisance de plus en plus marquée à l'égard des services de sécurité et des nombreux communistes irréductibles encore au pouvoir ou proches de celui-ci. Ayant quitté ses fonctions au sein du gouvernement, Galina fit campagne en faveur de la loi de lustration, qui ne fut cependant pas adoptée. Puis elle quitta la Russie pour les États-Unis, où elle travailla à l'US Institute for Peace de Washington, avant d'enseigner à la Brown University.

La première fois que j'ai vu Galina, je n'ai pas pu la voir : elle était masquée par les centaines de milliers de personnes qui se pressaient sur la place Maïakovski de Moscou, le 28 mars 1991, pour témoigner leur soutien à Eltsine, lequel s'était récemment fait sermonner en public par le président soviétique Mikhaïl Gorbatchev. Ce dernier avait également promulgué un décret interdisant les manifestations dans la ville[4]. Des chars d'assaut avaient fait irruption dans Moscou ce matin-là et pris position de manière à empêcher autant que possible les gens de se rendre à ce rassemblement interdit en faveur de la démocratie. Les organisateurs avaient réagi en divisant le cortège en deux : ainsi, les manifestants pouvaient rejoindre au moins un des deux lieux de rendez-vous. C'était la première fois que je revenais à Moscou après dix années passées à l'étranger. Je logeais chez ma grand-mère, à deux pas de la place Maïakovski. Découvrant que l'artère principale, la rue Tverskaïa, était bloquée, j'ai traversé une série de cours intérieures et, ressortant par un passage voûté, me suis retrouvée d'un coup au milieu d'une marée humaine. Je ne voyais que des nuques et des rangées de manteaux de laine gris et noirs quasiment identiques. Mais j'entendais s'élever au-dessus de la foule une voix de femme qui parlait de l'inviolabilité du droit constitutionnel de réunion. Je me suis tournée vers mon voisin, qui tenait un sac en plastique jaune d'une main et un enfant de l'autre. « Qui parle ?

lui ai-je demandé. — Starovoïtova », m'a-t-il répondu. À cet instant précis, la femme, rapidement imitée par tous les manifestants, s'est mise à scander un slogan de cinq syllabes dont l'écho se propageait, me semblait-il, dans toute la ville : « Ros-si-ia ! El-tsine ! » Moins de un an plus tard, l'Union soviétique se serait effondrée et Eltsine serait le leader d'une nouvelle Russie, une Russie démocratique. L'inéluctabilité de cette évolution était apparue clairement à beaucoup, dont moi, en ce jour de mars où le peuple de Moscou avait défié le gouvernement communiste et ses chars et exigé d'avoir son mot à dire sur la place publique.

Je ne me rappelle plus quand exactement j'ai fait la connaissance de Galina en personne, mais nous sommes devenues amies l'année où elle enseignait à la Brown University. Elle était fréquemment invitée chez mon père, aux environs de Boston ; quant à moi, je faisais la navette entre les États-Unis et Moscou. Galina m'a guidée dans les arcanes de la politique russe – ce qui ne l'empêchait pas d'affirmer régulièrement avec force qu'elle ne s'intéressait plus qu'à ses recherches universitaires. Elle a été bien obligée de changer d'avis en décembre 1994, quand Eltsine a lancé une offensive militaire dans la république séparatiste de Tchétchénie : ses conseillers lui avaient, semble-t-il, donné l'assurance que cette insurrection pourrait être matée facilement et sans aucun préjudice pour le gouvernement fédéral. Galina, à juste titre, considéra cette nouvelle guerre comme un désastre certain et comme la plus grave menace qui pût peser sur la démocratie russe. Au printemps, elle partit pour l'Oural afin de présider un congrès chargé de ressusciter son parti politique, Russie démocratique, qui avait été un temps la force politique la plus puissante du pays. Je couvrais ce congrès pour le principal journal d'informations russe de l'époque, mais, en rejoignant la ville de Tchéliabinsk – un voyage qui m'imposait trois heures d'avion suivies de trois heures de car –, j'ai trouvé le moyen de me faire dévaliser. Je suis arrivée à Tchéliabinsk vers minuit, très secouée et sans un sou, et suis tombée sur Galina dans le hall de l'hôtel : elle sortait d'une longue journée de réunions tendues. Sans me laisser le temps de dire un mot, elle m'a entraînée dans sa chambre, m'a collé un verre de vodka entre les mains et s'est assise devant une table basse au plateau de verre pour me préparer une pile de minuscules sandwiches au salami. Elle m'a prêté l'argent de mon billet de retour pour Moscou.

Galina éprouvait manifestement des sentiments maternels à mon égard – j'avais l'âge de son fils, qui était allé s'installer en Angleterre avec son père au moment même où elle commençait à se faire un nom en politique –, mais l'épisode des sandwiches s'inscrivait également dans un autre contexte : dans un pays où les modèles politiques allaient du commissaire en blouson de cuir à l'apparatchik décrépit, Galina cherchait à incarner une créature entièrement nouvelle, à montrer qu'on pouvait faire de la politique sans renoncer à être humain. Lors d'un congrès féministe russe, elle choqua le public en relevant sa jupe pour laisser voir ses jambes : elle tenait à prouver qu'un homme politique qui l'avait accusée d'avoir les jambes arquées avait tort. Elle a confié à l'un des premiers magazines de luxe russes les difficultés que rencontraient les personnes franchement corpulentes, comme elle, pour s'habiller. En même temps, elle poursuivait férocement, obstinément, son programme législatif. À la fin de 1997, par exemple, elle chercha une nouvelle fois à faire adopter sa loi de lustration – et échoua encore. En 1998, elle se lança à corps perdu dans une enquête sur le financement de campagne de certains de ses ennemis politiques les plus puissants, parmi lesquels le président communiste de la Douma[5]. (Le Parti communiste était redevenu légal, et populaire.)

Je lui avais demandé pourquoi elle avait décidé de renouer avec la politique, alors qu'elle savait pertinemment qu'elle ne retrouverait pas son influence passée. Elle avait tenté plusieurs fois de me répondre, trébuchant lorsqu'il s'agissait d'expliquer sa propre motivation. Finalement, elle me téléphona d'un hôpital où elle devait subir une opération ; juste avant l'anesthésie, alors qu'elle cherchait à préciser sa vision de la vie, elle avait enfin trouvé une image qui lui plaisait : « Il y a une vieille légende grecque sur les harpies, m'a-t-elle dit. Ce sont des ombres qui ne peuvent prendre vie qu'en buvant du sang humain. La vie d'un universitaire est la vie d'une ombre. Quand on joue un rôle dans le façonnement de l'avenir, ne serait-ce que d'un fragment de l'avenir – et c'est précisément l'objet de la politique –, alors celui qui n'était qu'une ombre peut prendre vie. Mais, pour cela, il doit boire du sang, dont le sien propre. »

J'ai suivi le regard de Kate vers la radio, qui grésillait légèrement ; on aurait dit que les mots qui en sortaient la faisaient souffrir. Le présentateur disait que Galina s'était fait descendre quelques heures plus tôt dans la cage d'escalier de son immeuble de Saint-Pétersbourg. Elle était arrivée de Moscou en avion dans la soirée. Accompagnée de son assistant parlementaire, Rouslan Linkov, elle s'est arrêtée pour rendre une petite visite à ses parents avant de rejoindre son immeuble sur le quai Griboïédov, l'une des plus belles rues de la ville. Quand ils sont entrés dans le bâtiment, la cage d'escalier était plongée dans l'obscurité : les tireurs postés sur les marches avaient retiré les ampoules. Ils ont tout de même continué à monter, tout en discutant d'un procès récemment intenté contre Galina par un parti politique nationaliste. Puis Linkov a entendu un claquement et vu un éclair éblouissant ; Galina s'est tue. Rouslan a crié : « Qu'est-ce que vous faites ? » et a couru vers la source de lumière et de bruit. Les deux balles suivantes ont été pour lui.

Rouslan a dû s'évanouir brièvement, mais il a repris conscience suffisamment longtemps pour attraper son téléphone portable et appeler un journaliste. C'est lui qui a prévenu la police. Et maintenant, annonçait la voix qui sortait des haut-parleurs de la radio, Galina était morte et Rouslan, que je connaissais et aimais aussi, se trouvait à l'hôpital dans un état critique.

Si ce livre était un roman, le personnage que j'incarne aurait sans doute tout laissé en plan en apprenant la mort de son amie et, sachant déjà que sa vie avait définitivement changé, se serait précipité dehors pour faire quelque chose – n'importe quoi qui rende justice à l'importance du moment. Dans la réalité, il est bien rare que nous réussissions à reconnaître l'instant où notre existence bascule irrévocablement ou que nous sachions comment réagir face à une tragédie. Je suis allée acheter les éléments de salle de bains pour mon nouvel appartement. Il a fallu que le responsable de l'entreprise du bâtiment qui m'accompagnait me demande : « Vous avez appris ce qui est arrivé à Starovoïtova ? » pour que je m'arrête net. Je me rappelle avoir baissé les yeux vers mes bottes et vers la neige, grisâtre et durcie par les pieds de milliers d'aspirants à la propriété. « Nous avions un contrat pour lui construire un garage », a-t-il ajouté. Curieusement, c'est à cet instant, en songeant que plus jamais mon amie n'aurait besoin d'un garage, que j'ai pris toute la mesure de mon impuissance, de ma peur, et de ma colère. J'ai sauté dans ma voiture, filé jusqu'à la gare, et je suis allée à Saint-Pétersbourg pour essayer d'écrire ce qui était arrivé à Galina Starovoïtova.

Au cours des deux années suivantes, j'ai passé de longues semaines consécutives à Saint-Pétersbourg. J'y ai trouvé une autre histoire que personne n'avait encore racontée – mais c'était une histoire d'une tout autre ampleur que celles que j'avais écrites jusque-là, d'une tout autre ampleur aussi que celle de l'assassinat de sang-froid d'une des plus célèbres personnalités politiques du pays. Ce que j'ai trouvé à Saint-Pétersbourg, c'était une ville – la deuxième de Russie – qui constituait un État dans l'État. Un endroit où le KGB – l'organisation contre laquelle Starovoïtova avait mené sa bataille la plus acharnée et la plus vaine – régnait en maître. Un endroit où les hommes politiques et les journalistes locaux étaient convaincus que leurs téléphones et leurs bureaux étaient sur écoute, et où tout leur donnait raison. Un endroit où l'assassinat d'acteurs majeurs de la politique et de l'économie était monnaie courante. Et un endroit où les affaires financières qui tournaient mal pouvaient facilement vous conduire derrière les barreaux. En d'autres termes, Saint-Pétersbourg ressemblait beaucoup à ce que deviendrait la Russie quelques années plus tard, lorsqu'elle serait gouvernée par les hommes qui dirigeaient cette ville dans les années 1990.

Je n'ai jamais découvert qui avait commandité le meurtre de Galina Starovoïtova (les deux individus reconnus coupables longtemps après n'étaient que des tueurs à gages). Et je n'ai jamais découvert pourquoi elle avait été tuée. Ce que j'ai découvert, en revanche, c'est que, tout au long des années 1990, pendant que des jeunes comme moi se construisaient une vie nouvelle dans un pays nouveau, un monde parallèle existait à côté du nôtre. Saint-Pétersbourg avait conservé et optimisé nombre de caractéristiques essentielles de l'État soviétique : c'était un système de gouvernement qui cherchait à détruire ses adversaires – un système fermé, paranoïaque, qui s'efforçait de tout contrôler et d'écraser tout ce qu'il ne pouvait pas contrôler. S'il était impossible de comprendre ce qui avait provoqué la mort de Starovoïtova, c'était précisément parce que sa réputation d'adversaire du système avait fait d'elle une femme marquée, condamnée. J'avais fréquenté de nombreuses zones de guerre, il m'était arrivé de travailler sous les tirs d'obus, mais cette histoire-là était la plus effrayante que j'avais jamais eu à raconter : jamais encore je n'avais été obligée de décrire une réalité aussi froide et aussi cruelle, aussi évidente et aussi impitoyable, aussi corrompue et aussi intégralement dénuée de remords.

Quelques années plus tard, toute la Russie vivrait au sein de cette réalité. Comment en est-on arrivé là ? Voilà l'histoire que je vais raconter dans ce livre.

## Chapitre premier

# Un président par défaut

Imaginez que vous ayez un pays et personne pour le diriger. Telle était la situation, pour le moins préoccupante, devant laquelle Boris Eltsine et son premier cercle craignaient de se trouver en 1999.

Eltsine était malade depuis longtemps. Il avait fait plusieurs infarctus et avait subi une opération à cœur ouvert peu après avoir été élu pour un second mandat en 1996. La plupart des gens étaient convaincus qu'il était alcoolique – un fléau courant et aisément identifiable en Russie. Pourtant, certains de ses proches soutenaient énergiquement que ses accès occasionnels d'hébétude et de désinvestissement n'étaient pas dus à une consommation excessive d'alcool, mais à ses affections physiques chroniques. Quelle qu'en fût la cause, Eltsine avait fait preuve d'incohérence ou d'absences lors de plusieurs visites officielles, affligeant ses partisans et décevant ses électeurs.

En 1999, Eltsine, dont la cote de popularité n'atteignait même plus un pourcentage à deux chiffres, n'était que l'ombre de l'homme politique qu'il avait été. Il appliquait encore un certain nombre des recettes qui avaient fait sa grandeur, procédant à des nominations politiques inattendues, faisant alterner les périodes d'interventionnisme et les périodes de laisser-faire, mobilisant astucieusement son image imposante – mais, désormais, il ressemblait le plus souvent à un boxeur aveugle, battant l'air sur le ring, frappant des cibles imaginaires et manquant ses adversaires réels.

Au cours de la deuxième moitié de son second mandat, Eltsine procéda à une succession fébrile de remaniements gouvernementaux sans queue ni tête. Il renvoya un Premier ministre en poste depuis six ans et le remplaça par un inconnu de trente-six ans, pour finalement faire revenir son prédécesseur six mois plus tard – et procéder à un nouveau remplacement au bout de trois semaines. Eltsine désigna l'un après l'autre plusieurs successeurs avant de renoncer rapidement et publiquement à ses illusions sur chacun, provoquant l'embarras de l'objet de son déplaisir aussi bien que de tous les témoins de cette manifestation de désaffection.

Plus le président devenait fantasque, plus il se faisait d'ennemis – et plus ses ennemis se liguaient contre lui. Un an avant l'expiration de son deuxième et dernier mandat, Eltsine occupait la pointe d'une pyramide d'une redoutable fragilité. Ses multiples remaniements avaient provoqué le départ forcé de ce qui représentait l'équivalent de plusieurs générations de professionnels compétents ; de nombreux ministères et services fédéraux avaient été confiés à de jeunes médiocrités aspirées par le vide qui régnait au sommet. Les alliés fidèles d'Eltsine étaient à présent si rares et si isolés que la presse les surnommait « la Famille » ; ils comprenaient sa fille, Tatiana, son secrétaire général Alexandre Volochine, son ancien secrétaire général Valentin Ioumachev, qui deviendrait plus tard l'époux de Tatiana, un autre ancien secrétaire général, économiste de formation et grand ordonnateur des privatisations russes, Anatoli Tchoubaïs, et le chef d'entreprise Boris Bérézovski. Sur la demi-douzaine d'« oligarques » – on appelle ainsi les hommes d'affaires qui avaient amassé des fortunes colossales sous Eltsine et, en contrepartie, avaient orchestré sa campagne de réélection –, Bérézovski était le seul à soutenir toujours fermement le président.

Eltsine n'avait légalement pas le droit de briguer un troisième mandat, et son état de santé ne le lui aurait pas permis. Mais il avait d'excellentes raisons de redouter l'arrivée au pouvoir d'un successeur inamical. Il n'était pas seulement un président impopulaire. Il était le premier homme politique à qui les Russes aient jamais fait confiance – et la désillusion de son peuple était aussi amère qu'avait été grisant le soutien qu'il lui avait accordé jadis.

Le pays était meurtri, traumatisé et déçu. Il avait découvert l'espoir et l'unité à la fin des années 1980, un élan qui avait culminé en août 1991 quand le peuple avait repoussé la junte qui menaçait le régime de Gorbatchev. Il avait placé sa foi en Boris Eltsine, le seul dirigeant russe de l'histoire à avoir été librement élu. En échange, les Russes avaient vu l'hyperinflation engloutir en l'espace de quelques mois les économies de vies entières ; ils avaient observé la présence envahissante de bureaucrates et d'hommes d'affaires qui pillaient l'État et se pillaient les uns les autres au vu et au su de tous ; et ils avaient constaté une inégalité économique et sociale d'une ampleur sans précédent. Mais le pire était qu'un grand nombre de Russes, la plupart peut-être, avaient perdu toute confiance en l'avenir – en même temps que le sentiment d'unité qui les avait portés tout au long des années 1980 et jusqu'au début des années 1990.

Le gouvernement Eltsine avait commis la grave erreur de ne pas répondre aux souffrances et aux inquiétudes du pays. Au cours des dix années qu'il passa au pouvoir, Eltsine, qui avait été un authentique populiste – prêt à prendre le bus ou à monter sur un char en fonction des exigences du moment –, se retira de plus en plus dans un monde impénétrable et étroitement surveillé de limousines noires et de conférences à huis clos. Le Premier ministre nommé initialement – le jeune et brillant économiste Egor Gaïdar, qui en vint à symboliser la réforme économique postsoviétique – avait fait savoir clairement et publiquement qu'il jugeait le peuple trop bête pour participer au moindre débat sur la réforme. La population russe, largement abandonnée par ses dirigeants en ces temps de douleur, se réfugia dans la nostalgie – moins dans l'idéologie communiste, dont le potentiel d'inspiration était épuisé depuis de longues décennies, que dans une aspiration à rendre à la Russie son rang de superpuissance. Il régnait en 1999 un climat d'agressivité palpable – une des raisons majeures de l'inquiétude légitime d'Eltsine et de la Famille.

La douleur et l'agressivité ont tendance à rendre les gens aveugles. Ainsi, le peuple russe ne prit pas suffisamment en compte les véritables accomplissements de la décennie Eltsine. Malgré les nombreuses, très nombreuses erreurs commises en cours de route, la Russie avait réussi à privatiser une grande partie de ses entreprises – dont les plus puissantes avaient renversé la vapeur et étaient devenues compétitives. En dépit de l'accroissement des inégalités, une grande majorité des Russes avaient vu leur vie s'améliorer[1] : le nombre de ménages équipés de téléviseurs, de machines à laver et de réfrigérateurs avait augmenté ; le nombre de voitures particulières avait doublé ; la proportion des Russes qui partaient faire du tourisme à l'étranger avait presque triplé entre 1993 et 2000. En août 1998, la Russie avait fait défaut sur sa dette, ce qui avait provoqué un bref mais brutal pic d'inflation. Depuis lors, toutefois, la croissance économique était au rendez-vous.

Les médias prospéraient : il n'avait fallu qu'incroyablement peu de temps aux Russes pour apprendre à réaliser des émissions de télévision complexes et de grande qualité et pour se doter d'un nombre invraisemblable d'organes de presse ainsi que de plusieurs jeunes publications électroniques. Un certain nombre de problèmes d'infrastructure avaient été réglés : les trains arrivaient de nouveau à l'heure, les services postaux fonctionnaient, le nombre de ménages abonnés au téléphone augmentait. Une société russe – un opérateur de téléphones portables né en 1992 – avait placé ses actions à la Bourse de New York avec d'excellents résultats.

Pourtant, le gouvernement n'arrivait manifestement pas à convaincre la population que la situation était nettement meilleure que quelques années plus tôt, et en tout cas qu'une décennie auparavant. Le sentiment d'incertitude qui étreignait les gens depuis que l'Union soviétique s'était écroulée sous leurs pieds était tel que la moindre perte semblait confirmer l'inéluctabilité du malheur, alors que chaque gain engendrait la crainte d'une nouvelle perte. Eltsine en était réduit à se cramponner à ses attitudes populistes : il ne pouvait ni contester ni remodeler les attentes du peuple ; il ne pouvait pas conduire le pays dans la quête de nouveaux idéaux, d'une rhétorique nouvelle. Il ne pouvait qu'essayer de donner aux gens ce qu'ils voulaient.

Et une chose était claire : ce qu'ils voulaient, ce n'était pas Eltsine. Des dizaines de millions de Russes le tenaient pour personnellement responsable de toutes les adversités qu'ils avaient connues au cours des dix années passées, de leurs espoirs perdus, de leurs rêves fracassés – et même, semblait-il, de leur jeunesse disparue –, et ils le haïssaient passionnément. Quiconque dirigerait le pays après Eltsine était assuré d'accroître sa popularité en engageant des poursuites judiciaires contre son prédécesseur. La principale crainte du président souffrant était qu'un parti politique appelé Otietchestvo-Vsia Rossia (Patrie-Toute la Russie, un nom hybride de deux appellations politiques tout aussi inélégant en russe qu'en français), dirigé par un ancien Premier ministre et par plusieurs maires et gouverneurs, n'accède au pouvoir et ne se venge d'Eltsine et de la Famille – et que lui-même ne finisse ses jours en prison.

C'est alors que Vladimir Poutine est entré en scène.

Selon le récit qu'en fait Bérézovski, la Famille était à la recherche d'un successeur. Plusieurs incongruités remarquables jalonnent cette histoire. Une poignée de gens, acculés et isolés, cherchaient quelqu'un qui pût prendre la tête de la plus grande masse continentale du monde, avec toutes ses ogives nucléaires et son passé tragique – et le petit nombre de candidats pressentis n'avait d'égal que celui des compétences qu'on exigeait d'eux. Tous ceux qui possédaient un réel potentiel et une vraie ambition politiques – tous ceux dont la personnalité était proportionnée à l'importance du poste – avaient déjà lâché Eltsine. Ne restaient que des hommes ordinaires en costume gris.

Bérézovski affirme que Poutine était son protégé. D'après ce qu'il m'a dit lorsque je l'ai rencontré dans sa villa des environs de Londres – j'ai tenu ma promesse d'oublier son adresse exacte dès que je serais rentrée en ville –, il avait rencontré Poutine en 1990, quand il cherchait à développer ses affaires à Leningrad. Bérézovski était un ancien universitaire reconverti dans le négoce automobile. Il commercialisait la Lada – nom que les Russes avaient attribué à une voiture de mauvaise qualité fabriquée sur un modèle Fiat dépassé depuis longtemps. Il importait également des véhicules européens d'occasion et construisait des stations-service pour entretenir ce qu'il vendait[2]. Poutine, qui était alors un des adjoints d'Anatoli Sobtchak, président du conseil municipal de Leningrad, avait aidé Bérézovski à accomplir les formalités nécessaires à l'ouverture d'une station-service dans la ville et avait refusé un pot-de-vin – ce qui avait suffi pour que Bérézovski se souvienne de lui. « C'était le premier bureaucrate à ne pas accepter de dessous-de-table, m'a-t-il assuré. Vraiment, ça m'a beaucoup frappé[3]. »

Bérézovski prit l'habitude de « faire un saut » dans le bureau de Poutine à chacun de ses passages à Saint-Pétersbourg – dans la mesure où Bérézovski est un homme qui ne tient pas en place, il s'agissait sans doute effectivement de visites éclair, l'oligarque apparaissant, bavardant quelques instants avec animation puis ressortant précipitamment, sans prêter grande attention aux réactions de son hôte. Lors de notre entretien, Bérézovski a eu bien du mal à se rappeler quoi que ce soit des propos de Poutine. « Mais je voyais en lui une sorte d'allié », m'a-t-il dit. Il avait également été impressionné en apprenant que Poutine, devenu premier adjoint du maire de Saint-Pétersbourg après l'élection de Sobtchak à la mairie, avait refusé un poste auprès du nouveau maire lorsque Sobtchak avait été battu au scrutin suivant.

En 1996, Poutine alla s'installer à Moscou, ayant obtenu un emploi administratif au Kremlin. Les deux hommes commencèrent alors à se voir plus fréquemment, se retrouvant notamment au cercle très sélect de Bérézovski dans le centre-ville. Bérézovski avait obtenu, en faisant intervenir ses relations, que des signaux « Sens interdit » soient placés aux deux extrémités d'un tronçon de rue situé dans un quartier résidentiel, s'en réservant ainsi l'accès. (Les habitants des immeubles de l'autre côté de la rue ne pouvaient plus se rendre légalement chez eux en voiture.)

Mais, au début de 1999, Bérézovski était un homme assiégé – comme le reste de la Famille, mais davantage encore : il était en effet le seul à attacher un grand prix à sa place au sein de la société moscovite. Prisonnier d'une lutte de pouvoir acharnée et apparemment vouée à l'échec contre l'ancien Premier ministre Evguéni Primakov, lequel avait pris la tête de l'alliance politique anti-Eltsine, Bérézovski n'était pas loin d'être devenu un paria. « C'était l'anniversaire de ma femme, Lena, m'a-t-il raconté. Nous avions décidé de ne pas inviter beaucoup de monde parce que nous ne voulions pas risquer de mettre nos amis en difficulté avec Primakov. Nous n'avions donc réuni que quelques proches. Et voilà que mon garde du corps m'annonce : "Boris Abramovitch, Vladimir Vladimirovitch Poutine arrive dans dix minutes." J'ai demandé : "Que se passe-t-il ?" Il m'a répondu : "Il veut souhaiter un bon anniversaire à Lena." Il s'est effectivement pointé dix minutes plus tard, avec un bouquet. J'ai dit : "Volodia*, pourquoi faites-vous cela ? Vous avez suffisamment de problèmes comme ça. Ou bien tenez-vous à faire étalage de nos relations ?" Il a répondu : "Eh bien oui, c'est ça." Voilà comment il a cimenté notre amitié. En commençant par ne pas accepter d'enveloppe. Puis en refusant de lâcher Sobtchak. Et puis cet incident, qui m'a convaincu que c'était un chic type – un homme du KGB, oui, sans doute, mais qui n'en était pas moins resté un homme. » Ça lui a troublé l'esprit.

Bérézovski était de la même trempe que d'autres hommes d'affaires russes des débuts de l'ère postsoviétique. Comme eux tous, il était très intelligent, très instruit, il adorait le risque et était mû par une ambition démesurée en même temps que par une énergie sans borne. Comme la plupart d'entre eux, il était juif, ce qui avait fait de lui un marginal depuis son plus jeune âge. Il était titulaire d'un doctorat de mathématiques et s'était lancé dans les affaires en créant une entreprise d'import-export d'automobiles ainsi qu'une société de service après-vente. En manipulant le crédit en situation d'hyperinflation, il avait dans les faits escroqué le plus grand fabricant automobile russe de plusieurs millions de dollars[4]. Dans la première moitié des années 1990, il

* « Volodia », « Vova », « Volodka » et « Vovka » sont tous des diminutifs de Vladimir, énumérés ici par ordre de familiarité croissante. (N.d.A.)

s'engagea dans le secteur bancaire, sans renoncer au commerce automobile, acquit des parts dans une grande société pétrolière[5] et, surtout, devint le principal actionnaire de la Télévision publique russe, ou Première Chaîne, la plus regardée du pays – ce qui lui offrait un accès direct à 98 % des foyers russes.

Comme d'autres oligarques, Bérézovski finança la campagne de réélection d'Eltsine en 1996. Contrairement à eux, il obtint en contrepartie un certain nombre de responsabilités politiques. Il fit le tour du pays pour négocier des accords politiques et plaider en faveur de la paix en Tchétchénie, sans dissimuler le plaisir qu'il prenait à être sous les feux des projecteurs. Il cultivait l'image d'un homme qui fait et défait les personnages politiques, exagérant sans doute son influence et croyant certainement, sur le moment, la moitié de ce qu'il disait ou sous-entendait. Deux générations successives de correspondants de presse étrangers en Russie se persuadèrent ainsi que Bérézovski gouvernait le pays en coulisse.

Il n'est pas d'homme plus manipulable que celui qui surestime son propre pouvoir. Alors que la Famille cherchait désespérément le futur dirigeant de la Russie commença une série de rencontres entre Bérézovski et Poutine. À cette date, Poutine était le chef de la police secrète russe. Eltsine avait éliminé un à un les hommes qui occupaient les échelons supérieurs de tous les services, et le FSB – le Service fédéral de sécurité, comme on appelait désormais le successeur du KGB – n'avait pas fait exception. À en croire Bérézovski, c'est lui-même qui mentionna le nom de Poutine à Valentin Ioumachev, secrétaire général d'Eltsine : « J'ai dit : "On a Poutine, qui était, si je ne me trompe, dans les services secrets." Et Valia a répondu : "Oui, c'est vrai." Alors j'ai ajouté : "Écoute, c'est peut-être une option. Penses-y : après tout, c'est un ami." Valia a objecté : "Mais il occupe un rang très modeste." Alors j'ai dit : "Tu sais, on est en pleine révolution, tout est cul par-dessus tête, alors..." »

Si l'on songe que cette conversation est censée relater la façon dont s'est décidée la nomination du responsable du plus grand service de sécurité d'une puissance nucléaire, cela paraît tellement insensé que j'ai tendance à y croire. Poutine occupait effectivement un rang modeste : il avait quitté le service actif avec le grade de lieutenant-colonel et avait automatiquement été promu colonel de réserve. Il prétendrait plus tard qu'on lui avait proposé les étoiles de général au moment où il avait pris la tête du FSB, un honneur qu'il aurait décliné. « Pas besoin d'être général pour commander à des colonels » : c'est ainsi que sa femme a justifié sa décision. « Il faut quelqu'un qui soit capable de le faire, c'est tout[6]. »

Capable ou non, Poutine ne se sentait visiblement pas très à l'aise à son nouveau poste au FSB, et il ne tarda pas à recruter d'anciennes connaissances du KGB de Leningrad pour leur confier des positions importantes au sein de la structure fédérale. Il ne se sentait même pas en sécurité dans son propre bureau : chaque fois que Bérézovski venait le voir, les deux hommes allaient discuter dans une cage d'ascenseur désaffectée derrière le bureau de Poutine ; c'était le seul endroit du bâtiment que ce dernier estimait être à l'abri des micros. Bérézovski rencontrait Poutine presque quotidiennement dans ce cadre sinistre et dysfonctionnel pour évoquer sa lutte contre l'ancien Premier ministre Primakov – et finalement envisager sa candidature à la présidence de la Russie. Poutine se montra d'abord sceptique, se rappela Bérézovski, mais il ne refusa pas de l'écouter. Un jour, il referma par inadvertance la porte qui séparait la cage d'ascenseur du couloir passant devant son bureau et les deux hommes se retrouvèrent coincés. Poutine dut tambouriner contre le mur pour que quelqu'un vienne les délivrer.

En définitive, Bérézovski, pleinement convaincu de représenter la Russie, fit la cour à Poutine. En juillet 1999, il prit l'avion pour Biarritz, où celui-ci passait ses vacances. « Je l'ai prévenu par téléphone, a raconté Bérézovski. Je lui ai dit que je voulais le voir pour discuter d'une affaire sérieuse. J'y suis allé. Il occupait avec sa femme et ses deux filles, qui étaient encore très jeunes à l'époque, un appartement extrêmement modeste. Dans une sorte d'immeuble résidentiel, ou d'hôtel-résidence. Une petite cuisine, une ou deux chambres. Vraiment très modeste. » À cette époque, les millionnaires russes, dont Poutine faisait indéniablement partie, avaient pris l'habitude de passer leurs vacances dans de somptueuses villas sur la Côte d'Azur. On comprendra que Bérézovski ait été vivement impressionné par l'absence de prétention de Poutine.

« Nous avons passé toute une journée à discuter. Et, finalement, il a dit : "Entendu. Tentons le coup. Mais vous comprenez bien que c'est à Boris Nikolaïévitch [Eltsine] de me le demander. »

Tout cela ressemblait à une vieille blague juive. Une marieuse discute avec un tailleur vieillissant de la possibilité d'arranger une union entre sa cadette et l'héritier de la fortune des Rothschild. Le tailleur soulève plusieurs objections : il ne tient pas à marier sa cadette avant que l'aînée ait trouvé un mari, il ne veut pas que sa fille aille s'installer loin de chez lui, il n'est pas sûr que les Rothschild soient aussi pieux que devrait l'être le mari de sa fille. La marieuse réplique à chaque argument par le même refrain : après tout, il s'agit de l'héritier des Rothschild. Finalement, le vieux tailleur se laisse fléchir. « Parfait, dit la marieuse. Maintenant, il ne me reste plus qu'à parler aux Rothschild. »

Bérézovski rassura Poutine. « Je lui ai répondu : "Volodia, qu'est-ce qui vous inquiète ? C'est lui qui m'a envoyé ici, évidemment. Il voulait simplement s'assurer qu'il n'y avait aucun malentendu, et éviter de ne mettre le sujet sur le tapis que pour s'entendre répondre, ce qui ne serait pas la première fois, qu'il n'en est pas question." Il m'a donc donné son accord. Je suis reparti à Moscou et j'ai rapporté notre conversation à Ioumachev. Un peu plus tard – je ne sais plus exactement combien de jours après –, Poutine est rentré à Moscou et a rencontré Boris Nikolaïévitch. Et Boris Nikolaïévitch a eu une réaction ambiguë. En tout cas, je me rappelle qu'il m'a dit ça : "Il n'a pas l'air mal, mais il est un peu petit." »

La fille d'Eltsine, Tatiana Ioumachéva, a gardé un souvenir légèrement différent de cet épisode. Elle se rappelle que le secrétaire général d'Eltsine, Volochine, a eu une discussion un peu vive avec un ancien secrétaire général, Tchoubaïs : ils admettaient l'un comme l'autre que Poutine ferait un bon successeur, mais Tchoubaïs ne pensait pas que le Parlement russe le confirmerait au poste de Premier ministre. C'est pendant qu'ils présentaient tous deux leur point de vue à Eltsine que Bérézovski a pris l'avion pour Biarritz afin de poser directement la question à Poutine – parce qu'il voulait que celui-ci et le reste du pays soient persuadés que c'était lui, Bérézovski, qui tirait toutes les ficelles.

Comme les autres acteurs du processus de sélection présidentielle, Tatiana Ioumachéva n'a pas oublié la panique que leur inspiraient la situation politique et l'avenir du pays. « Tchoubaïs pensait que la Douma ne confirmerait pas Poutine. Qu'il y aurait trois votes, et que le Parlement serait dissous*. Associés à Primakov [l'ancien Premier ministre] et à Loujkov [le maire de Moscou], les communistes obtiendraient une solide majorité aux élections suivantes, peut-être même la majorité constitutionnelle. Le pays se trouverait alors sur une pente extrêmement dangereuse, qui pourrait le conduire jusqu'à la guerre civile. Le scénario le plus favorable serait celui d'un régime néocommuniste, légèrement modernisé ; mais les entreprises seraient renationalisées, les frontières fermées et de nombreux médias supprimés[7]. »

« Nous étions au bord de l'abîme, a confirmé Bérézovski. Nous avions perdu du temps, et nous avions perdu notre avantage stratégique. Primakov et Loujkov s'organisaient à l'échelle du pays. Près de cinquante gouverneurs [sur quatre-vingt-neuf] avaient déjà adhéré à leur mouvement politique. Et Primakov était un monstre déterminé à annuler tout ce qui avait été accompli durant ces années. »

Pourquoi, si la Famille considérait la situation comme désespérée, vit-elle dans Poutine son sauveur ? Tchoubaïs déclarait que c'était un candidat idéal. Bérézovski estimait de toute évidence que c'était un excellent choix. Pour qui prenaient-ils Poutine, et pourquoi l'estimaient-ils qualifié pour diriger le pays ?

Ce qui est peut-être le plus bizarre dans l'ascension de Poutine, c'est que ceux qui l'installèrent sur le trône n'en savaient guère

* La Constitution russe autorisait Eltsine à imposer trois tours de scrutin sur le choix du Premier ministre, puis à dissoudre le Parlement en cas d'impasse. (N.d.A.)

plus long sur lui que le commun des mortels. Bérézovski m'a dit n'avoir jamais tenu Poutine pour un ami et ne l'avoir jamais trouvé intéressant en tant que personne – un jugement sévère dans la bouche d'un homme tellement exubérant qu'il a tendance à attirer dans son orbite, avec énergie et enthousiasme, tous ceux qui possèdent un minimum d'ambition intellectuelle, et à les y maintenir par la force de son simple magnétisme. Le fait que Bérézovski n'ait jamais considéré Poutine comme assez séduisant pour justifier une manœuvre de rapprochement donne à penser qu'il n'a jamais senti chez lui la moindre étincelle de curiosité. Mais, en envisageant que Poutine puisse succéder à Eltsine, il semblait supposer que les caractéristiques mêmes qui empêchaient toute véritable intimité entre eux feraient de cet homme un candidat idéal. Apparemment dépourvu de personnalité et dénué de tout intérêt personnel, Poutine serait à la fois malléable et discipliné. Bérézovski n'aurait pu commettre plus grossière erreur.

Quant à Tchoubaïs, il avait brièvement côtoyé Poutine du temps où lui-même était conseiller économique du maire Sobtchak à Saint-Pétersbourg et où Poutine venait d'être nommé adjoint. Il se le rappelait tel qu'il était durant sa première année à la mairie : la charge de travail était considérable et Poutine avait fait preuve d'une énergie et d'une curiosité qui ne lui ressemblaient guère, ne cessant de poser des questions. Tchoubaïs avait quitté Saint-Pétersbourg en novembre 1991 pour entrer au gouvernement à Moscou, et il était resté sur ses impressions premières.

Et que savait Boris Eltsine lui-même de celui qu'il désignerait bientôt comme son dauphin ? Il savait que c'était l'un des rares hommes à lui être restés fidèles. Il savait qu'il appartenait à une autre génération : contrairement à Eltsine, à son ennemi Primakov et à son armée de gouverneurs, Poutine n'avait pas gravi les échelons au sein du Parti communiste et n'avait pas eu, par conséquent, à retourner promptement sa veste au moment de l'effondrement de l'Union soviétique. Il ne ressemblait pas aux autres, à tous ces grands types au complet éternellement fripé. Poutine – mince, petit, et qui avait pris l'habitude désormais de porter des costumes européens de bonne coupe – était bien davantage à l'image de la nouvelle Russie qu'Eltsine avait promise à son peuple dix ans auparavant. Eltsine savait également, ou pensait savoir, que Poutine n'autoriserait pas qu'on engage des poursuites judiciaires contre lui ni qu'on le persécute d'aucune façon lorsqu'il aurait quitté le pouvoir. Et, s'il avait conservé ne fût-ce qu'une once de son flair politique jadis remarquable, il savait que les Russes aimeraient l'homme dont ils hériteraient, et qui hériterait d'eux.

Tout le monde pouvait prêter à cet homme gris, ordinaire, les qualités que l'on souhaitait voir en lui.

Le 9 août 1999, Boris Eltsine nomma Vladimir Poutine Premier ministre de Russie. Une semaine plus tard, il fut confirmé à ce poste par une large majorité à la Douma : il s'était montré aussi sympathique, ou du moins aussi acceptable, qu'Eltsine en avait eu l'intuition.

## CHAPITRE 2

# La guerre électorale

« Tu sais, il y a des gens qui racontent que c'est le FSB qui est à l'origine des explosions », me dit mon rédacteur en chef, l'une des personnes les plus intelligentes que je connaisse, en m'accueillant un après-midi de septembre 1999. « Qu'est-ce que tu en penses ? »

Cela faisait trois semaines qu'une série d'attentats semait la terreur à Moscou et dans d'autres villes russes. Le premier avait eu lieu le 31 août dans un centre commercial bondé du cœur de la capitale. Il avait fait un mort et plus de trente blessés. Sur le moment, pourtant, il ne souleva pas plus d'inquiétude qu'une farce qu'on aurait poussée un peu loin, ou un échange de coups de feu dans le cadre d'un démêlé impliquant les milieux d'affaires.

Cinq jours plus tard, une explosion détruisit une grande partie d'un immeuble résidentiel de Bouïnaksk, une ville du Sud, non loin de la Tchétchénie. Soixante-quatre personnes furent tuées et cent quarante-six blessées. Mais l'immeuble n'était habité que par des officiers russes et leurs familles, si bien que, malgré la présence de vingt-trois enfants parmi les morts, cet attentat n'effraya pas les civils, ceux de Moscou encore moins que les autres, et ne leur inspira aucun sentiment particulier de vulnérabilité.

Quatre jours plus tard, cependant, le 8 septembre, deux secondes avant minuit, une explosion gigantesque ébranla une cité-dortoir située un peu à l'écart du centre de Moscou. Un grand ensemble densément peuplé fut littéralement déchiré en son milieu, et deux de ses cages d'escalier – soixante-douze appartements au total – entièrement détruites. On dénombra très exactement cent morts, auxquels s'ajoutaient près de sept cents blessés[1]. Cinq jours plus tard, une nouvelle explosion pulvérisa un immeuble dans la banlieue de Moscou. Le bâtiment de brique de huit étages s'écroula sur lui-même comme un château de cartes ; parmi la foule qui afflua sur les lieux ce matin-là se trouvaient des journalistes qui firent remarquer que, de toute évidence, les constructions de béton explosent vers l'extérieur, alors que celles de brique s'effondrent vers l'intérieur. La déflagration avait eu lieu à 5 heures du matin, et la plupart des habitants étaient évidemment chez eux ; ils furent presque tous tués. On déplora cent vingt-quatre morts et sept blessés.

Trois jours après ce drame, le 16 septembre, un camion sauta dans une rue de Volgodonsk, une ville du sud de la Russie. Bilan : dix-neuf morts, plus d'un millier de blessés.

La panique s'empara alors de tout le pays. Les habitants de Moscou et d'autres villes russes constituèrent des milices de quartier. Un certain nombre de personnes préféraient dormir dans la rue, où elles se croyaient plus en sécurité que chez elles. Des équipes de volontaires arrêtaient tous ceux qu'ils jugeaient suspects, c'est-à-dire, dans bien des cas, tous ceux qui n'étaient pas membres de leur patrouille. Il semblerait qu'au moins un groupe de volontaires moscovites ait interpellé tous les habitants qu'ils rencontraient promenant leur chien – pour contrôler le chien. D'un bout à l'autre du pays, la police fut assiégée d'appels de citoyens persuadés d'avoir repéré des activités ou des objets suspects. Le 22 septembre, à Riazan, une ville située à quelque cent cinquante kilomètres de Moscou, la police découvrit à la suite d'un appel téléphonique trois sacs d'explosifs dissimulés dans la cage d'escalier d'un immeuble.

Dans un pays frappé par la terreur et le chagrin, tout le monde, moi comme les autres, était convaincu que c'était un coup des Tchétchènes. J'avais passé les quelques jours précédents à faire le tour de Moscou pour rendre visite à des familles tchétchènes : des réfugiés, des membres de professions libérales établis de longue date, des travailleurs temporaires qui vivaient dans des foyers. Ils étaient tous terrifiés. La police moscovite procédait à des rafles parmi les jeunes Tchétchènes, et elle en incarcéra plusieurs centaines à la suite des attentats. Parmi les hommes que j'avais interrogés, un grand nombre n'avaient pas seulement renoncé à sortir dans la rue : ils refusaient même d'ouvrir la porte de leur appartement ou de leur chambre de foyer. Dans une famille, un enfant était rentré de l'école en disant que l'instituteur avait écrit au tableau les mots « explosion » et « Tchétchènes » l'un à côté de l'autre.

Je savais que la police avait appréhendé des centaines d'innocents, mais je n'avais aucun mal à imaginer que le coupable était un Tchétchène ou un groupe originaire de Tchétchénie. J'avais couvert la guerre de Tchétchénie de 1994 à 1996, du début à la fin. La première fois de ma vie que j'avais entendu une bombe exploser à quelques mètres de moi, je me trouvais dans la cage d'escalier d'un immeuble réservé aux aveugles dans les faubourgs de Grozny, la capitale tchétchène. C'était en janvier 1995 – le premier mois de la guerre – et je m'étais rendue dans ce quartier précis parce que l'armée russe prétendait ne pas bombarder la population civile ; je ne voyais pas qui pouvait mieux correspondre à la définition de *civils* que les habitants de cet immeuble – aveugles, impuissants, incapables de quitter la ville. Quand je suis sortie du bâtiment, j'ai vu des corps et des membres humains éparpillés tout autour de moi.

Les nombreux enfants que j'avais croisés dans les rues de Grozny ce jour-là et au cours des journées suivantes avaient assisté au même spectacle d'horreur. C'étaient ceux qui traîneraient autour des feux allumés sur les trottoirs de Grozny dans les semaines à venir, regardant leurs mères préparer le repas. C'étaient ceux qui passeraient ensuite des années claquemurés dans de minuscules appartements – serrés à une demi-douzaine par pièce à cause du grand nombre d'immeubles rayés de la carte par les bombardements –, empêchés de sortir de crainte de poser le pied sur une mine ou de croiser la route d'un soldat russe, susceptible de violer les filles et d'arrêter les garçons. Et, pourtant, ils sortaient, se faisaient violer, arrêter, torturer, disparaissaient – ou voyaient leurs sœurs, leurs frères, leurs amis subir ce sort. Ces enfants étaient à présent de jeunes adultes, et je n'avais aucun mal à croire que certains d'entre eux aient été capables d'exercer une atroce vengeance.

La plupart des Russes n'avaient pas vu ce que j'avais vu, mais la télévision diffusait des images, plus terrifiantes les unes que les autres, des sites où s'étaient produites les explosions. La guerre en Tchétchénie n'avait jamais véritablement pris fin : l'accord négocié notamment par Bérézovski trois ans auparavant n'était guère qu'un cessez-le-feu. La Russie avait tout d'une nation en guerre et, comme tous les habitants d'une nation en guerre, les Russes étaient convaincus que l'ennemi n'était pas totalement humain et pouvait commettre des actes d'une horreur inimaginable.

Le 23 septembre, un groupe de vingt-quatre gouverneurs – plus du quart de l'ensemble des gouverneurs de la fédération – écrivit au président Eltsine pour lui demander de céder le pouvoir à Poutine, qui occupait alors le poste de Premier ministre depuis à peine plus de un mois. Le même jour, Eltsine adopta un décret secret autorisant l'armée à reprendre les combats en Tchétchénie ; cet acte était de surcroît illégal, car la loi russe interdit le recours à des troupes régulières à l'intérieur des frontières du pays[2]. Ce jour-là, les avions militaires russes se remirent à bombarder Grozny, en commençant par l'aéroport, la raffinerie de pétrole et les quartiers résidentiels. Le lendemain, Poutine publia lui aussi un ordre autorisant les troupes russes à engager le combat en Tchétchénie : cette fois, la décision n'était pas top secret, alors qu'en réalité la loi russe n'accorde au Premier ministre aucune autorité sur l'armée.

Le même jour, Poutine fit l'une de ses premières apparitions à la télévision. « Nous les traquerons, déclara-t-il à propos des terroristes. Nous les abattrons partout où nous les trouverons. Même si nous les trouvons aux toilettes. Nous les buterons jusque dans les chiottes[3]. »

La rhétorique de Poutine se distinguait sensiblement de celle d'Eltsine. Il ne promettait pas de livrer les terroristes à la justice. Il n'exprimait aucune compassion pour les centaines de victimes des explosions. C'était le langage d'un dirigeant qui avait l'intention de gouverner d'une main de fer. Ce genre de propos vulgaires, souvent pimentés d'un humour graveleux, deviendrait la marque de fabrique de ses discours. Sa popularité commença à monter en flèche.

Bérézovski, le docteur en mathématiques, et sa petite armée de propagandistes issus de l'enseignement supérieur ne virent, semble-t-il, aucune contradiction entre leur objectif déclaré – assurer l'avenir démocratique de la Russie – et la personnalité de celui à qui ils projetaient de confier cet avenir. Ils firent inlassablement campagne, mobilisant la chaîne de télévision de Bérézovski pour calomnier l'ancien Premier ministre Primakov et les gouverneurs qui le soutenaient. Une émission mémorable décrivait la récente opération de la hanche qu'avait subie Primakov en donnant des détails anatomiques répugnants. Une autre se concentrait sur la prétendue ressemblance entre le maire de Moscou, Iouri Loujkov, et Mussolini[4]. Mais, au-delà de ces attaques contre ses adversaires, les alliés de Poutine – qui se concevaient davantage comme ses créateurs que comme ses sympathisants – devaient inventer et présenter une image de leur propre candidat.

Poutine ne faisait pas campagne à proprement parler – l'élection présidentielle n'aurait lieu que dans un peu moins de un an, et la Russie n'avait pas l'habitude des campagnes électorales prolongées –, mais ceux qui souhaitaient le voir accéder à la présidence s'en chargeaient pour lui. Un influent cabinet de communication politique, la Fondation pour une politique efficace, situé dans un des plus beaux bâtiments historiques de la ville, juste en face du Kremlin, de l'autre côté du fleuve, fut chargé de brosser de Poutine le portrait d'un jeune homme politique énergique qui saurait imposer les réformes dont on avait tant besoin. « Tout le monde en avait tellement marre d'Eltsine que c'était facile[5] », m'a confié une femme qui a participé à cette campagne.

Elle s'appelait Marina Litvinovitch, et, comme de nombreux collaborateurs de la Fondation pour une politique efficace, elle était très jeune, très intelligente (elle était fraîchement diplômée d'une des meilleures universités) et d'une inexpérience politique qui frôlait la naïveté. Elle avait travaillé à mi-temps à la Fondation pendant ses études, et trois ans plus tard était devenue l'un des membres essentiels de l'équipe de campagne présidentielle. Bien qu'elle se crût entièrement dévouée aux idéaux démocratiques, elle ne trouvait rien à redire à la manière dont on inventait l'image du futur nouveau président et dont on la vendait à l'opinion : elle faisait confiance à ceux qui avaient tout organisé. « Il y avait bien quelques articles qui prétendaient qu'il était issu du KGB, m'a-t-elle confié des années plus tard. Mais le siège était bourré de libéraux et nous étions persuadés que c'étaient ces hommes-là qui constitueraient son premier cercle. »

Il n'était pas besoin d'être jeune et naïf pour le croire. À la fin de l'été 1999, j'ai partagé un dîner mémorable avec Alexandre Goldfarb, une vieille relation qui avait un passé de dissident dans les années 1970. Traducteur d'Andreï Sakharov, il avait émigré, passé les années 1980 à New York, et était devenu un acteur social engagé et très efficace dans les années 1990. Il avait été le conseiller du milliardaire George Soros pour les affaires russes et avait lancé une campagne d'information sur l'épidémie de tuberculose résistante aux médicaments qui ravageait la Russie, attirant presque à lui seul l'attention du monde sur ce problème et engageant la lutte contre ce fléau. Nous avons donc dîné ensemble, Alex et moi, et nous avons parlé de Poutine. « C'est le KGB fait homme », lui ai-je dit – des propos qui, à cette date, relevaient d'une hypothèse plus que d'une certitude. « Peut-être, a rétorqué Alex, mais d'après Tchoubaïs il est intelligent, efficace, et il a une excellente connaissance du monde. » Ainsi, même un ancien dissident n'était pas loin d'être convaincu que Poutine était le jeune politicien moderne que la Fondation pour une politique efficace s'acharnait à inventer.

Alors que l'escalade de la campagne militaire en Tchétchénie se poursuivait, le pays tout entier semblait de plus en plus sous influence. Sur ces entrefaites, Bérézovski suggéra de fonder un nouveau parti politique d'où l'idéologie serait absente. « Personne n'écoutait les mots que l'on disait », m'a-t-il déclaré neuf ans plus tard, toujours convaincu que c'était une excellente idée. « J'ai décidé de remplacer l'idéologie par des visages. » Ses collaborateurs se mirent donc en quête de visages, et proposèrent deux célébrités et un ministre. Mais le plus important de ces nouveaux visages appartenait à l'homme qui n'en avait pas encore quelques semaines auparavant seulement : la popularité de Poutine s'accrut ainsi en même temps que celle du nouveau parti politique. Aux élections législatives du 19 décembre 1999, près du quart des électeurs se prononcèrent en faveur du bloc qui n'avait encore que deux mois d'existence, appelé Iédinstvo (Unité) ou Medved (l'Ours), et qui devint d'un coup la plus importante faction de la Douma.

Pour cimenter la domination de Poutine, un membre de la Famille – personne ne semble plus se rappeler lequel – avança une brillante proposition : qu'Eltsine démissionne avant la fin de son mandat. En qualité de Premier ministre, Poutine exercerait, en vertu de la loi, la présidence par intérim, se transformant du même coup en président en exercice lors de la course électorale. Ses adversaires seraient pris par surprise, et le délai précédant le scrutin serait abrégé. L'idéal serait même qu'Eltsine fasse cela le 31 décembre. Ce serait un geste spectaculaire, tout à fait dans sa manière : il volerait la vedette au changement de millénaire, au bug de l'an 2000 et à tous les autres événements susceptibles de survenir n'importe où dans le monde. Cette annonce aurait également lieu à la veille de l'hiatus traditionnel de deux semaines entre le Nouvel An et la Noël orthodoxe, raccourcissant d'autant le temps dont disposeraient les adversaires de Poutine pour se préparer.

En Russie, le Nouvel An, une célébration laïque, avait depuis longtemps éclipsé toutes les autres fêtes de famille. Cette nuit-là, à travers tout le pays, les Russes se réunissent en famille et entre amis. Juste avant le changement d'année, ils se regroupent devant les écrans de télévision pour voir et entendre l'horloge d'une des tours du Kremlin sonner les douze coups de minuit, lever leurs verres de champagne et ensuite seulement prendre place devant un repas traditionnel. Dans les minutes qui précèdent minuit, le chef d'État prononce un discours ; cette tradition soviétique avait été reprise par Boris Eltsine le 31 décembre 1992 (le 31 décembre 1991, lorsque l'existence de l'Union soviétique a officiellement pris fin, c'est un comédien qui s'est chargé de cette allocution).

Eltsine apparut sur les écrans avec douze heures d'avance. « Mes amis, déclara-t-il. Mes chers amis. C'est aujourd'hui la dernière fois que je m'adresse à vous la veille du Nouvel An. Mais ce n'est pas tout. C'est aujourd'hui la dernière fois que je m'adresse à vous en tant que président de la Russie. J'ai pris une décision. Aujourd'hui, en ce dernier jour du siècle, j'ai décidé de démissionner... Je m'en vais... Que la Russie s'engage dans le nouveau millénaire avec de nouveaux hommes politiques, de nouveaux visages, de nouveaux individus intelligents, forts, énergiques... Pourquoi me cramponner à mon siège six mois de plus alors que le pays possède une personnalité forte qui mérite de devenir président et en qui presque tous les Russes ont placé leurs espoirs d'avenir ? »

Eltsine fit ensuite son mea culpa. « Je regrette, dit-il, que tant de nos rêves ne se soient pas réalisés. Que des choses que nous pensions faciles se soient révélées terriblement difficiles. Je regrette de n'avoir pas été à la hauteur des espoirs de ceux qui ont cru que nous pourrions, d'un seul effort, d'un seul élan puissant, quitter d'un bond notre passé totalitaire gris et stagnant et accéder à un avenir civilisé, brillant et riche. J'y ai cru moi-même... Je ne l'ai encore jamais dit, mais je veux que vous le sachiez. J'éprouve au fond de mon cœur la douleur de chacun d'entre vous. J'ai passé des nuits d'insomnie, des périodes douloureuses à me demander ce que je pourrais faire pour améliorer un tout petit peu la vie... Je m'en vais. J'ai fait ce que je pouvais... Une nouvelle génération arrive ; elle pourra faire plus, et mieux[6]. »

Eltsine parla pendant dix minutes. Il était bouffi, alourdi, à peine capable de bouger. Il avait également l'air abattu et impuissant d'un homme qui s'enterre vivant sous les regards de plus de cent millions de téléspectateurs. L'expression de son visage demeura presque immuable tout au long de son discours, mais sa voix se brisa d'émotion au moment de le conclure.

À minuit, ce fut Vladimir Poutine qui apparut sur les écrans. Il sembla d'abord franchement nerveux, et bégaya même au tout début de son allocution, avant de gagner progressivement en assurance. Il parla pendant trois minutes et demie. Chose remarquable, il n'en profita pas pour faire son premier discours de campagne. Il ne promit rien, et ne prononça pas une seule parole véritablement propre à susciter l'enthousiasme. Il se contenta d'affirmer que rien ne changerait en Russie, et d'assurer aux téléspectateurs que leurs droits seraient intégralement préservés. En conclusion, il proposa aux Russes de lever leur verre « au nouveau siècle de la Russie[7] » – bien qu'il n'eût pas lui-même de verre à lever.

Poutine était désormais président par intérim, et la campagne électorale était officiellement lancée. Bérézovski se rappelle qu'il se montrait discipliné et même docile : il faisait ce qu'on lui disait de faire – et on lui disait de ne pas faire grand-chose. Il était déjà si populaire que ce fut en quelque sorte une campagne jouée d'avance conduisant à une élection au résultat tout aussi prévisible. La seule tâche de Poutine fut de ne jamais paraître trop différent de ce que les électeurs souhaitaient voir en lui.

Le 26 janvier 2000, deux mois exactement avant le scrutin, le modérateur d'une table ronde « Russie » au Forum économique mondial annuel de Davos demanda : « Qui est M. Poutine ? » Tchoubaïs – l'homme qui avait affirmé sept mois plus tôt que Poutine serait un dauphin idéal – avait le micro en main au moment où la question fut posée. Il remua sur sa chaise et se tourna vers un ancien Premier ministre russe assis à sa droite. Celui-ci n'avait manifestement pas plus envie de répondre que lui. Les quatre membres du panel commencèrent à échanger des regards embarrassés. Ce manège dura trente secondes, après quoi toute la salle éclata de rire. Le plus grand bloc continental du monde, un pays regorgeant de pétrole, de gaz et d'armes nucléaires, avait un nouveau chef d'État que ses élites économiques et politiques ne connaissaient absolument pas. Désopilant, en effet.

Une semaine plus tard, Bérézovski commanda une biographie de Poutine à trois journalistes d'un organe de presse dont il était propriétaire. Le premier était une jeune blonde qui avait passé deux ans au pool de presse du Kremlin mais avait réussi à passer inaperçue à côté de collègues plus originaux. Le deuxième était un jeune reporter salué pour ses reportages pleins d'humour mais qui n'avait jamais rien écrit sur des sujets politiques. Le troisième membre de l'équipe était une vedette, une journaliste politique expérimentée qui avait passé le début des années 1980 à couvrir des guerres dans le monde entier et la fin de la même décennie à écrire des articles politiques, plus particulièrement sur le KGB, pour *Les Nouvelles de Moscou*, l'organe phare de la perestroïka. Natalia Guévorkian était la journaliste des journalistes, le leader incontesté de l'équipe, et le membre du trio que Bérézovski connaissait le mieux.

« Bérézovski ne cessait de m'appeler et de me demander : "Il est franchement marrant, non ?" » m'a-t-elle raconté bien des années plus tard. « Je répondais : "Boria, le problème, c'est que tu n'as jamais connu de colonel du KGB. Il n'a rien de franchement marrant. Il est tout ce qu'il y a de plus ordinaire." »

« J'étais évidemment curieuse, a-t-elle poursuivi, de connaître le type qui allait diriger le pays. J'ai eu l'impression qu'il aimait parler, de lui notamment. Je m'étais déjà entretenue, c'est certain, avec de nombreuses personnes bien plus intéressantes. J'avais passé cinq ans à faire des recherches sur le KGB ; il n'était ni meilleur ni pire que les autres ; il était plus intelligent que certains, et plus malin que d'autres[8]. »

Ayant accepté d'écrire un livre en l'espace de quelques jours – une tâche pour le moins décourageante –, Natalia Guévorkian voulait cependant profiter des moments qu'elle aurait à passer avec le président par intérim pour essayer d'aider un ami. Andreï Babitski, reporter de Radio Free Europe/Radio Liberty, financée par les États-Unis, avait disparu en Tchétchénie au mois de janvier. Il avait été, semble-t-il, arrêté par des soldats russes qui lui reprochaient d'avoir violé leur stricte politique d'accompagnement : pendant la première guerre de Tchétchénie, les médias s'étaient montrés si critiques à l'égard des actions de Moscou que, cette fois, l'armée avait interdit aux journalistes de circuler en zone de guerre sans être chaperonnés par des soldats en uniforme. Ces mesures supprimaient naturellement toute possibilité d'approcher les combattants d'un camp comme de l'autre, tout en mettant, de surcroît, les journalistes en danger ; il est presque toujours plus sûr, dans une zone de conflit, de ne pas se trouver à proximité d'uniformes et de ne pas en porter. Les reporters les plus audacieux essayaient de contourner cette règle – et peu étaient aussi efficaces dans cet exercice que Babitski, qui avait passé plusieurs années à enquêter exclusivement sur le Nord-Caucase.

Après son arrestation, sa famille et ses amis restèrent sans nouvelles de lui pendant plusieurs semaines. Des rumeurs ne tardèrent cependant pas à circuler dans les milieux journalistiques de Moscou : Babitski aurait été vu dans la sinistre prison de Tchernokozovo, en Tchétchénie. Le 3 février – le lendemain du jour où Guévorkian et ses collaborateurs commencèrent à interviewer Poutine dans le cadre de sa biographie –, les autorités russes firent savoir que Babitski avait été échangé contre trois soldats russes prisonniers des combattants tchétchènes. Babitski, affirmaient-elles, avait consenti à cet échange. Restait que l'armée russe avait traité un journaliste – un journaliste russe – comme un combattant ennemi.

Quand Guévorkian interrogea Poutine à ce sujet, sa question fut accueillie par ce qu'elle décrivit plus tard comme « une haine sans fard ». La carapace d'imperturbabilité du président intérimaire se brisa, et il se lança dans une violente diatribe. « [Babitski] travaillait directement pour l'ennemi. Il ne représentait pas une source d'information neutre. Il travaillait pour les terroristes… Pour les terroristes. Alors quand les rebelles ont déclaré : "Nous sommes prêts à libérer plusieurs de vos soldats en échange de ce correspondant", nos hommes lui ont demandé : "Vous voulez être échangé ?" Il a répondu : "Oui." [...] C'étaient nos soldats. Ils se battaient pour la Russie. Si nous ne les avions pas récupérés, ils auraient été exécutés. De toute façon, ils ne feront aucun mal à Babitski là-bas, parce que c'est un des leurs... Ce qu'a fait Babitski était bien plus dangereux que de tirer à la mitrailleuse... Il avait une carte lui permettant de contourner nos points de contrôle. Qui lui a demandé de fourrer son nez là-dedans sans l'autorisation des services officiels ? [...] Alors il a été arrêté et a fait l'objet d'une enquête. Il a dit : "Je ne vous fais pas confiance, je fais confiance aux Tchétchènes. S'ils veulent me prendre, livrez-moi, c'est bon..." On lui a répondu : "Alors vas-y, sors d'ici !" [...] Vous dites qu'il est citoyen russe. Dans ce cas, il aurait dû agir conformément aux lois de son pays, s'il voulait être protégé par ces lois[9]. »

En écoutant ce monologue, Guévorkian a été convaincue que le président par intérim était fort bien informé sur l'affaire Babitski. Elle lui a donc parlé sans détours : « Il a une famille, il a des enfants. Il faut arrêter cette opération. »

Le chef de l'État a mordu à l'hameçon. « Une voiture va bientôt arriver, lui a-t-il dit. Elle vous apportera une cassette vidéo et vous pourrez constater qu'il est en vie, et en bonne santé. » Guévorkian, qui était parvenue à rester parfaitement courtoise tout au long de ses nombreuses entrevues avec Poutine, fut tellement choquée qu'elle explosa : « Quoi ? s'écria-t-elle. Vous l'avez livré aux terroristes ! C'est ce qu'ils vous ont dit ? »

Elle le pria de l'excuser un instant et sortit appeler une amie au bureau moscovite de Radio Liberty : « Dis à sa femme qu'il est en vie.

— D'où le sais-tu ?

— De quelqu'un de très bien informé.

— Tu lui fais confiance ?

— Pas vraiment », reconnut Guévorkian.

Quelques heures plus tard, l'amie en question la rappela. « Tu ne vas pas me croire, lui annonça-t-elle. Il y a une voiture qui est passée. Sa plaque était tellement sale que nous n'avons pas pu relever le numéro. Ils nous ont proposé de nous vendre une cassette vidéo. On l'a payée deux cents dollars. »

La vidéo, que Radio Liberty transmit immédiatement à tous les médias, était un enregistrement de mauvaise qualité sur lequel on voyait Babitski, pâle, manifestement épuisé et manquant de sommeil. Il prononçait ces mots : « Nous sommes le 6 février 2000. Je vais relativement bien. Mon seul problème, c'est le temps, parce que malheureusement, telles que les choses se présentent, je ne vais pas pouvoir rentrer à la maison tout de suite. Ma vie ici est aussi normale que possible dans des conditions de guerre. Les gens qui sont près de moi essaient de m'aider comme ils peuvent. Le seul problème est que je voudrais vraiment rentrer, je voudrais vraiment que toute cette histoire se termine. Je vous en prie, ne vous faites pas de souci pour moi. J'espère rentrer bientôt[10]. »

En fait, Babitski était détenu dans une maison d'un village tchétchène. Il manquait effectivement de sommeil, était épuisé et surtout terrifié. Il ignorait aux mains de qui il était. Il savait seulement que c'étaient des Tchétchènes armés qui avaient toutes les raisons du monde de détester les Russes, et aucune de lui faire confiance. Il était incapable de fermer l'œil, craignant d'être réveillé au milieu de la nuit pour être conduit à son lieu d'exécution, et il voyait venir chaque matin en se maudissant de ne pas avoir encore trouvé le moyen de s'évader ni le courage d'essayer de s'enfuir[11]. Finalement, le 23 février, on le fit monter dans le coffre d'une voiture, on le conduisit dans la république voisine du Daguestan, on lui remit de faux papiers grossièrement falsifiés et on le relâcha – il fut arrêté quelques heures plus tard par la police russe, qui le transféra à Moscou, où il serait accusé de falsification de documents officiels en raison des faux papiers qu'il avait sur lui[12].

On apprit bientôt qu'il n'y avait sans doute pas eu le moindre échange[13] : il n'existait aucun document à ce sujet, aucune trace non plus des soldats prétendument libérés par les Tchétchènes. L'arrestation de Babitski, sa livraison à l'ennemi devant les caméras de télévision et sa disparition ultérieure s'inscrivaient, semblait-il, dans le cadre d'une opération destinée à adresser un message aux journalistes. Le ministre de la Défense, Igor Sergueïev, déclara à la presse que Babitski avait été choisi parce que « les informations qu'il transmettait n'étaient pas objectives, c'est le moins qu'on puisse dire ». Il ajouta : « J'aurais volontiers livré dix Babitski contre un seul soldat[14]. » Poutine n'était au pouvoir que depuis un mois, et déjà ses ministres parlaient comme lui – il faut croire que cela les démangeait depuis un moment.

Toutefois, Poutine ne s'attendait visiblement pas à ce qu'un châtiment qui lui semblait parfaitement légitime provoque une levée de boucliers dans le monde entier. Au cours de son premier mois de présidence intérimaire, les responsables occidentaux avaient pour l'essentiel réagi comme le peuple russe : ils étaient tellement soulagés de voir partir Eltsine – un dirigeant vraiment trop imprévisible et trop embarrassant – qu'ils étaient disposés à projeter sur Poutine leurs rêves les plus fous. Les Américains et les Britanniques semblaient croire que le résultat des élections de mars était joué d'avance. Mais, cette fois, les Américains ne purent rester indifférents : Babitski n'était pas un simple journaliste russe – il était l'employé d'un organe de presse financé par une loi du Congrès[15]. Le secrétaire d'État, Madeleine Albright, évoqua le sujet lors d'une entrevue avec le ministre russe des Affaires étrangères, Igor Ivanov, le 4 février, et cinq jours plus tard le département d'État publia une déclaration condamnant le « traitement d'un non-combattant comme otage ou prisonnier de guerre[16] ». Cet intérêt et cette indignation inattendus valurent probablement la vie sauve à Babitski. Ils provoquèrent également l'amertume et la colère de Poutine. Celui-ci était persuadé d'agir justement, persuadé aussi qu'un homme tel que Babitski – qui semblait ne pas se soucier le moins du monde de l'effort de guerre de la Russie et n'éprouver aucune honte à manifester de la compassion à l'égard de l'ennemi – ne méritait pas de vivre, ou en tout cas pas parmi les citoyens russes. Un complot de démocrates à la sensibilité déplacée l'avait obligé à transiger. Il avait réussi à écraser ces gens-là du temps où il était à Leningrad, et il avait bien l'intention de poursuivre sur sa lancée.

« L'affaire Babitski m'a facilité la vie, m'a confié plus tard Guévorkian. Elle m'a fait comprendre comment il allait gouverner. Que c'est comme ça que fonctionne son putain de cerveau. Je ne me faisais donc aucune illusion. J'avais saisi le sens qu'il donnait au mot *patriotisme* – exactement celui qu'on lui avait appris dans toutes ces écoles du KGB : le pays est aussi grand que la crainte qu'il inspire, et les médias doivent être loyaux[17]. »

Peu après cette prise de conscience, Guévorkian a quitté Moscou pour Paris, où elle vit toujours. Dès qu'il l'a pu, Andreï Babitski est parti pour Prague, où il a continué à travailler pour Radio Liberty. Cependant, en 2000, au cours des journées précédant l'élection, Guévorkian n'a tenu aucun propos public. La biographie de Poutine a paru sous la forme que celui-ci souhaitait ; le passage passionné et instructif sur Babitski a été coupé, mais des extraits en ont tout de même été publiés en bonnes feuilles dans un journal. Les Russes, à quelques exceptions près, n'avaient aucune raison de ne pas continuer à placer tous leurs espoirs en Poutine.

Le 24 mars, deux jours avant l'élection présidentielle, NTV, la chaîne de télévision appartenant à Vladimir Goussinski, son fondateur – l'oligarque qui était également propriétaire de la revue pour laquelle je travaillais –, diffusa un débat de une heure en direct consacré à l'incident survenu dans la ville de Riazan au mois de septembre précédent – cette fameuse affaire où la police, répondant à un appel téléphonique, avait trouvé trois sacs d'explosifs sous la cage d'escalier d'un immeuble. Des habitants vigilants étaient convaincus d'avoir réussi à déjouer une tentative d'attentat terroriste.

Juste après 9 heures ce soir-là, le 22 septembre, Alexeï Kartofelnikov, le chauffeur de car de l'équipe locale de football, rentrait chez lui, dans un immeuble de brique de douze étages au 14, rue Novossélov. Une voiture de fabrication russe s'arrêta devant le bâtiment. Un homme et une femme en sortirent et franchirent une porte conduisant à la cave, tandis que le chauffeur restait dans la voiture. Kartofelnikov les vit ressortir quelques minutes plus tard. La voiture s'avança alors jusqu'à la porte du sous-sol, et tous trois se mirent à décharger des sacs visiblement pesants et à les descendre à la cave. Puis ils remontèrent en voiture et repartirent[18].

À cette date, quatre explosions s'étaient déjà produites, à Moscou et dans deux autres villes ; dans un cas au moins, des témoins s'étaient présentés par la suite et avaient affirmé avoir vu déposer des sacs dans une cage d'escalier. Kartofelnikov prit donc la précaution de relever le numéro d'immatriculation de la voiture. Mais la partie de la plaque indiquant la région où le véhicule était enregistré avait été recouverte par un morceau de papier sur lequel on avait écrit le code correspondant à Riazan. Kartofelnikov appela la police.

Celle-ci mit presque trois quarts d'heure à arriver sur les lieux. Deux agents descendirent dans la cave, où ils trouvèrent trois sacs de cinquante kilos étiquetés « SUCRE » et empilés les uns sur les autres. Par une déchirure dans le sac du haut de la pile, ils aperçurent des câbles et un dispositif de minuterie. Ils sortirent précipitamment de la cave pour réclamer des renforts et décidèrent d'évacuer les habitants des soixante-dix-sept appartements du bâtiment en attendant l'arrivée d'une équipe de déminage. Ils ratissèrent l'immeuble, frappant à toutes les portes et ordonnant aux locataires de quitter immédiatement les lieux. Les gens sortirent en pyjama, en chemise de nuit et en robe de chambre, sans prendre le temps de fermer leur porte à clé : cela faisait des semaines que les informations télévisées rendaient compte d'explosions d'immeubles, et tous prirent la menace au sérieux. Plusieurs invalides furent poussés dehors dans leur fauteuil roulant, mais un certain nombre de personnes gravement handicapées restèrent à l'intérieur de leur logement, terrifiées. Les autres locataires allaient passer la plus grande partie de la nuit debout dans le vent glacial, devant leur immeuble. Le gérant d'un cinéma voisin finit par les inviter à se réfugier dans la salle de projection et leur fit même servir du thé chaud. Le lendemain matin, un grand nombre d'entre eux partirent travailler, bien que la police ne les eût pas laissés rentrer chez eux pour faire leur toilette ni se changer. De nombreux appartements furent pillés, sans qu'on sache exactement à quel moment.

Avant même que tous les habitants n'aient eu le temps de sortir, l'équipe de déminage avait désamorcé le système de retardement et analysé le contenu des sacs. Elle conclut qu'il s'agissait d'hexogène, un puissant explosif en usage depuis la Seconde Guerre mondiale. C'était également la substance qui avait été utilisée dans une au moins des explosions de Moscou[19], et le mot *hexogène* était devenu familier à tous les Russes à la suite d'une déclaration du maire de la capitale. Le mécanisme artisanal de mise à feu était muni d'un dispositif de minuterie réglé sur 5 h 30 du matin. Manifestement, l'intention des terroristes était exactement la même que lors des explosions de Moscou : la quantité d'explosifs était suffisante pour détruire intégralement l'immeuble (et peut-être endommager les bâtiments voisins), tuant tous les résidants dans leur sommeil.

Une fois que l'équipe de déminage eut confirmé que les sacs étaient bourrés d'explosifs, les autorités militaires de la ville se précipitèrent au 14, rue Novossélov. Le chef de la branche locale du FSB s'adressa aux habitants, qu'il présenta comme de véritables miraculés. Alexeï Kartofelnikov, le chauffeur qui avait signalé les suspects, devint immédiatement un héros. Les représentants de l'administration locale firent son éloge, ainsi que celui de la vigilance des citoyens ordinaires en général : « Plus nous serons en alerte, mieux nous pourrons lutter contre le mal qui a élu domicile dans notre pays[20] », déclara aux agences de presse le premier adjoint du gouverneur.

Le lendemain, tout le pays ne parlait que de Riazan. Au milieu de la réalité terrifiante dans laquelle les Russes vivaient depuis près de un mois, c'était enfin une nouvelle qui pouvait porter à l'optimisme. Si le peuple se mobilisait – si les citoyens faisaient un peu attention –, on pourrait éviter de nombreuses catastrophes : voilà ce que cette affaire semblait révéler. Mieux encore, il y avait de bonnes chances pour qu'on arrête les coupables : la police connaissait la marque et la couleur de la voiture des terroristes, et Kartofelnikov les avait vus décharger les sacs. Le

24 septembre, le ministre de l'Intérieur, Vladimir Rouchaïlo, les traits tirés, l'air hagard, prit la parole lors d'une réunion interministérielle consacrée à la série d'explosions : « On a enregistré quelques évolutions positives, fit-il remarquer. Hier, par exemple, nous avons pu éviter une explosion à Riazan. »

Mais voilà qu'une demi-heure plus tard un événement aussi inattendu qu'inexplicable se produisit. Le chef du FSB, Nikolaï Patrouchev, un ancien membre de l'équipe de Leningrad dont Poutine avait fait son adjoint à la tête de la police secrète, puis qu'il avait choisi pour le remplacer au poste de directeur quand il était devenu Premier ministre, s'adressa aux journalistes dans le bâtiment même où se tenait la réunion interministérielle. Il déclara que Rouchaïlo se trompait. « Primo, déclara-t-il, il n'y a pas eu d'explosion. Secundo, on n'a rien évité du tout. En réalité, je crois que l'opération n'a pas été très bien menée. C'était un exercice d'entraînement, et les sacs contenaient du sucre. Il n'y avait pas d'explosifs[21]. »

Dans les jours qui suivirent, des responsables du FSB expliqueraient que les trois individus qui avaient déposé les sacs étaient des agents du FSB de Moscou, que les sacs contenaient du sucre parfaitement inoffensif, et que tout l'exercice avait eu pour objectif de tester la vigilance des citoyens de Riazan et la réactivité des services de police de la ville. Dans un premier temps, les autorités de Riazan ne se montrèrent pas très coopératives, mais elles finirent par confirmer la version du FSB, expliquant que l'équipe de déminage avait pris par erreur le sucre pour des explosifs parce que son matériel d'analyse avait été contaminé après avoir été utilisé de façon intensive sur de vrais explosifs en Tchétchénie. Ces justifications n'apaisèrent guère les craintes et ne convainquirent pas davantage ceux qui étaient un peu au fait des méthodes du FSB. S'il semblait déraisonnable d'obliger deux cents personnes, terrifiées et frigorifiées, à passer la nuit dehors simplement à des fins d'exercice, ce n'était cependant pas inenvisageable : après tout, la police secrète russe n'était pas connue pour la délicatesse de ses méthodes. En revanche, ce qui défiait l'entendement, c'était que l'antenne locale du FSB n'ait pas été avertie et qu'on ait laissé le ministre de l'Intérieur se ridiculiser en public trente-six heures plus tard – après avoir mobilisé mille deux cents de ses soldats pour appréhender les suspects, dont on pensait qu'ils pourraient chercher à fuir Riazan.

Six mois plus tard, les journalistes de NTV avaient reconstitué l'affaire, avec toutes ses incohérences, et ils la présentèrent alors aux téléspectateurs en mettant la pédale douce. Nikolaï Nikolaïev, le présentateur, partit du principe que ce qui s'était passé à Riazan avait effectivement été un exercice d'entraînement. Quand un membre du public suggéra qu'il était grand temps de reprendre l'enchaînement des faits et de se demander si le FSB n'avait pas été également mêlé aux explosions d'août et de septembre, Nikolaïev protesta énergiquement : « Non, il n'en est pas question, nous ne nous engagerons pas sur ce terrain-là. Nous parlons de Riazan et uniquement de Riazan. » L'impression que laissa l'émission n'en fit pas moins froid dans le dos.

Nikolaïev avait invité sur le plateau, dans les rangs du public, plusieurs locataires du 14, rue Novossélov, parmi lesquels Kartofelnikov. Aucun d'eux ne croyait à cette histoire d'exercice. Puis un membre du public se présenta comme un résidant de l'immeuble de Riazan et prétendit être absolument convaincu que c'était bien un exercice. Les autres habitants se tournèrent vers lui, incrédules, et se mirent immédiatement à crier en chœur qu'ils ne connaissaient pas ce type, qu'il n'avait jamais mis les pieds dans leur immeuble. Le reste du scénario du FSB fut tout aussi peu convaincant et tout aussi mal joué que le numéro du faux locataire. Les représentants du Service fédéral de sécurité furent incapables d'expliquer pourquoi les premières analyses avaient révélé la présence d'hexogène et pourquoi l'antenne locale du FSB n'avait pas été informée de ce prétendu exercice d'entraînement.

En regardant cette émission, je me suis rappelé la conversation que j'avais eue avec mon rédacteur en chef un an plus tôt. En l'espace de six mois, les limites de ce que je croyais possible s'étaient déplacées. J'étais à présent parfaitement capable de reconnaître la main du FSB derrière les attentats meurtriers qui avaient ébranlé la Russie et aidé Poutine à en devenir le maître. Les services secrets avaient failli être démasqués lorsque mille deux cents policiers de Riazan s'étaient lancés dans une chasse à l'homme munis d'une description détaillée des agents qui avaient déposé les explosifs. Acculé, le FSB s'était hâté de présenter une version des faits peut-être peu convaincante, mais suffisante pour éviter que la police régulière ne procède à l'arrestation de membres de la police secrète. La série d'explosions meurtrières s'interrompit au même moment.

Il fallut bien plus longtemps à Boris Bérézovski pour admettre que l'impensable était possible, et même probable. Je l'ai interrogé à ce sujet presque dix ans plus tard. À cette époque, il avait lui-même financé des enquêtes, des ouvrages et un film qui s'appuyaient sur l'investigation de Nikolaïev et allaient encore plus loin, et il avait fini par se convaincre que c'était bien le FSB qui avait terrorisé la Russie en septembre 1999. Mais il avait encore du mal à faire coïncider son interprétation des faits en 1999 avec sa vision ultérieure des événements.

« Je vous avouerai franchement que, sur le moment, j'étais persuadé que c'étaient les Tchétchènes, m'a-t-il dit. C'est quand je suis arrivé ici [à Londres] et que je me suis mis à y réfléchir que j'ai fini par conclure que les explosions avaient été montées par le FSB. Cette conclusion n'était pas seulement dictée par la logique – peut-être même moins par la logique que par les faits. Mais, sur le coup, je n'avais pas su voir ces faits. De plus, je ne faisais pas confiance à NTV, qui appartenait à Goussinski, un partisan de Primakov. Alors je n'y ai pas vraiment prêté attention. Je n'ai pas imaginé un seul instant qu'une autre partie pouvait se jouer parallèlement à la nôtre – que d'autres que nous faisaient tout ce qu'ils pouvaient pour obtenir l'élection de Poutine. Je suis convaincu aujourd'hui que c'est exactement ce qui s'est passé. » Ces « autres » ne pouvaient être que le FSB, et la « partie » qui se jouait parallèlement à celle de Bérézovski était les explosions, censées souder les Russes dans la peur et dans le désir désespéré de confier leur destinée à un nouveau dirigeant énergique, même agressif, qui n'épargnerait aucun ennemi.

« Mais je suis certain que l'idée elle-même ne venait pas de Poutine », ajouta-t-il soudain.

Pour moi, cela n'avait aucun sens. Les premières explosions avaient eu lieu trois semaines exactement après la nomination de Poutine au poste de Premier ministre. Les préparatifs avaient donc dû commencer alors qu'il était encore à la tête du FSB. Bérézovski objecta que ce n'était pas nécessairement le cas : « Tout a été organisé en très peu de temps, ce qui explique les erreurs manifestes qui ont été commises. » Cependant, même en admettant que Bérézovski ait raison, le successeur de Poutine au FSB était son bras droit, Patrouchev, lequel ne lui aurait certainement pas dissimulé ce projet. Et si Poutine était personnellement informé d'une opération relativement mineure telle que la détention d'Andreï Babitski, on imaginait mal qu'il ait pu être tenu dans l'ignorance de l'épidémie d'attentats que préparait le FSB.

Bérézovski en convint, mais il se refusait toujours à faire porter le chapeau à Poutine. Il avait fini par penser, m'a-t-il affirmé, que cette idée avait germé dans le premier cercle de celui-ci, mais n'avait pas pour objectif de le soutenir personnellement : elle devait donner un coup de pouce au successeur que choisirait Eltsine, quel qu'il fût. Je me suis dit que Bérézovski avait peut-être élaboré cette théorie pour pouvoir continuer à croire qu'il avait tiré toutes les ficelles en 1999 et n'avait pas été un simple pion dans le jeu d'autrui. D'un autre côté, j'étais bien obligée de lui donner raison quand il alléguait que les attentats auraient pu faire élire n'importe qui : il suffisait de faire couler suffisamment de sang, et n'importe quel candidat inconnu jusque-là, un homme sans visage et sans qualités, pouvait devenir président. Même s'il était choisi presque au hasard.

Aujourd'hui, Moscou continue à affirmer que tous ces attentats ont été organisés par un groupe terroriste islamique basé dans le Caucase.

## CHAPITRE 3

# L'autobiographie d'un voyou

Le groupe que Bérézovski avait constitué pour rédiger la biographie de Poutine n'avait que trois semaines pour lui remettre son livre. Il disposait d'un nombre de sources limité : Poutine lui-même – six longues séances d'interview –, sa femme, son meilleur ami, un ancien professeur et une ancienne secrétaire de la mairie de Saint-Pétersbourg. Les trois journalistes n'avaient pas pour mission de réaliser une enquête, mais d'écrire une légende – la légende d'un voyou du Leningrad d'après guerre.

Saint-Pétersbourg est une ville russe riche d'une histoire grandiose et d'une architecture sublime. Mais, pour la population qui y vivait, le Leningrad soviétique où Vladimir Poutine est né en 1952 était un lieu où régnaient la faim, la pauvreté, la destruction, l'agression et la mort. Au moment de sa naissance, il ne s'était écoulé que huit ans depuis la fin du siège de Leningrad[1].

Celui-ci avait commencé le 8 septembre 1941, lorsque les troupes nazies avaient achevé l'encerclement de la ville, coupant toutes ses voies de communication, et il s'était terminé 872 jours plus tard. Plus de un million de civils y avaient trouvé la mort, victimes de la faim ou des bombardements, incessants pendant toute la durée du blocus. Près de la moitié d'entre eux périrent en cherchant à quitter la ville par la seule voie que les Allemands ne contrôlaient pas, qu'on appelait la Route de la Vie. Aucune ville des temps modernes n'a connu une famine et des pertes humaines de cette ampleur – ce qui n'a pas empêché de nombreux survivants d'accuser les autorités d'avoir intentionnellement sous-estimé le nombre de victimes.

Nul ne sait combien de temps il faut à une ville pour se remettre d'une violence aussi terrible et d'une douleur aussi prégnante. « Imaginez un soldat qui mène l'existence routinière des années de paix, mais qui vit entouré des mêmes murs et des mêmes objets que ceux qui l'ont accompagné dans les tranchées », ont écrit, plusieurs années après la guerre, les auteurs d'une histoire orale du siège de Leningrad, essayant de montrer à quel point la ville vivait encore dans l'ombre de cet épisode. « Les moulures anciennes du plafond portent les traces d'éclats d'obus. La surface lustrée du piano est sillonnée d'égratignures laissées par du verre brisé. Le parquet brillant présente des taches calcinées à l'endroit où se trouvait le poêle à bois[2]. »

Les *bourjouïki* – des poêles à bois en fonte que l'on pouvait déplacer – chauffaient les appartements de Leningrad pendant le siège[3]. Ils avaient englouti les meubles et les livres de la ville. Ces poêles noirs et ventrus étaient un symbole de désespoir et d'abandon : les autorités, qui avaient assuré aux citoyens soviétiques qu'ils étaient parfaitement protégés contre n'importe quel adversaire – et que l'Allemagne n'était pas leur ennemie mais un pays ami –, avaient laissé la population de la deuxième ville du pays mourir de faim et de froid. Et puis, une fois le siège levé, elles avaient investi des sommes colossales dans la restauration des superbes palais des faubourgs, méthodiquement pillés par les Allemands, au lieu de réparer les immeubles d'habitation de la ville elle-même. Vladimir Poutine a grandi dans un appartement dont toutes les pièces étaient encore chauffées par un poêle à bois[4].

Ses parents, Maria et Vladimir Poutine, avaient survécu au siège à l'intérieur de la ville[5]. Vladimir Poutine père avait été appelé sous les drapeaux au tout début de la guerre germano-soviétique et avait été grièvement blessé au combat, à proximité de Leningrad. Il fut hospitalisé à l'intérieur de la ligne de siège, et c'est là que Maria le retrouva. Après plusieurs mois sur un lit d'hôpital, il restait lourdement handicapé : ses deux jambes avaient été mutilées, et il endura de cruelles souffrances jusqu'à la fin de ses jours. Rendu à la vie civile, il rentra chez lui, auprès de Maria. Leur fils unique, qui devait avoir entre huit et neuf ans à l'époque, avait été confié à l'un des nombreux foyers pour enfants ouverts dans la ville et dont on espérait qu'ils remplaceraient efficacement des parents désespérés et affamés. C'est là que le petit garçon mourut. Maria faillit bien succomber elle aussi : au moment où le siège fut levé, elle n'était plus capable de marcher sans soutien.

Tels étaient les parents du futur président : un invalide et une femme qui avait été à deux doigts de mourir de faim et avait perdu ses enfants (un deuxième fils était mort en bas âge plusieurs années avant la guerre). Toutefois, si l'on songe à la situation qui régnait dans l'Union soviétique d'après guerre, les Poutine pouvaient s'estimer heureux : ils étaient ensemble. Au lendemain du conflit, il y avait presque deux fois plus de femmes que d'hommes en âge de procréer[6]. Statistiques mises à part, la guerre avait entraîné des tragédies dans presque toutes les familles, séparant les maris et les épouses, détruisant les foyers et déplaçant des millions d'êtres humains. Avoir survécu non seulement à la guerre, mais au siège, et avoir encore son conjoint ainsi qu'un toit : oui, cela tenait effectivement du miracle.

La naissance de Vladimir Poutine fils fut un autre miracle, tellement improbable qu'il a donné lieu à une rumeur persistante selon laquelle le petit garçon aurait été adopté. À la veille de la première élection présidentielle de Poutine, une femme s'est fait connaître en Géorgie, dans le Caucase, et a prétendu l'avoir confié aux services d'adoption quand il avait neuf ans[7]. Cette histoire a été reprise dans un certain nombre d'articles ainsi que dans un ou deux livres, et Natalia Guévorkian elle-même avait tendance à y ajouter foi : elle trouvait que ses parents avaient gâté leur fils de façon outrancière ; de plus, l'équipe de biographes n'avait trouvé personne qui se rappelât avoir connu le petit Vladimir avant l'âge scolaire, ce qui renforça ses soupçons[8]. Il est impossible de valider ou d'invalider cette théorie de l'adoption ; de plus, ce serait parfaitement inutile. Ce qui est indéniable, c'est que, dans les circonstances de l'époque, Vladimir Poutine, fils biologique ou adopté, était un enfant du miracle.

Étant passé sans transition de l'obscurité au pouvoir et ayant vécu toutes ses années d'adulte au sein d'une institution secrète et impénétrable, Vladimir Poutine a pu contrôler ce qu'on sait de lui plus étroitement que presque n'importe quel autre homme politique moderne – et, en tout état de cause, que n'importe quel homme politique moderne occidental. Il a créé sa propre mythologie. Il faut s'en féliciter, car, plus qu'il n'est généralement possible à un homme, Vladimir Poutine a ainsi transmis sans filtre ce qu'il souhaitait qu'on sût à son sujet et l'image qu'il désirait donner de lui. Le résultat tient largement de la mythologie d'un enfant du Leningrad d'après siège, une ville émaciée, affamée et appauvrie qui a engendré des enfants émaciés, affamés et féroces. Ce sont eux, du moins, qui ont survécu.

On entrait dans l'immeuble des Poutine par la cour, une de ces cours que les habitants de Saint-Pétersbourg appellent des « cours-puits » : entourées de tous côtés par de hauts immeubles, elles vous donnent l'impression d'être au fond d'un immense puits de pierre. Comme toutes les cours de ce genre, elle était sombre, jonchée de détritus et criblée de trous. Le bâtiment lui-même ne valait pas mieux : les marches du XIXe siècle s'effondraient et les ampoules censées éclairer la cage d'escalier fonctionnaient rarement. Il manquait des morceaux de rampe et le reste était terriblement branlant. Les Poutine vivaient au cinquième et dernier étage, et l'ascension de l'escalier obscur pouvait être périlleuse.

Comme la plupart des habitations du centre de Leningrad, leur logement faisait partie d'un appartement construit initialement pour des locataires aisés puis divisé en deux ou trois sections, que se partageaient encore plusieurs familles. Les Poutine ne disposaient pas d'une vraie cuisine : on avait installé une cuisinière à gaz et un évier dans l'étroit couloir auquel on accédait depuis la cage d'escalier, et trois familles utilisaient la cuisinière à quatre feux pour préparer leurs repas[9]. On avait aménagé des toilettes rudimentaires mais permanentes en annexant une partie de la cage d'escalier. Ce petit local n'était pas chauffé. Pour se laver, les habitants mettaient de l'eau à bouillir sur la cuisinière à gaz puis procédaient à leur toilette perchés au bord de la cuvette des W.-C., dans ce réduit glacé et exigu.

Vladimir Poutine fils était, évidemment, le seul enfant de l'appartement. Un couple marié plus âgé occupait une pièce sans fenêtres qui fut plus tard déclarée inhabitable. Un vieux couple juif pratiquant et leur fille adulte logeaient dans une chambre de l'autre côté du couloir, en face de chez les Poutine. Les conflits n'étaient pas rares dans la cuisine collective, mais les adultes coopéraient, semble-t-il, pour tenir le petit garçon à l'écart de leurs querelles. Poutine allait souvent jouer chez la famille juive – ce qui le conduisit à faire une déclaration frappante à ses biographes, affirmant qu'il ne faisait aucune différence entre ses parents et ces vieux Juifs[10].

Les Poutine disposaient de la plus grande pièce de l'appartement – environ vingt mètres carrés. À l'époque, c'était presque luxueux pour une famille de trois personnes. Ils avaient aussi, ce que l'on a peine à croire, un téléviseur, le téléphone et une datcha – une petite maison à l'extérieur de la ville. Vladimir Poutine père travaillait comme ouvrier qualifié dans une usine de wagons de chemin de fer. Quant à Maria, elle exerçait des emplois non qualifiés et éreintants qui lui laissaient cependant le temps de s'occuper de son fils : gardienne de nuit, femme de ménage, manutentionnaire. Si l'on observe attentivement les nuances subtiles de la pauvreté soviétique d'après guerre, les Poutine paraissent presque riches[11]. Et, dans la mesure où ils étaient en adoration devant leur fils, cette aisance relative avait parfois d'étonnantes conséquences : c'est ainsi qu'au cours préparatoire le petit Vladimir arborait une montre-bracelet, un accessoire rarissime, coûteux et prestigieux pour n'importe qui, enfant ou adulte, à cette époque et en ce lieu.

L'école était à deux pas de l'immeuble où vivaient les Poutine. L'enseignement qu'on y dispensait était, d'après les indices dont on dispose, plutôt médiocre. L'institutrice chargée des quatre premiers niveaux était une jeune femme qui terminait ses études universitaires en suivant des cours du soir. Au demeurant, l'instruction n'était pas une priorité en 1960, année où Vladimir Poutine entra au cours préparatoire, à presque huit ans. Au dire de tous, son père se préoccupait davantage de la discipline que de la qualité de l'enseignement que recevait son fils. Et l'éducation scolaire ne trouvait pas place dans l'image du succès que se faisait le jeune Poutine ; il s'est en effet attaché à se dépeindre sous les traits d'un voyou, et ses amis d'enfance ont abondé dans son sens. La majorité des informations biographiques dont on dispose à son sujet – c'est-à-dire l'essentiel de celles qui ont été transmises à ses biographes – concernent les nombreuses bagarres de son enfance et de son adolescence.

La cour d'immeuble est un élément omniprésent des descriptions de la vie soviétique d'après guerre, et la mythologie personnelle de Vladimir Poutine y est solidement ancrée. Les adultes travaillaient alors six jours sur sept et il n'existait aucun système de garde d'enfants. Ceux-ci grandissaient donc le plus souvent dans les espaces collectifs, à l'extérieur des immeubles surpeuplés – c'est-à-dire, s'agissant de Poutine, au fond du « puits », dans la fameuse cour jonchée d'ordures et peuplée de voyous. « C'était une sorte de cour », a raconté à l'un de ses biographes Viktor Borissenko, un ancien camarade de classe qui a été son ami pendant de longues années. « Il n'y avait que des voyous. Des gars mal lavés, mal rasés, avec des cigarettes et des bouteilles de vin bon marché. Ils passaient leur temps à picoler, à jurer, à se bagarrer. Et puis Poutine, au milieu de tout ça... Quand on a été plus grands, on a revu les voyous qui traînaient dans cette cour, ils avaient continué à boire jusqu'à toucher le fond. Certains avaient fait de la taule. Autrement dit, ils n'avaient pas réussi à s'en sortir[12]. »

Poutine, bien que plus jeune qu'eux et plutôt malingre, n'hésitait pas à leur tenir tête. « Si quelqu'un l'insultait, se rappelait son ami, Volodia lui sautait immédiatement dessus, il le griffait, le mordait, lui arrachait des touffes de cheveux – il faisait tout ce qu'il pouvait pour que jamais plus personne ne l'humilie[13]. »

Poutine se montrait tout aussi pugnace à l'école. Les allusions aux bagarres abondent dans les souvenirs de ses anciens condisciples, et la description suivante illustre particulièrement bien le tempérament du futur président : « Le prof de travaux manuels a traîné Poutine depuis sa salle jusque dans la nôtre. Sa classe était en train de fabriquer des pelles à poussière et Vladimir avait fait quelque chose de mal... Il lui a fallu très longtemps pour se calmer. C'était un phénomène intéressant à observer parce que, quand on commençait à avoir l'impression qu'il allait mieux, que c'était fini, il repartait de plus belle et se remettait à fulminer. Ça s'est reproduit plusieurs fois de suite[14]. »

L'école sanctionna Poutine en l'excluant des Jeunes Pionniers, l'organisation communiste des enfants de dix à quatorze ans – une punition exceptionnelle, réservée d'ordinaire aux enfants qui redoublaient plusieurs fois et dont le cas paraissait plus ou moins désespéré. Poutine devint ainsi un garçon marqué : pendant trois ans, il fut le seul de l'école à ne pas pouvoir nouer autour de son cou le foulard rouge des membres de l'organisation. Son statut de paria était d'autant plus singulier qu'il était relativement privilégié par rapport aux autres élèves, dont la plupart n'avaient statistiquement guère de chances de vivre en compagnie de leurs deux parents.

Mais Poutine était très fier de son passé de voyou, comme il ressort des réponses qu'il fit à ses biographes en 2000 :

> Pourquoi n'êtes-vous pas entré chez les pionniers avant la sixième ? Vous étiez vraiment aussi terrible que ça ?
> — Bien sûr. Je n'étais pas un pionnier, j'étais un hooligan.
> — C'est un genre que vous vous donnez ?
> — Ne cherchez pas à m'insulter. J'étais un vrai voyou[15].

Poutine vit sa situation sociale, politique et scolaire changer à treize ans : à son entrée en sixième, il commença à faire des efforts et en fut récompensé non seulement en étant admis aux Jeunes Pionniers, mais en étant élu, juste après, au poste de président de sa classe[16]. Ce qui ne l'empêcha pas de continuer à se battre : des amis de Poutine ont décrit à ses biographes toute une série de bagarres, le même scénario se reproduisant année après année.

« On jouait au chat dans la rue, s'est rappelé un camarade d'école primaire. Volodia passait par là, et il a vu qu'un garçon bien plus grand et plus costaud que moi me poursuivait et que je courais à toutes jambes. Il est intervenu pour me protéger. Ça a dégénéré en bagarre. Ensuite, on s'est expliqués, bien sûr[17]. »

« On était en quatrième et on attendait à un arrêt de tram, a raconté un autre ami. Un tram s'est arrêté, mais ce n'était pas le bon. Deux énormes types sont sortis, complètement bourrés, et ils se sont mis à chercher querelle à n'importe qui. Ils juraient, bousculaient tout le monde. Vovka m'a calmement tendu son cartable et je l'ai vu expédier un des types la tête la première dans une congère. Le second s'est retourné et a crié à Volodia : "Non mais qu'est-ce qui te prend ?" Deux secondes plus tard, il a compris sa douleur, parce qu'il était allongé à côté de son pote. À ce moment-là, notre tram est arrivé. S'il y a une chose que je peux dire à propos de Vovka, c'est qu'il ne laissait jamais des brutes et des salauds insulter et emmerder les autres sans réagir[18]. »

Jeune officier du KGB, Poutine a continué à rejouer ses bagarres d'autrefois.

« Un jour, a raconté un autre ami, il m'a invité à assister au Chemin de croix, à Pâques. Il était de service, il faisait partie du cordon de sécurité qui protégeait la procession. Il m'a demandé si j'avais envie de voir l'autel, dans l'église. J'ai répondu oui, bien sûr : c'était un truc de gosses – personne n'avait le droit d'y entrer, mais rien ne nous empêchait de le faire. Et puis, après la procession, nous sommes rentrés chez nous. On attendait à un arrêt de bus. Des types se sont dirigés vers nous. Ils n'avaient pas l'air de délinquants, plutôt d'étudiants un peu éméchés. Ils ont demandé : "Vous n'auriez pas une cigarette ?" Vovka a répondu : "Non." Ils ont fait : "Ça va pas, pourquoi vous répondez comme ça ?" Il a dit : "Pour rien." Je n'ai même pas eu le temps de voir ce qui se passait après. L'un d'eux a dû le frapper, ou le bousculer. Tout ce que j'ai vu, ce sont des pieds sans chaussures passer à toute allure à côté de moi. Le mec a volé. Et Volodka me dit, avec un calme imperturbable : "Viens, on se tire." On est partis. Ça m'avait bien plu, sa façon de balancer le type qui le cherchait. Le temps de dire ouf – et il décollait. »

À en croire le même ami, quelques années plus tard, alors que Poutine vivait déjà à Moscou, où il fréquentait l'école du KGB, il était rentré à Leningrad pour quelques jours et avait été mêlé à une bagarre dans le métro. « Un voyou l'a cherché et il s'en est occupé, a raconté cet ami aux biographes de Poutine. Volodia était drôlement embêté. “Ils ne comprendront pas ça, à Moscou, m'a-t-il dit. Ça risque d'avoir des conséquences.” Je suppose qu'il a eu des ennuis, mais il ne m'en a jamais parlé dans le détail. Les choses ont fini par s'arranger[19]. »

Poutine réagissait apparemment à la moindre provocation et n'hésitait pas à faire le coup de poing – quitte à risquer sa carrière au sein du KGB ; une arrestation à la suite d'une bagarre ou même le simple fait d'attirer l'attention de la police auraient suffi à y mettre fin. Quelle que soit la véracité de ces anecdotes, on constate que Poutine s'est décrit – et a laissé les autres le décrire – comme un homme impétueux en toutes circonstances, capable de violences physiques et doté d'un caractère difficilement maîtrisable. L'image qu'il a choisi de donner de lui est d'autant plus remarquable qu'elle semble incompatible avec la discipline à laquelle il a consacré son adolescence.

À dix ou onze ans, Poutine chercha à acquérir des compétences susceptibles de compléter utilement ses qualités innées de bagarreur. La boxe était trop douloureuse : il se fit casser le nez au cours d'une de ses premières séances d'entraînement. Il découvrit alors le sambo. Acronyme d'une expression russe que l'on peut traduire par « autodéfense sans armes », le sambo est un art martial typiquement soviétique, un mélange de judo, de karaté et de lutte. Ses parents étaient hostiles à cette nouvelle passion. Craignant sans doute pour l'intégrité physique de son fils, Maria estimait que c'était une « bêtise », et son père lui interdit de prendre des cours. Il fallut que l'entraîneur rende plusieurs visites aux Poutine pour qu'ils autorisent le jeune Vladimir à assister régulièrement aux séances d'entraînement quotidiennes.

Grâce à la discipline qu'il exigeait, le sambo ne fut pas étranger à la transformation de l'écolier bagarreur qu'était Poutine en un adolescent déterminé et travailleur. De plus, ce sport allait dans le sens de ce qui était devenu chez lui une ambition majeure : Poutine avait apparemment entendu dire que le KGB attendait de ses nouvelles recrues qu'elles possèdent de bonnes notions de corps à corps[20].

« Tu imagines un garçon qui rêve de devenir agent du KGB alors que tous ses copains veulent être cosmonautes ? » m'a demandé Guévorkian, cherchant à me faire partager son incompréhension devant la vocation de Poutine. Personnellement, celle-ci ne me paraissait pas tellement incongrue : dans les années 1960, les autorités culturelles soviétiques n'avaient pas ménagé leur peine pour créer une image romantique, et même prestigieuse, de la police secrète. Quand Vladimir Poutine avait douze ans, un roman intitulé *Le Bouclier et l'épée* était en tête des ventes. Il avait pour personnage principal un officier des services de renseignement soviétiques qui travaillait en Allemagne. Poutine avait quinze ans quand ce roman fut adapté sous la forme d'un minifeuilleton remarquablement populaire. Quarante-trois ans plus tard, devenu Premier ministre, il rencontrerait onze espions russes expulsés des États-Unis – et, ensemble, dans un élan de camaraderie et de nostalgie, ils entonneraient le générique du feuilleton[21].

« Quand j'étais en troisième, j'ai été influencé par des films et des livres, et cela m'a donné envie de travailler pour le KGB, a déclaré Poutine à ses biographes. Cela n'a rien d'extraordinaire[22]. » Cette allégation péremptoire conduit à se demander s'il n'existe pas une autre explication à ce qui deviendra une passion dévorante. Cette explication existe effectivement, et il semblerait que Poutine l'ait dissimulée au vu et au su de tous, comme savent le faire les meilleurs agents secrets.

Nous souhaitons tous qu'en grandissant nos enfants deviennent une version meilleure, plus réussie, de nous-mêmes. Vladimir Poutine, le fils tardif et miraculeux de deux êtres estropiés et mutilés par la guerre, était né pour être un espion soviétique – qui plus est, un espion soviétique en poste en Allemagne. Pendant la Seconde Guerre mondiale, Vladimir Poutine père avait été affecté dans les troupes dites subversives, de petits détachements chargés d'intervenir derrière les lignes ennemies[23]. Ces soldats étaient placés sous les ordres directs du NKVD – nom que portait alors la police secrète soviétique – et étaient largement issus de ses rangs. On leur confiait des missions suicide : ils ne furent pas plus de 15 % à survivre aux six premiers mois de la guerre. L'histoire du détachement de Vladimir Poutine père paraît relativement typique : vingt-huit soldats furent parachutés dans une forêt derrière les lignes ennemies, à environ cent cinquante kilomètres de Leningrad. Ils avaient eu tout juste le temps de s'orienter et de faire sauter un train quand ils se trouvèrent à court de ravitaillement. Ils quémandèrent de quoi manger à la population locale : les villageois les nourrirent, puis les dénoncèrent aux Allemands. Plusieurs soldats réussirent à s'enfuir. Les Allemands se mirent à leur poursuite, et le père de Vladimir Poutine se cacha dans un marais, enfonçant sa tête sous l'eau et respirant à l'aide d'une tige de roseau jusqu'à ce que l'ennemi ait renoncé. Il fut l'un des quatre seuls rescapés de cette mission[24].

Les guerres donnent naissance à d'étranges légendes, et celle qui accompagna l'enfance de Vladimir Poutine fils peut être aussi véridique qu'un grand nombre d'autres récits de survie miraculeuse et d'actes d'héroïsme spontané. Elle peut également expliquer pourquoi Poutine s'inscrivit à un cours d'allemand facultatif au cours de ses dernières années d'école primaire, alors qu'il était encore notoirement un élève médiocre. Et elle permet certainement de comprendre les raisons pour lesquelles, quand il était écolier, un portrait du père fondateur de l'espionnage russe trônait sur son bureau dans leur datcha. Son meilleur ami d'enfance se rappelait qu'il s'agissait d'« un officier des services de renseignement ». « J'en suis certain, a-t-il insisté, parce que Volodka me l'a dit[25]. » Poutine lui-même a confié à ses biographes le nom de son idole : il s'agissait de Ian Berzine, héros de la Révolution, fondateur des services de renseignement militaires, créateur d'antennes d'espionnage dans tous les pays d'Europe. Comme de nombreux bolcheviks de la première heure, il a été arrêté à la fin des années 1930, accusé d'avoir participé à un complot imaginaire contre Staline, et a été exécuté. Sa réhabilitation en 1956 ne l'a cependant pas tiré de l'oubli. Il fallait être un vrai fan du KGB pour connaître son nom et, surtout, pour avoir déniché un portrait de lui.

On ignore si Vladimir Poutine père avait travaillé pour la police secrète avant la guerre et s'il a poursuivi ensuite ses activités dans le cadre du NKVD. On peut penser qu'il a continué à faire partie de ce qu'on appelait la réserve active, un immense groupe d'agents de la police secrète qui occupaient des emplois ordinaires tout en servant – moyennant salaire – d'informateurs au KGB. Cela pourrait expliquer le confort relatif dont jouissaient les Poutine : la datcha, le téléviseur et le téléphone – surtout le téléphone.

À seize ans, un an avant la fin de ses études secondaires, Vladimir Poutine fils se rendit au siège du KGB à Leningrad. Il espérait se faire recruter. « Un homme est sorti, a-t-il raconté à l'un de ses biographes. Il ne savait pas qui j'étais. Et je ne l'ai plus jamais revu. Je lui ai dit que j'allais au lycée et qu'ensuite j'aurais bien aimé travailler pour les services de sécurité de l'État. Je lui ai demandé si c'était envisageable et ce que je devais faire pour y arriver. Il m'a expliqué qu'en règle générale ils ne recrutaient pas de volontaires, et qu'il serait préférable que j'aille à l'université ou que j'entre dans l'armée. Je lui ai demandé quelle université. Il m'a dit que le mieux serait une faculté de droit, ou l'institut de droit de l'université[26]. »

« Tout le monde a été surpris quand il a annoncé qu'il voulait entrer à l'université, a confié son professeur principal à ses biographes. Je lui ai demandé : "Comment comptes-tu faire ?" Il m'a répondu : "Je vais me débrouiller[27]." » L'université de Leningrad était l'un des deux ou trois plus prestigieux établissements d'enseignement supérieur de toute l'Union soviétique, et sans aucun doute celui de la ville qui pratiquait la sélection la plus rigoureuse. Comment un élève médiocre issu d'une famille dont on ne pouvait certainement pas dire qu'elle possédait des relations haut placées – même si j'ai raison de penser que Poutine père travaillait pour la police secrète – pouvait-il espérer y être admis ? Ses parents cherchèrent à le dissuader, de même que son entraîneur : ils auraient tous préféré que Poutine choisisse un établissement où il aurait plus de chances d'être accepté, ce qui lui épargnerait de devoir partir pour le service militaire et lui permettrait, en outre, de rester près de chez lui.

Poutine sortit du lycée avec les appréciations suivantes : « très bien » en histoire, en allemand et en gymnastique, « bien » en géographie, en russe et en littérature, et « passable » en physique, chimie, algèbre et géométrie[28]. On ne peut que se demander comment cet élève très moyen réussit à s'inscrire à l'université de Leningrad, où il y avait, dit-on, quarante candidats pour une seule place. Peut-être sa détermination était-elle si forte qu'il se prépara d'arrache-pied aux examens d'entrée, aux dépens de son travail au lycée – une stratégie qui aurait exploité le fait que l'université admettait les étudiants en fonction de leurs résultats à une série d'épreuves écrites et orales, sans tenir compte du dossier scolaire. Il n'est pas impossible non plus que le KGB soit intervenu pour faciliter son admission.

À l'université, Poutine resta plutôt solitaire – comme au cours de ses deux dernières années de lycée –, ne participant pas aux activités collectives ni à celles du Komsomol. Il réussit à obtenir de bonnes notes et consacrait son temps libre au judo (son entraîneur et ses coéquipiers avaient renoncé au sambo au profit d'une discipline olympique) et à faire des promenades en voiture. Poutine était, très vraisemblablement, le seul étudiant de l'université de Leningrad à avoir son propre véhicule. Au début des années 1970, les voitures étaient rares en Union soviétique : la production automobile de masse était encore balbutiante – vingt ans plus tard, on ne compterait toujours en URSS que soixante voitures pour mille habitants (contre 781 aux États-Unis)[29]. Une automobile coûtait à peu près autant qu'une datcha. Les Poutine avaient gagné cette voiture à la loterie. C'était un modèle récent à deux portes équipé d'un moteur de moto, et, au lieu de décider de garder la somme correspondante – qui leur aurait permis de quitter leur appartement collectif pour trouver un logement particulier dans un nouvel immeuble de banlieue –, ils l'avaient offerte à leur fils[30]. Ce cadeau somptueux et le fait que le jeune Poutine l'ait accepté illustrent une fois de plus l'adoration peu commune des Poutine pour leur fils ou leur richesse inhabituelle – voire les deux.

Quoi qu'il en soit, il semble que la relation de Poutine à l'argent – dépensière et franchement égoïste si l'on songe au milieu dans lequel il vivait – se soit façonnée durant ses études. Comme certains de ses camarades, il passait ses vacances d'été sur de grands chantiers où la paye était très élevée : le travail dans le Grand Nord était dangereux et pénible, et l'État indemnisait correctement les ouvriers. Poutine gagna mille roubles un été et cinq cents l'année suivante[31] – une somme suffisante pour refaire le toit de la datcha, par exemple. Tout autre jeune Soviétique dans sa situation – fils unique, vivant chez ses parents et dépendant entièrement d'eux financièrement – aurait jugé normal de remettre à sa famille l'intégralité ou la plus grande partie de son salaire. Or, le premier été, Poutine rejoignit deux camarades avec lesquels il entreprit un voyage de l'extrême-nord jusqu'au sud de l'Union soviétique, se rendant à Gagry, sur la mer Noire, en Géorgie, où il réussit à dépenser tout son argent en quelques jours. L'année suivante, il rentra à Leningrad après avoir travaillé sur un chantier et dépensa ce qu'il avait gagné en s'offrant un pardessus – et à sa mère un gâteau recouvert de glaçage[32].

« Pendant toutes mes années d'université, a déclaré Poutine à ses biographes, j'ai attendu que l'homme avec qui j'avais parlé au siège du KGB se souvienne de moi. Mais on m'avait oublié, parce que je n'étais qu'un lycéen quand je m'étais présenté... Comme je me rappelais qu'ils ne recrutaient pas de volontaires, je n'ai entrepris aucune démarche. Quatre années ont passé. Rien. Je me suis dit que l'affaire était close et j'ai commencé à chercher d'autres possibilités d'emploi... Mais voilà que, pendant ma quatrième année d'études, j'ai été contacté par un homme qui a demandé à me voir. Il ne s'est pas présenté, mais j'ai compris tout de suite. En effet, il m'a dit : "Nous parlerons de votre emploi à venir, voilà le sujet dont je souhaite m'entretenir avec vous. Je ne serai pas plus précis pour le moment." Alors j'ai deviné. S'il ne voulait pas me dire où il travaillait, cela signifiait qu'il travaillait *là*[33]. »

L'officier du KGB eut quatre ou cinq entrevues avec Poutine et en arriva à la conclusion qu'il n'était « pas particulièrement ouvert, mais énergique, souple et courageux. Surtout, il se liait facilement aux gens – une qualité majeure pour un agent du KGB, en particulier s'il a l'intention de travailler dans le renseignement[34] ».

Le jour où Poutine a appris qu'il travaillerait pour le KGB, il est allé voir Viktor Borissenko, qui était resté son meilleur ami depuis l'école primaire. Celui-ci a raconté à un journaliste : « Il me dit : "Allez, viens, on y va !" Je lui demande : "Où ça ? Et pourquoi ?" Il ne répond pas. On monte dans sa voiture et on part. On s'arrête devant un restaurant caucasien. Je suis intrigué. J'essaye de deviner ce qui se passe. Mais j'en suis incapable. Tout ce que je comprends, c'est qu'il s'est passé quelque chose de très important. Poutine ne me dit pas quoi. Pas un indice, rien. Visiblement, il avait quelque chose à fêter. Il était arrivé quelque chose de très important dans sa vie. Ce n'est que plus tard que j'ai compris que mon ami avait tenu à fêter avec moi de cette manière-là son recrutement par le KGB[35]. »

Par la suite, Poutine ne prit plus la peine de dissimuler pour qui il travaillait. Il en parla au violoncelliste Sergueï Roldouguine, qui deviendrait son meilleur ami, presque dès leur première rencontre. Roldouguine, qui avait fait des tournées à l'étranger avec son orchestre et avait vu des officiers traitants du KGB à l'œuvre, dit avoir été à la fois inquiet et curieux. « Un jour, j'ai cherché à le faire parler d'une opération qui avait mal tourné, et je n'y suis pas arrivé, a-t-il déclaré aux biographes de Poutine. Une autre fois, je lui ai dit : "Je suis violoncelliste, ça veut dire que je joue du violoncelle. Je ne serai jamais chirurgien. Et toi, ton métier, ça consiste en quoi ? Je sais que tu travailles pour le renseignement. Mais qu'est-ce que ça veut dire ? Qui es-tu ? Qu'est-ce que tu sais faire ?" Il m'a répondu : "Je suis spécialiste en relations humaines." Notre conversation s'est arrêtée là. Il pensait avoir une très bonne connaissance des gens… Ça m'a impressionné. J'étais fier, et j'ai été très épaté qu'il soit spécialiste en relations humaines[36]. » (La légère note de scepticisme qu'on peut relever dans sa formulation – « Il pensait avoir une très bonne connaissance des gens » – est aussi flagrante en russe qu'en français, mais il semble qu'elle ait échappé à Roldouguine, ainsi, du reste, qu'à Poutine, lequel a certainement vérifié cette citation.)

Pourtant, les descriptions que Poutine lui-même fait de ses relations avec autrui révèlent une évidente incompétence en matière de communication. Il a eu une liaison sérieuse avant de rencontrer sa future épouse, et a abandonné la jeune femme en question devant l'autel. « Ça s'est passé comme ça, a-t-il dit à ses biographes, sans autre explication. Ça a été vraiment dur[37]. » Il ne s'est pas montré plus bavard au sujet de celle qu'il a fini par épouser – et n'a pas été plus habile, semble-t-il, à lui faire comprendre ses sentiments lorsqu'il lui faisait la cour. Ils se sont fréquentés pendant plus de trois ans – une durée remarquablement longue par rapport aux habitudes soviétiques ou russes, qui plus est à un âge largement supérieur à la moyenne : Poutine avait presque trente et un ans quand ils se sont mariés, ce qui faisait de lui le membre de l'infime minorité – moins de 10 % – de Russes encore célibataires au-delà de trente ans[38]. La future Mme Poutine était originaire de Kaliningrad, sur la Baltique ; elle était hôtesse de l'air et travaillait sur les lignes intérieures. Ils s'étaient rencontrés grâce à une relation commune. Elle n'a pas caché qu'il ne s'est en aucun cas agi d'un coup de foudre, car au premier abord elle a trouvé Poutine insignifiant et mal habillé. Quant à lui, il n'a fait aucun commentaire public sur ses sentiments à l'égard de sa femme. À l'époque où ils sortaient ensemble, c'était apparemment elle la plus sentimentale et la plus insistante des deux. Le récit qu'elle fait du jour où il a fini par lui demander de l'épouser donne l'image d'une incapacité à communiquer si profonde qu'on se demande comment ces deux êtres ont réussi à se marier et à avoir deux enfants.

« Un soir, nous étions assis dans son appartement et il m'a dit : “Ma petite, maintenant, tu me connais. Dans le fond, je ne suis pas quelqu'un de très facile.” Et puis il a continué à se décrire :

plutôt taciturne, dur, capable de heurter les sentiments d'autrui, et ainsi de suite. Rien d'un être avec qui on aurait envie de passer sa vie. Et il a conclu : "En trois ans et demi, tu as dû t'en rendre compte." J'ai compris que nous étions en train de rompre. J'ai donc acquiescé : "Oui, en effet, je m'en suis rendu compte." Alors il a repris, avec une nuance de doute dans la voix : "Vraiment ?" J'ai su à ce moment-là que c'était effectivement la rupture. "Puisque c'est comme ça, a-t-il dit, je t'aime et je te propose que nous nous mariions tel ou tel jour." Je suis tombée des nues[39]. »

Ils se sont mariés trois mois plus tard. Lioudmila a quitté son emploi et est venue s'installer à Leningrad avec Poutine dans la plus petite des deux pièces d'un appartement qu'il partageait alors avec ses parents. Les Poutine s'étaient installés en 1977 dans ce logement, situé dans une affreuse construction récente en béton à quarante minutes en métro du centre-ville : Vladimir Poutine fils était donc âgé de vingt-cinq ans quand il a disposé pour la première fois d'une chambre à lui. Elle mesurait à peu près douze mètres carrés et était dotée d'une unique fenêtre placée si haut qu'il fallait se mettre debout pour regarder au-dehors. Les conditions de vie des jeunes époux, autrement dit, étaient à peu près identiques à celles de millions d'autres couples soviétiques.

Lioudmila s'inscrivit à l'université de Leningrad, où elle étudia la philologie. Un an après leur mariage, elle attendait leur premier enfant. Pendant sa grossesse et les premiers mois qui suivirent la naissance de Maria, Vladimir résida à Moscou, où il suivait une formation de un an pour se préparer à travailler dans les services de renseignement à l'étranger. Lioudmila avait su qu'il était employé par le KGB longtemps avant leur mariage, bien qu'au départ il ait prétendu être policier. C'était sa couverture[40].

La négligence avec laquelle Poutine se servait de cette couverture signifie probablement qu'il ne savait pas très bien quelles activités il était censé dissimuler. Son ambition – ou plus exactement son rêve – avait été de détenir des pouvoirs secrets. « J'étais stupéfait de voir qu'une petite force, un unique individu, en fait, peut accomplir quelque chose dont une armée entière est incapable, a-t-il expliqué à ses biographes. Un seul agent de renseignement était en mesure de décider du sort de milliers de gens. C'est du moins comme ça que je voyais les choses[41]. »

Poutine voulait gouverner le monde, ou une partie du monde, depuis la coulisse. Et tel est bien, pour l'essentiel, le rôle qu'il a fini par décrocher. Mais, au moment de son recrutement par le KGB, ses perspectives de se voir confier un jour une mission importante, voire simplement intéressante, étaient loin d'être assurées.

Dans la seconde moitié des années 1970, quand Poutine est entré au KGB, la police secrète, comme toutes les institutions soviétiques, était hypertrophiée. La multiplication des directions et des départements engendrait une pléthore d'informations sans objectif défini, sans application ni signification évidentes. Une armée d'hommes, auxquels s'ajoutaient quelques femmes, passaient leur vie à compiler des coupures de presse, des transcriptions d'enregistrements de conversations téléphoniques, de rapports de filatures et de résultats d'enquêtes insignifiants, et tout cela remontait un à un les échelons jusqu'au sommet de la pyramide du KGB, avant d'être communiqué à la direction du Parti communiste, sans avoir fait l'objet, pour l'essentiel, du moindre traitement ni de la moindre analyse. « Seul le Comité central du Parti communiste avait le droit de penser en grandes catégories politiques », a écrit le dernier directeur du KGB, qui a été chargé de démanteler cette organisation. « Le KGB était relégué à des tâches de collecte d'informations primaires et d'exécution de décisions prises par d'autres. Cette structure excluait toute possibilité d'élaborer une tradition de pensée politique stratégique au sein même du KGB. Mais elle avait une faculté incomparable de fournir des informations correspondant aux ordres, par leur nature et leur volume[42]. » En d'autres termes, le KGB avait poussé le concept d'obéissance jusqu'à sa logique extrême : ses agents voyaient ce qu'on leur disait de voir, entendaient ce qu'on leur disait d'entendre et rapportaient exactement ce qu'on attendait d'eux.

L'idéologie interne du KGB, comme celle de toute organisation policière, reposait sur une conception de l'ennemi dénuée de toute ambiguïté. L'institution vivait dans une mentalité de siège qui avait été le moteur des chasses aux sorcières et des purges massives de l'époque stalinienne. Mais il faut se rappeler que Poutine y entra bien après cette époque et, qui plus est, pendant l'une des très rares et très brèves périodes de paix de l'histoire soviétique : entre le Vietnam et l'Afghanistan, l'URSS ne participa, clandestinement ou ouvertement, à aucun conflit armé. Les seuls ennemis actifs étaient les dissidents, une poignée d'individus courageux qui occupaient une part disproportionnée des effectifs du KGB. Une nouvelle loi, l'article 190 du code pénal, criminalisait le fait de « répandre des rumeurs ou des informations préjudiciables à la structure de la société et du gouvernement soviétiques », accordant ainsi au KGB un pouvoir à peu près illimité pour traquer et combattre ceux qui osaient penser différemment[43]. Les dissidents, les suspects de dissidence et ceux qui tendaient vers une activité que l'on pouvait juger comme dissidente faisaient l'objet d'une surveillance et de harcèlements constants[44]. Poutine affirme n'avoir jamais participé à la répression contre les contestataires, mais il a révélé dans des entretiens qu'il n'ignorait rien de l'organisation des activités de lutte contre la dissidence[45]. Sans doute mentait-il en prétendant n'y avoir pas pris part. Une notice biographique extrêmement élogieuse sur Poutine, rédigée par un ancien collègue passé à l'ouest à la fin des années 1980, indique qu'à Leningrad Poutine travaillait en réalité pour la Cinquième Direction, créée dans le dessein de lutter contre les dissidents[46].

Après l'université, Poutine fut employé pendant six mois à des tâches de bureau dans les locaux du KGB à Leningrad. Il passa ensuite la moitié de l'année dans une école d'officiers du KGB. « C'était un établissement de Leningrad tout à fait insignifiant[47] », a-t-il déclaré à ses biographes – identique aux dizaines d'écoles du même genre réparties dans tout le pays, où les jeunes diplômés de l'université obtenaient leurs qualifications pour la police secrète. Après avoir réussi ses examens, Poutine fut affecté à l'unité de contre-espionnage de Leningrad – un poste sans intérêt. Les officiers de contre-espionnage en poste à Moscou étaient chargés de garder à l'œil ceux que l'on soupçonnait ou que l'on savait être des agents secrets de l'étranger, c'est-à-dire presque tous les employés des ambassades étrangères de la ville[48]. Il n'y avait pas d'ambassades à Leningrad, et, donc, dans les faits, personne à surveiller.

Après six mois passés dans cette unité de contre-espionnage, Poutine fut envoyé à Moscou pour une année supplémentaire de formation – puis il regagna Leningrad, où il fut affecté, cette fois, à l'unité de renseignement[49]. C'était un nouveau placard, et Poutine s'y trouva claquemuré, comme des centaines, voire des milliers de jeunes gens ordinaires qui avaient rêvé un jour d'être espions et attendaient désormais d'attirer l'attention de leurs supérieurs. Mais ils avaient été recrutés par un KGB hypertrophié sans raison ni objectif particuliers. L'attente risquait donc d'être longue, et même interminable. Pour Poutine, elle dura quatre ans et demi.

La chance lui sourit enfin en 1984, quand il fut envoyé à l'école d'espionnage de Moscou pour douze mois. Il semblerait que le commandant du KGB de trente-deux ans ait fait des pieds et des mains pour se distinguer du lot. Par exemple, il portait en permanence un costume trois pièces, même quand il faisait une chaleur étouffante, pour manifester son sens aigu du respect et de la discipline. C'était une stratégie judicieuse : en effet, cet établissement tenait en réalité du bureau de placement. À l'issue d'un processus très long, très complexe, occupant une importante main-d'œuvre et durant lequel les professeurs passaient les étudiants au crible, le corps enseignant faisait des recommandations pour leur avenir.

L'un des instructeurs de Poutine critiqua son « sens insuffisant du danger » – un grave défaut pour un espion potentiel. Son instructeur en maîtrise du renseignement – en gros, son coach en communication – estimait que Poutine était un homme renfermé, peu sociable. Mais, dans l'ensemble, c'était un bon élève, qui se consacrait corps et âme à son travail scolaire. Il fut même élu délégué de classe – son premier poste de responsable depuis son élection à la présidence de sa classe en sixième –, et il semblerait qu'il ait fait du bon travail[50].

À moins d'une catastrophe imprévue, Poutine savait qu'il serait nommé en Allemagne : à l'école d'espionnage, il avait consacré une grande partie de ses efforts à améliorer ses compétences linguistiques. (Il finirait par parler allemand couramment, sans jamais perdre cependant un fort accent russe.) Au moment de la remise des diplômes, la grande question était de savoir s'il serait affecté en l'Allemagne de l'Est ou de l'Ouest. Malgré les attraits indéniables de toute nomination à l'étranger, la première option ne répondait pas aux rêves que Poutine caressait depuis une vingtaine d'années. S'il voulait vraiment effectuer un travail d'espionnage, il fallait qu'il soit nommé en Allemagne de l'Ouest.

Ses vœux ne furent pas exaucés. Après avoir passé un an à l'école d'espionnage, Poutine fut bien envoyé en Allemagne, mais pas en l'Allemagne de l'Ouest, ni même à Berlin. Il fut nommé dans la ville industrielle de Dresde. À trente-trois ans, accompagné de Lioudmila – enceinte pour la deuxième fois – et de Maria, âgée de un an, Poutine se retrouva dans un nouveau placard. Il avait travaillé d'arrache-pied et attendu vingt ans pour devoir se résoudre à ne même pas travailler dans la clandestinité. Comme cinq autres familles russes, les Poutine obtinrent un appartement dans un grand immeuble où logeait le personnel de la Stasi, la police secrète est-allemande de l'époque. C'était un univers clos[51] : tous ces gens travaillaient dans un bâtiment situé à cinq minutes à pied de leur logement et envoyaient leurs enfants à l'école maternelle dans le même pâté de maisons. Ils rentraient déjeuner et passaient leurs soirées chez eux, lorsqu'ils ne rendaient pas visite à des collègues habitant le même immeuble. Leur travail consistait à recueillir des informations sur l'« ennemi », autrement dit l'Ouest, et plus particulièrement sur l'Allemagne de l'Ouest et les bases militaires américaines situées dans ce pays – autant d'informations qui n'étaient guère plus accessibles à Dresde qu'elles ne l'auraient été à Leningrad. Poutine et ses collègues en étaient plus ou moins réduits à compiler des articles de presse, apportant ainsi leur pierre à l'édifice croissant de paperasserie inutile produit par le KGB.

Lioudmila Poutina appréciait l'Allemagne et les Allemands. Par rapport à l'Union soviétique, l'Allemagne de l'Est était un pays de cocagne où régnaient, de surcroît, la propreté et l'ordre : elle aimait voir ses voisines allemandes étendre leur lessive, absolument identique, sur des cordes à linge parfaitement parallèles tous les matins à la même heure. Leurs voisins, lui semblait-il, vivaient mieux qu'eux-mêmes n'en avaient l'habitude. Aussi les Poutine faisaient-ils des économies, n'achetant quasiment rien pour leur logement temporaire, espérant arriver à mettre suffisamment d'argent de côté pour se payer une voiture quand ils rentreraient chez eux.

Les Poutine eurent une deuxième fille, qu'ils appelèrent Ékatérina. Poutine buvait de la bière et engraissait[52]. Il avait cessé l'entraînement, et même toute activité sportive, et prit plus de dix kilos – un embonpoint peu seyant chez un homme de petite taille et d'ossature relativement frêle. Selon toute apparence, il était profondément déprimé. Sa femme, qui s'est étendue sur l'harmonie et les joies de leurs premières années de vie conjugale, s'est enfermée dans un silence éloquent lorsqu'il s'est agi d'évoquer leur existence familiale après l'école d'espionnage. Elle s'est bornée à dire que son mari ne lui parlait jamais de son travail.

Il n'y avait pas grand-chose à en dire, d'ailleurs. Le personnel de l'antenne du KGB à Dresde était divisé entre plusieurs directions. Poutine avait été affecté à la Direction S, l'unité de collecte illégale de renseignement[53] (selon la propre terminologie du KGB, ce qui signifiait que les agents utilisaient de fausses identités et de faux papiers, par opposition à la « collecte légale de renseignement », menée par des hommes qui ne dissimulaient pas leurs liens avec l'État soviétique). C'était exactement le poste dont il avait rêvé – à cette différence près qu'il se trouvait à Dresde. L'emploi que Poutine avait jadis convoité – être chargé d'enrôler de futurs agents secrets – se révéla non seulement fastidieux, mais infructueux. Poutine et ses deux collègues de l'unité de renseignement illégal, assistés par un policier de Dresde à la retraite qui était, lui aussi, rémunéré par le KGB, repéraient des étudiants étrangers inscrits à l'université de la ville[54] – il y avait en effet un petit nombre d'étudiants originaires d'Amérique latine que le KGB espérait pouvoir envoyer un jour en mission clandestine aux États-Unis – et passaient des mois à gagner leur confiance avant de découvrir qu'ils n'avaient pas suffisamment de moyens financiers pour les convaincre de travailler pour eux.

L'argent était un objet constant de préoccupation, de chagrin et d'envie. Les citoyens soviétiques considéraient les nominations de longue durée à l'étranger comme une source de revenus incomparable, qui suffisait souvent à leur assurer toute une vie de confort à leur retour au pays. Mais l'Allemagne de l'Est n'était pas tout à fait assez étrangère aux yeux des gens ordinaires comme à ceux des autorités soviétiques : les salaires et les avantages divers ne pouvaient guère se comparer à ceux d'un « vrai » pays étranger, autrement dit d'un pays capitaliste. Peu avant l'arrivée des Poutine à Dresde, le gouvernement avait enfin accepté que le salaire mensuel des citoyens soviétiques travaillant dans des pays du bloc socialiste comprenne un modeste versement en devises (l'équivalent de cent dollars environ)[55]. Mais le personnel du KGB en poste à Dresde était obligé de se serrer la ceinture et de faire des économies s'il voulait avoir quelque chose à montrer à ses voisins à la fin de sa mission. Au fil des ans, certaines règles de frugalité s'étaient imposées – utiliser des journaux à la place de rideaux pour masquer les fenêtres, par exemple. Mais alors que tous les agents soviétiques menaient la même existence étriquée, ils ne pouvaient manquer de relever le niveau de vie bien supérieur des agents de la Stasi logeant dans le même immeuble qu'eux, qui gagnaient beaucoup plus d'argent[56].

En tout état de cause, c'était à l'ouest – cet Ouest si proche et si inaccessible pour un homme comme Poutine (certains autres citoyens soviétiques en poste en Allemagne étaient autorisés à se rendre à Berlin-Ouest) – que les gens possédaient ce dont Poutine avait vraiment envie[57]. Aussi confia-t-il ses désirs aux très rares Occidentaux avec lesquels il entra en contact – des membres du groupe extrémiste de la Fraction armée rouge (Rote Armee Fraktion – RAF) qui recevaient une partie de leurs ordres du KGB et venaient occasionnellement suivre des séances d'entraînement à Dresde. « Il voulait tout le temps des trucs, m'a dit un ancien membre de la RAF à propos de Poutine. Il a mentionné auprès de plusieurs personnes des articles qu'on trouvait à l'ouest et dont il avait envie. » Cet homme prétend avoir personnellement offert à Poutine un Grundig Satellit, une radio à ondes courtes dernier cri, ainsi qu'une chaîne stéréo Blaupunkt pour sa voiture – il avait acheté la radio mais dérobé la stéréo dans un des nombreux véhicules que la RAF avait volés pour ses opérations. Les extrémistes d'Allemagne de l'Ouest apportaient toujours des cadeaux quand ils venaient à l'est, a ajouté cet ancien terroriste, mais il y avait une différence entre l'attitude de Poutine et celle des agents de la Stasi : « Les Allemands de l'Est ne s'attendaient pas que nous en soyons de notre poche, alors ils faisaient au moins l'effort de demander : "Qu'est-ce que je te dois ?" Et nous répondions : "Rien, voyons." Vova, lui, ne prenait même pas la peine de demander s'il nous devait quelque chose[58]. »

Confier des missions aux extrémistes de la RAF, responsables de plus d'une vingtaine d'assassinats et d'attentats terroristes entre 1970 et 1998, correspondait exactement au genre de travail dont Poutine avait rêvé un jour, mais rien n'indique qu'il ait été mêlé de près ou de loin à une telle activité. Il passait en fait le plus clair de son temps assis à son bureau dans une pièce qu'il partageait avec un autre agent (dans le bâtiment de Dresde, un officier sur deux seulement avait son propre bureau)[59]. Sa journée commençait par une réunion du personnel, se poursuivait par un entretien avec son informateur local, le policier allemand à la retraite, et s'achevait par la rédaction d'un compte rendu ; tous les agents devaient en effet faire un rapport complet de leurs activités et traduire en russe l'ensemble des informations qu'ils avaient pu obtenir. D'anciens agents estiment que la rédaction de ces rapports monopolisait les trois quarts de leur temps[60]. Le plus grand succès de Poutine à Dresde fut, semble-t-il, de recruter un étudiant colombien de l'université de la ville qui mit les agents soviétiques en contact avec un de ses compatriotes faisant ses études dans un établissement de Berlin-Ouest ; celui-ci les présenta à son tour à un sergent de l'armée américaine d'origine colombienne qui leur vendit pour 800 marks un manuel de l'armée non classifié[61]. Poutine et ses collègues avaient placé de grands espoirs dans le sergent, mais, au moment où il leur livra ce manuel, la mission de Poutine en Allemagne touchait à son terme.

À l'époque où les Poutine avaient quitté l'Union soviétique, le pays s'engageait sur la voie d'une transformation fondamentale et irréversible. Mikhaïl Gorbatchev arriva au pouvoir en mars 1985. Deux ans plus tard, il avait libéré tous les dissidents soviétiques détenus, et le régime soviétique commençait à relâcher son emprise sur les pays du bloc de l'Est. La direction du KGB comme ses agents de base observèrent les initiatives de Gorbatchev avec une profonde consternation[62]. Au cours des années qui suivirent, un gouffre se creusa entre le Parti et le KGB, aboutissant au putsch manqué d'août 1991.

Assistant à cette évolution de loin, exclusivement entouré d'autres officiers de la police secrète, Poutine éprouva certainement une rage désespérée et impuissante. En Union soviétique, la direction du KGB s'engagea à servir loyalement le secrétaire général et ses projets de réforme. En juin 1989, le chef du KGB de Leningrad publia un communiqué condamnant les crimes de la police secrète commis sous Staline[63]. En Allemagne de l'Est comme en URSS, les gens descendaient dans la rue pour manifester, et l'impensable commençait à devenir probable : la réunification des deux Allemagnes. Le pays que Vladimir Poutine avait été chargé de protéger allait être purement et simplement livré à l'ennemi. Tout ce pour quoi Poutine avait œuvré était remis en cause ; tout ce à quoi il avait cru se trouvait bafoué. C'était le genre d'affront qui aurait incité le petit garçon agile et le jeune homme pugnace à sauter à la gorge de l'agresseur et à le frapper jusqu'à ce que sa colère s'apaise. Le Poutine d'âge mûr, empâté, assista silencieux et désarmé à l'anéantissement de ses rêves et de ses espoirs d'avenir.

À la fin du printemps et au début de l'été 1989, Dresde connut ses premiers rassemblements non réprimés : quelques poignées de personnes se réunirent sur les places publiques, protestant d'abord contre les fraudes qui avaient entaché les élections locales en mai, puis, comme tout le reste de l'Allemagne de l'Est, réclamant le droit d'émigrer à l'ouest. En août, plusieurs dizaines de citoyens de RDA prirent la route vers l'est – profitant de la levée des restrictions touchant les déplacements au sein du bloc soviétique – et se réfugièrent dans les ambassades ouest-allemandes de Prague, Budapest et Varsovie. Une série de « manifestations du lundi soir » se déclencha dans toutes les villes d'Allemagne de l'Est, prenant chaque semaine davantage d'ampleur. La RDA ferma ses frontières, mais il était trop tard pour endiguer le flot de candidats à l'émigration et de contestataires. On finit par négocier un accord pour transporter les Allemands d'est en ouest. Ils voyageraient en train, et ces convois passeraient par Dresde, la ville de RDA la plus proche de Prague. En fait, les trains traverseraient d'abord Dresde à vide pour aller chercher les quelque huit mille Allemands de l'Est qui occupaient l'ambassade d'Allemagne de l'Ouest à Prague. Dans les premiers jours d'octobre, des milliers de personnes se massèrent dans la gare de Dresde – certaines chargées de lourds bagages, espérant probablement réussir, on ne savait comment, à monter dans le convoi en direction de l'ouest, d'autres simplement pour assister à l'événement le plus stupéfiant de l'histoire d'après guerre de la ville.

La foule affronta toutes les forces de l'ordre que Dresde était en mesure de mobiliser : la police régulière obtint le renfort de plusieurs unités de sécurité auxiliaires, qui menacèrent, frappèrent et arrêtèrent autant de manifestants qu'elles purent. Les troubles se poursuivirent pendant plusieurs jours. Le 7 octobre, au moment où Poutine fêtait ses trente-sept ans, l'Allemagne de l'Est célébrait ses quarante années d'existence. Des émeutes éclatèrent à Berlin ; on dénombra plus de mille interpellations. Deux jours plus tard, un lundi, des centaines de milliers de personnes descendirent dans la rue à travers tout le pays pour manifester. Quinze jours après, elles étaient deux fois plus nombreuses. Le mur de Berlin tomba le 9 novembre, mais les manifestations se poursuivirent en Allemagne de l'Est jusqu'aux premières élections libres, au mois de mars[64].

Le 15 janvier 1990, une foule se rassembla devant le siège de la Stasi à Berlin pour protester contre la destruction des dossiers de la police secrète dont la rumeur faisait état. Les contestataires réussirent à déborder les forces de sécurité et à pénétrer à l'intérieur de l'édifice. Ailleurs en Allemagne de l'Est, les manifestants avaient déjà pris d'assaut d'autres bâtiments du ministère de la Sécurité nationale.

Poutine a raconté à ses biographes qu'il se trouvait au milieu de la foule et avait vu les manifestants s'en prendre à l'immeuble de la Stasi à Dresde. « Une des femmes criait : “Il faut chercher l'entrée du tunnel sous l'Elbe ! Ils ont des détenus là-dedans, dans l'eau jusqu'aux genoux.” De quels détenus parlait-elle ? Pourquoi pensait-elle qu'ils étaient sous l'Elbe ? Il y avait des cellules de détention, effectivement, mais elles n'étaient évidemment pas sous l'Elbe. » Dans l'ensemble, Poutine trouvait la colère des manifestants démesurée et déconcertante. C'étaient ses amis et ses voisins que l'on attaquait, les gens avec qui il vivait et qu'il fréquentait – exclusivement – depuis quatre ans, et il ne pouvait imaginer qu'ils fussent aussi malfaisants que le prétendait la foule : ce n'étaient que des bureaucrates ordinaires, comme lui-même.

Quand les contestataires fondirent sur le bâtiment où il travaillait, son indignation fut sans borne. « J'admets que les Allemands s'en prennent au siège de leur propre ministère de la Sécurité nationale, a-t-il expliqué à ses biographes une bonne dizaine d'années plus tard. C'est une affaire intérieure. Mais nous n'étions pas une affaire intérieure pour eux. C'était une grave menace. Nous avions des documents à l'intérieur de ce bâtiment. Or personne ne semblait se soucier de nous protéger. » Les gardes postés devant l'immeuble du KGB tirèrent probablement quelques coups de semonce – tout ce que Poutine a dit, c'est qu'ils avaient démontré leur volonté de faire le nécessaire pour défendre le bâtiment – et les manifestants se calmèrent un moment. Lorsqu'ils recommencèrent à s'agiter, Poutine prétend être intervenu personnellement : « Je leur ai demandé ce qu'ils voulaient. Je leur ai expliqué qu'il s'agissait d'une institution soviétique. Alors quelqu'un dans la foule a lancé : "Pourquoi est-ce que vos voitures ont des plaques d'immatriculation allemandes ? Et puis d'ailleurs, qu'est-ce que vous faites ici ?" Comme s'ils ne savaient pas précisément pourquoi nous étions là. J'ai expliqué que notre contrat nous autorisait à avoir des plaques d'immatriculation allemandes. "Et qui êtes-vous ? Vous parlez trop bien allemand", ont-ils commencé à crier. Je leur ai répondu que j'étais interprète. Ces gens-là étaient très agressifs. J'ai téléphoné à nos représentants militaires pour les informer de la situation. Ils ont dit : "Nous ne pouvons rien faire tant que nous n'avons pas reçu d'ordres de Moscou. Et Moscou est silencieux." Quelques heures plus tard, nos soldats sont arrivés et la foule s'est dispersée. Mais je n'ai pas oublié ce "Moscou est silencieux". J'ai compris que l'Union soviétique était malade. Qu'elle souffrait d'une maladie mortelle qui s'appelle paralysie. Paralysie du pouvoir. »

Son pays, ce pays qu'il avait servi corps et âme, acceptant sans rechigner tous les rôles qu'on jugeait bon de lui attribuer, avait abandonné Poutine. Il avait eu peur, il avait été incapable d'assurer sa propre sécurité, et Moscou avait gardé le silence. Poutine passa les longues heures qui s'écoulèrent avant l'arrivée des militaires à l'intérieur du bâtiment assiégé à bourrer un poêle à bois de documents, jusqu'à ce que la fonte se fende sous l'excès de chaleur[65]. Il détruisit tout ce que ses collègues et lui s'étaient donné tant de mal pour rassembler : tous les contacts, les dossiers personnels, les fiches de surveillance, et, sans doute, des coupures de presse à n'en plus finir.

Sans attendre que les manifestants aient chassé la Stasi des bâtiments qu'elle occupait, l'Allemagne de l'Est s'engagea dans le processus épuisant et douloureux consistant à purger la société de la police secrète. Tous les voisins des Poutine perdirent leur emploi et se virent interdire de travailler dans la police, le gouvernement ou l'enseignement. « La voisine qui était devenue mon amie a pleuré pendant une semaine, a raconté Lioudmila Poutina aux biographes de son mari. Elle pleurait ses rêves évanouis, l'effondrement de tout ce à quoi elle avait cru. Tout était détruit : leur vie, leur carrière... Katia [Ékatérina, la benjamine des Poutine] avait une maîtresse de maternelle merveilleuse – elle n'a plus eu le droit de travailler avec des enfants. Tout ça parce qu'elle avait collaboré avec le ministère de la Sécurité d'État. » Douze ans plus tard, l'épouse du nouveau président de la Russie postsoviétique jugeait toujours la logique de la « lustration » incompréhensible et inhumaine.

Les Poutine regagnèrent Leningrad. Ils emportaient un lave-linge vieux de vingt ans que leur avaient donné leurs anciens voisins – lesquels, malgré la perte de leur emploi, jouissaient tout de même d'un niveau de vie supérieur à celui que les Poutine pouvaient espérer retrouver en URSS – ainsi qu'une somme en dollars américains suffisante pour acheter la meilleure voiture de fabrication soviétique disponible sur le marché. C'était tout ce qu'ils avaient à exhiber après avoir passé quatre ans et demi à l'étranger – et à l'issue de la carrière d'espion avortée de Vladimir Poutine. Ils regagnaient tous les quatre la plus petite des deux pièces de l'appartement des parents Poutine. Lioudmila Poutina en serait réduite à passer de longues heures à parcourir les rayonnages de magasins vides et à faire la queue pour acheter les articles de première nécessité : c'était l'activité essentielle de la plupart des femmes soviétiques, mais, après quatre ans et demi d'une existence relativement confortable en Allemagne de l'Est, ce retour en arrière, en plus d'être humiliant, était terrifiant. « J'avais peur d'aller dans les magasins, a-t-elle confié plus tard à des journalistes. J'essayais d'y consacrer le moins de temps possible, juste de quoi acheter le strict nécessaire – puis je courais me réfugier à la maison. C'était affreux[66]. »

Pouvait-on imaginer pire retour en Union soviétique ? Sergueï Roldouguine, l'ami violoncelliste de Poutine, se rappelle l'avoir entendu dire : « Ils ne peuvent pas faire ça. Comment est-ce possible ? Il peut m'arriver de commettre des erreurs, bien sûr, mais comment ces gens que nous considérons comme nos meilleurs professionnels peuvent-ils se tromper comme ça ? » Il envisageait de quitter le KGB. « Espion un jour, espion toujours[67] », lui a répondu son ami ; c'était une maxime soviétique courante. Vladimir

Poutine avait l'impression d'avoir été trahi par son pays et par l'institution pour laquelle il travaillait – les seules attaches qu'il ait jamais connues, à part son club de judo. Il est vrai que cette institution regorgeait de gens qui se sentaient de plus en plus trahis, trompés et abandonnés ; c'était même, pourrait-on dire, l'état d'esprit général qui régnait au KGB en 1990.

## CHAPITRE 4

# Espion un jour…

Toute l'histoire russe se passe à Saint-Pétersbourg. Cette ville avait été la capitale d'un empire prospère, saigné à blanc par la Première Guerre mondiale, au début de laquelle elle perdit son nom : Saint-Pétersbourg, aux consonances germaniques, devint Petrograd, qui sonnait plus russe. L'empire fut détruit par le double coup que lui portèrent les révolutions de 1917, lesquelles se déroulèrent, l'une comme l'autre, sur la scène de Petrograd. La ville dut ensuite renoncer à son rang de capitale, détrônée par Moscou, nouveau siège du pouvoir. Petrograd, avec ses poètes et ses artistes, resta néanmoins la capitale de la culture russe – même lorsque la ville, rebaptisée une nouvelle fois, prit le nom de Leningrad le jour de la mort du premier des tyrans soviétiques. Ses élites littéraires, artistiques, universitaires, politiques et économiques seraient peu à peu décimées par les purges, les arrestations et les exécutions qui se succéderaient dans les années 1930. Cette triste décennie s'acheva par la guerre entre l'Union soviétique et la Finlande, un acte d'agression soviétique d'une impréparation désastreuse qui se prolongea par la Seconde Guerre mondiale. Durant le siège et après le conflit, Leningrad n'était plus qu'une ville fantôme. Ses bâtiments jadis majestueux étaient ravagés : les vitres avaient été fracassées par les bombardements et les tirs d'artillerie, les embrasures utilisées comme bois de chauffage, à l'instar du mobilier. Le long des murs grêlés des immeubles, on voyait filer des rats par centaines, par milliers, au point d'occuper toute la largeur du trottoir, obligeant les spectres humains rescapés à les éviter.

Au cours des décennies qui suivirent, la ville recouvra son dynamisme grâce à de nouveaux habitants et au travail qu'ils accomplirent. Leningrad devint en effet la capitale militaro-industrielle de l'Union soviétique ; des centaines de milliers d'individus originaires d'autres régions de l'empire s'installèrent dans des blocs gris tous identiques que l'on n'arrivait pas à construire assez vite pour faire face à cet afflux. Au milieu des années 1980, la population frôlait les cinq millions d'habitants – ce qui dépassait de loin les capacités de logement de la ville, même compte tenu des exigences modestes des Soviétiques. Le centre, le cœur historique, avait été plus ou moins abandonné par les urbanistes ; les familles qui, comme celle de Poutine, avaient survécu à l'enfer de la première moitié du XX^e siècle occupaient d'immenses appartements collectifs remplis de coins et de recoins dans des bâtiments jadis grandioses mais qui, n'ayant plus été entretenus depuis des dizaines d'années, avaient atteint un stade de décrépitude irréversible.

Pourtant, la ville que Poutine regagna en 1990 avait connu plus de transformations durant ses quatre années d'absence qu'au cours des quatre précédentes décennies. Ceux-là mêmes que Poutine et ses collègues avaient tenus en échec et terrorisés – les dissidents, les plus ou moins dissidents et les amis d'amis de dissidents – agissaient désormais comme s'ils étaient les maîtres des lieux.

Le 16 mars 1987, une immense explosion ébranla la place Saint-Isaac, la plus belle de Leningrad. Elle détruisit l'hôtel d'Angleterre, dont la superbe façade encadrait une partie de cette place depuis plus de cent cinquante ans et dont l'histoire était de l'étoffe dont on fait les légendes. C'était un des hauts lieux du patrimoine culturel de Saint-Pétersbourg. Le grand poète Sergueï Essénine s'était suicidé dans la chambre n° 5, ce qui avait valu à l'hôtel de figurer dans l'œuvre d'au moins une demi-douzaine d'autres poètes. Dans un pays et une ville où les faits historiques étaient le plus souvent chuchotés et où les sites du passé étaient fréquemment dissimulés, détruits ou falsifiés, l'hôtel d'Angleterre était un des rares exemples de réalisation humaine concrète – ce qui explique sans doute que de nombreux habitants de la ville de Pierre le Grand, dont une si grande partie s'effondrait, aient vécu la disparition de cet édifice comme un deuil presque personnel.

La démolition de l'hôtel était prévue ; ce qui ne l'était pas, en revanche, c'était la naissance, sur ce site, d'un mouvement qui jouerait un rôle capital dans la chute du régime soviétique.

Mikhaïl Gorbatchev avait pris la tête de l'État en mars 1985. Il avait passé la première année de son règne à consolider sa base au sein du Politburo. Au cours de sa deuxième année au pouvoir, il lança le terme de *perestroïka* – « restructuration » –, bien que personne, pas plus lui-même que les autres, ne sût exactement ce qu'il recouvrait. En décembre 1986, Gorbatchev autorisa le plus célèbre dissident soviétique, le lauréat du prix Nobel de la paix Andreï Sakharov, à revenir de la ville de Gorki où il était assigné à résidence depuis presque sept ans et à réintégrer son domicile moscovite. En janvier 1987, il proposa un autre terme nouveau, *glasnost* ou « transparence » : il ne s'agissait pas dans l'immédiat d'abolir la censure, mais plutôt de l'assouplir. C'est ainsi, par exemple, que les bibliothèques de tout le pays commencèrent à faciliter l'accès à des documents restés sous clé jusqu'alors. En février 1987, Gorbatchev commua la peine de cent quarante dissidents détenus dans des prisons et des colonies pénitentiaires soviétiques.

Certes, Gorbatchev n'avait pas l'intention de dissoudre l'Union soviétique ni de mettre fin au règne du Parti communiste, pas plus, en réalité, que de transformer radicalement le régime – malgré l'usage intensif qu'il faisait de l'adjectif « radical ». Il avait plutôt l'ambition de moderniser l'économie et la société soviétiques de façon discrète, sans ébranler leurs structures fondamentales. Mais les processus qu'il mit en mouvement ne pouvaient que conduire – et, comme on s'en rend compte avec le recul, très rapidement – à l'effondrement intégral du système.

Cinq ans avant ce séisme, de légers frémissements souterrains s'étaient fait sentir. Gorbatchev avait agité la carotte d'un changement possible – et l'on se mit donc à en parler comme d'une vraie éventualité. Prudemment, les gens commencèrent à laisser ces conversations sortir de l'univers clos de leur cuisine pour s'insinuer dans le salon de leurs amis. Des alliances floues se constituèrent. Pour la première fois depuis des décennies, on en vint à discuter politique pour de bon et à évoquer avec force certaines questions sociales, sans être obligatoirement membre d'un mouvement dissident ni s'exprimer dans le cadre des structures formelles du Parti communiste – raison pour laquelle ceux qui participaient à ces discussions furent baptisés les « informels ». Une majorité de ces informels appartenaient à une génération bien particulière : celle qui était née pendant le dégel de Khrouchtchev, cette brève période située entre la fin des années 1950 et le début des années 1960, au cours de laquelle l'étau de la terreur stalinienne s'était desserré alors que la stagnation brejnévienne ne s'était pas encore imposée. Les informels n'avaient ni programme politique ni vocabulaire communs, ils n'avaient même pas de conception commune du cadre dans lequel devait se tenir ce débat. Mais ils partageaient deux choses : l'aversion pour le fonctionnement de l'État soviétique et l'ardent désir de protéger et de préserver les quelques vestiges qui subsistaient de leur ville historique bien-aimée.

« Les membres de notre génération étaient dans l'impasse : si on ne s'échappait pas, on allait droit dans le mur », a raconté Éléna Zélinskaïa vingt ans plus tard. Zélinskaïa avait publié un des nombreux samizdats qui unissaient les informels. « Nous n'arrivions plus à respirer au milieu des mensonges, de l'hypocrisie, de la stupidité. Nous n'avions pas peur. Et dès que les premiers rayons de lumière semblèrent percer – dès que ceux qui avaient eu les mains liées purent au moins remuer quelques doigts –, les gens se mirent à bouger. Ils ne pensaient pas à l'argent, ni à améliorer leur niveau de vie. Ils ne pensaient qu'à la liberté. La liberté de mener sa vie privée comme on l'entendait, la liberté de voyager et de découvrir le monde. La liberté d'échapper à l'hypocrisie, et la liberté de ne pas écouter l'hypocrisie ; la liberté de ne pas être calomnié, la liberté de ne plus avoir honte de ses parents, la liberté de laisser derrière soi les mensonges visqueux dans lesquels nous étions tous pris comme dans de la mélasse[1]. »

Cependant, quoi que les informels pussent dire dans l'intimité de leurs foyers, les rouages de la machine étatique de destruction gratuite tournaient toujours. Le 16 mars 1987, une rumeur parcourut la ville : l'hôtel d'Angleterre allait être rasé. Des informels de toute obédience entreprirent de se rassembler devant le bâtiment. Le chef de file d'une association informelle de préservation du patrimoine, Alexeï Kovalev, entra dans le bâtiment du gouvernement municipal, commodément situé sur la même place, et chercha à négocier avec une femme haut fonctionnaire. Celle-ci lui assura que le bâtiment ne risquait rien et le supplia de « cesser de transmettre de fausses informations et de répandre la panique[2] ». Moins d'une demi-heure plus tard, l'explosion retentit et le bâtiment, de la taille d'un pâté de maisons, se transforma en un immense nuage de poussière.

C'est alors que se produisit un événement sans précédent. « On aurait pu croire que, une fois la poussière et la fumée retombées là où s'était dressé l'hôtel, il ne resterait que des souvenirs, a raconté Alexandre Vinnikov, un physicien devenu un protecteur militant de la ville. C'est effectivement ce qui s'est passé, mais ces souvenirs étaient exceptionnels. Avant cet instant, personne n'aurait jamais imaginé pouvoir contester les agissements des autorités impunément, sans se retrouver immédiatement derrière les barreaux ou du moins sans emploi. Nous avons emporté le souvenir du sentiment étonnant d'avoir eu raison, le sentiment qu'éprouve celui qui se trouve dans un lieu public au milieu de gens qui pensent comme lui, qui écoute un orateur exprimer haut et clair, en des termes convaincants et précis, des idées que tous partagent. Et, surtout, nous avons ressenti l'humiliation sans fond du mépris absolu des autorités pour notre opinion, et nous avons été envahis d'un sentiment de dignité personnelle, du désir d'affirmer notre droit à nous faire entendre et à exercer une influence[3]. »

La foule ne s'est pas dispersée. L'après-midi suivant, plusieurs centaines de personnes étaient massées devant ce qui avait été l'hôtel d'Angleterre. Elles couvrirent la palissade qui entourait le chantier de démolition d'affiches artisanales, de tracts, de poèmes écrits directement sur les planches, ou simplement des noms de ceux qui avaient participé à la manifestation – et avaient courageusement décidé de faire connaître leur identité.

« Nous nous sommes tous retrouvés sur la place Saint-Isaac, pouvait-on lire sur la palissade dans un texte prémonitoire de Zélinskaïa, qui avait alors trente-trois ans. Nous nous sommes engagés sur une voie difficile... Nous commettrons probablement beaucoup d'erreurs. Certains d'entre nous perdront sans doute leur voix. Nous n'arriverons certainement pas à accomplir tout ce que nous entreprendrons, de même que nous ne sommes pas arrivés à sauver l'hôtel d'Angleterre. Il y a tant de choses que nous ne savons pas faire. Peut-on attendre de gens à qui l'on ne demande jamais leur avis qu'ils sachent argumenter correctement ? Peut-on attendre de gens que l'on a si longtemps tenus à l'écart de toute activité publique qu'ils aient affûté leurs talents de combattants, en restant assis au fond de leurs sous-sols ? Peut-on attendre de gens dont les décisions et les actions n'ont jamais eu de conséquences tangibles, même pour leur propre vie, qu'ils calculent la trajectoire de leurs activités[4] ? »

Des centaines de manifestants continuèrent à affluer sur le chantier pendant trois jours. Ces protestations qui n'en finissaient pas sont restées connues sous le nom de « bataille d'Angleterre ». Même après le départ de la foule, la palissade couverte d'affiches et d'articles resta en place, et un petit groupe de personnes continua à se rassembler devant elle. Elles venaient désormais à l'hôtel d'Angleterre pour s'informer de ce qui se passait dans leur ville et dans leur pays ou pour le raconter à d'autres, et le site fut baptisé « Centre d'information ». Les discussions avaient quitté les cuisines et les salons, et la palissade se transforma en page vivante où des dizaines de samizdats sortaient de la clandestinité[5].

Ailleurs en ville, d'autres lieux de débat s'ouvraient. En avril, un groupe de jeunes économistes de Leningrad constitua un cercle[6]. Lors de leurs réunions au Palais de la jeunesse, ils abordaient des sujets inédits, tels que l'éventualité d'une privatisation de l'économie. L'année n'était pas encore terminée que l'un d'eux lança l'idée de privatiser les entreprises nationales en distribuant des actions à tous les citoyens soviétiques adultes. Sur le moment, cette proposition ne fut pas très bien accueillie, mais elle ne faisait qu'anticiper ce qui se passerait quelques années plus tard – d'ailleurs, la plupart des membres de ce cercle seraient appelés à jouer un rôle clé dans la définition de la politique économique postcommuniste.

Vue de l'intérieur, l'évolution de la société soviétique semblait se produire avec une rapidité vertigineuse. Mais le changement se faisait en dents de scie. En mai, les autorités soviétiques supprimèrent le brouillage de la plupart des émissions de radio occidentales, alors que le 31 de ce mois les autorités municipales de Leningrad fermèrent le Centre d'information de l'hôtel d'Angleterre. En juin, les élections aux soviets locaux donnèrent lieu à une petite expérience révolutionnaire : dans 4 % des circonscriptions, les bulletins de vote comprenaient deux noms au lieu du nom unique que l'on avait connu jusque-là ; pour la première fois depuis des dizaines d'années, quelques électeurs purent choisir entre deux candidats – même si tous deux étaient présentés par le Parti communiste. Le 10 décembre, on assista à Leningrad au premier rassemblement qui ne fût pas dispersé par la police[7]. Deux des orateurs au moins étaient des hommes qui avaient purgé des peines de camp pour s'être opposés au régime soviétique.

Le processus se poursuivit l'année suivante. D'autres groupes de discussion se formèrent peu à peu, et leurs activités se structurèrent. Le temps passant, d'authentiques leaders – des gens connus et qui inspiraient confiance au-delà de leurs cercles sociaux immédiats – s'imposèrent. Quelques années plus tard, ils seraient les premiers hommes politiques postsoviétiques.

Au printemps, des habitants de Leningrad annoncèrent le lancement de ce qu'ils appelèrent « Hyde Park » dans le parc Mikhaïlov, au centre de la ville. Un après-midi par semaine, ceux qui le souhaitaient étaient invités à prononcer un discours en public. « La règle était que chacun pouvait parler pendant cinq minutes, de n'importe quel sujet, à l'exception de la propagande de guerre, de la violence et de la xénophobie », a raconté Ivan Sochnikov, l'un des organisateurs de cet espace de discussion, qui était alors un chauffeur de taxi de trente-deux ans. « Vous voulez parler des droits de l'homme ? Allez-y ! Un homme avait apporté la Déclaration universelle des droits de l'homme de 1948. Personnellement, je l'avais déjà lue sous forme de samizdat, mais les gens qui ne la connaissaient pas étaient dans tous leurs états. Et ça durait quatre heures tous les samedis, de midi à 16 heures. Micro ouvert. Je dois préciser que c'était avant que la liberté de la presse ne soit instituée. De nombreux journalistes venaient écouter, mais ils ne pouvaient pas publier ce qu'ils entendaient[8]. »

Quelques mois plus tard, la police expulsa « Hyde Park » du parc Mikhaïlov. Les organisateurs se déplacèrent alors à la cathédrale Notre-Dame-de-Kazan, un grandiose édifice sur la perspective Nevski, la principale avenue de la ville. N'étant plus à l'ombre des arbres ni à l'abri d'une palissade, les orateurs et les auditeurs étaient encore plus visibles que sur leur site d'origine. Au lieu de les chasser une nouvelle fois, les autorités municipales décidèrent, semble-t-il, de les empêcher de parler. Un samedi, lorsqu'ils arrivèrent devant la cathédrale, les participants de « Hyde Park » découvrirent qu'une fanfare s'y trouvait déjà. Qui plus est, elle était manifestement venue avec son propre public, dont les membres crièrent aux débatteurs : « Écoutez, cet orchestre est là pour qu'on puisse se délasser un moment, ce n'est ni le lieu ni le moment de faire des discours. » Ivan Sochnikov profita d'une interruption du concert pour échanger quelques mots avec le chef d'orchestre, qui reconnut immédiatement que sa fanfare avait été installée devant la cathédrale par une autorité quelconque.

Ékatérina Podoltséva, une brillante mathématicienne de quarante ans qui était devenue une des militantes démocrates les plus en vue – et les plus originales – de la ville, proposa une recette pour lutter contre la fanfare. Elle suggéra à tous les participants réguliers de « Hyde Park » d'apporter des citrons le samedi suivant. Dès que l'orchestre se mettrait à jouer, tous les militants devraient commencer à manger leurs citrons, ou à faire semblant de les manger si l'acidité les rebutait. Podoltséva avait lu ou entendu dire que, dès qu'on voit quelqu'un manger du citron, on se met, par empathie, à saliver abondamment – ce qui empêche de jouer d'un instrument à vent. Le stratagème fut efficace : la musique s'arrêta et les discours reprirent[9].

Le 13 juin 1988, la Cour suprême d'URSS cassa les jugements vieux de plus de cinquante ans qui avaient servi de déclencheurs à la Grande Terreur stalinienne. Le lendemain, on organisa à Leningrad un rassemblement à la mémoire des victimes de la répression politique – la première grande manifestation légale de ce genre dans l'histoire de l'Union soviétique[10].

Cependant, les événements majeurs de l'année 1988, à Leningrad comme dans toute l'URSS, furent le conflit entre l'Arménie et l'Azerbaïdjan et la formation d'organisations baptisées Fronts populaires[11]. Des Fronts populaires se constituèrent plus ou moins simultanément et de façon apparemment spontanée dans plus de trente villes, d'un bout à l'autre de l'Union soviétique. Leur objectif déclaré était de soutenir la perestroïka, en butte à une opposition brutale et croissante au sein du Parti. En réalité, leur fonction essentielle fut probablement de mener une expérience d'une portée et d'une envergure sans précédent : dans une société qui n'avait encore connu pour ainsi dire aucun changement social ni, en réalité, aucune activité citoyenne qui ne fût pas dirigée d'en haut, il s'agissait de former une organisation, et même un réseau d'organisations, authentiquement démocratiques par leur nature et leur structure.

« Une organisation qui vise à créer une société démocratique doit elle-même être démocratique, proclamait un document fondateur du Front populaire de Leningrad. Voilà pourquoi nos statuts intégreront un système de pare-feu efficace contre toutes les tendances bureaucratiques et autoritaires. À cette fin, le conseil de coordination sera élu au scrutin secret et pourra être reconstitué lors de chaque assemblée générale du Front populaire. À cette fin, le conseil de coordination n'aura pas de président permanent, mais tous ses membres exerceront à tour de rôle les fonctions de président. À cette fin, aucun membre du Front populaire ne pourra prétendre représenter la position de l'organisation sur une question si celle-ci n'a pas été discutée au préalable lors d'une assemblée générale du Front populaire. Il est prévu que toutes les décisions prises par le conseil de coordination ou par l'assemblée générale soient des recommandations : les membres appartenant à la minorité ne devraient pas être obligés de prendre part à une décision qu'ils désapprouvent, mais ils ne sont pas non plus autorisés à contrarier les actions de la majorité d'aucune autre façon que par leur pouvoir de conviction[12]. » En d'autres termes, l'objectif principal du Front populaire était de ne pas être le Parti communiste.

Chose incroyable, cela fonctionna. Vingt ans plus tard, un mathématicien qui était devenu militant à la fin des années 1980 a raconté comment il avait découvert le Front populaire : « Ils se rassemblaient devant la Maison de la culture des ouvriers de l'industrie alimentaire. Tout le monde pouvait venir. Certains des participants ne brillaient pas par leur équilibre mental. Quand on arrivait, on avait l'impression de se trouver dans un asile : certains discours n'avaient ni queue ni tête. Cela durait une heure, une heure et demie, on discutait de Dieu sait quoi, puis d'autres prenaient le micro – j'ai appris plus tard que c'étaient des responsables du groupe. Et, en définitive, quand ils mettaient effectivement aux voix une question ou une autre, le texte de la résolution qu'ils présentaient était parfaitement raisonnable : il avait un contenu politique précis et était rédigé en bon russe. Ainsi, ceux qui dirigeaient l'organisation à l'époque étaient des gens avec qui on pouvait vraiment discuter[13]. » La possibilité de discuter restait l'article de première nécessité le plus prisé en Union soviétique.

Une femme s'imposa rapidement comme leader naturel et devint *de facto* la porte-parole du Front populaire de Leningrad, où elle jouissait d'une immense confiance. Marina Salié ne ressemblait à aucun politicien de l'histoire de l'Union soviétique. En fait, elle se distinguait fondamentalement de tous les politiciens, de quelque pays qu'ils viennent. Âgée d'une cinquantaine d'années, célibataire (elle avait longtemps vécu avec une femme qu'elle appelait sa sœur), elle avait passé une grande partie de son existence d'adulte dans les contrées reculées de l'Union soviétique à étudier les pierres : elle était en effet titulaire d'un doctorat en géologie. C'est une voie qu'empruntaient de nombreux membres de l'intelligentsia : trouver une spécialité dépourvue de tout enjeu idéologique et s'éloigner le plus possible du centre de commandement soviétique. N'ayant jamais adhéré au Parti communiste, Salié ne faisait partie d'aucune organisation discréditée. En même temps, elle avait des références pétersbourgeoises irréprochables. Son arrière-arrière-grand-père, Paul Buhré, avait été l'un des habitants les plus illustres de l'histoire de la ville – horloger du tsar, il avait fabriqué des horloges et des montres qui fonctionnent encore aujourd'hui et sont très prisées des collectionneurs. Deux de ses arrière-grands-pères étaient arrivés à Saint-Pétersbourg au XIXe siècle en provenance de France et d'Allemagne. Brillante, s'exprimant clairement, à la manière de ceux qui ne mâchent jamais leurs mots, Salié inspirait une confiance immédiate et l'envie de la suivre. « Une cigarette collée aux lèvres, elle était capable de mener une foule sur toute la longueur de la perspective Nevski en arrêtant la circulation, se rappelait vingt ans plus tard un de ses adversaires politiques. Je l'ai vue faire un jour, et je peux vous dire que c'était drôlement impressionnant. Personne ne lui arrivait à la cheville[14]. »

En février 1988, un conflit éclata entre l'Azerbaïdjan et l'Arménie – le premier des nombreux conflits ethniques qui embraseraient le Caucase soviétique[15]. En Azerbaïdjan – un pays relativement riche, majoritairement musulman –, une région appelée Nagorno-Karabakh, essentiellement peuplée d'Arméniens de souche, déclara son intention de faire sécession et de rejoindre l'Arménie, petite république soviétique pauvre à majorité chrétienne. À l'exception de quelques dissidents visionnaires, personne à l'époque ne pouvait imaginer que l'Empire soviétique volerait en éclats – et encore moins dans un si bref délai. Les événements du Nagorno-Karabakh prouvaient que l'impensable était possible.

De surcroît, ils révélaient exactement ce qui allait se passer : l'URSS se désagrégerait le long de lignes de faille ethniques, et ce processus serait à la fois douloureux et violent. Plusieurs jours après les premiers grands rassemblements en faveur de l'indépendance du Nagorno-Karabakh, des pogromes éclatèrent à Sumgaït, une ville d'Azerbaïdjan qui abritait une importante population arménienne. On dénombra plus de trente morts et plusieurs centaines de blessés.

L'intelligentsia soviétique observa, consternée, des inimitiés ethniques et religieuses larvées remonter à la surface. En juin, après que le gouvernement régional du Nagorno-Karabakh eut officiellement déclaré ses intentions séparatistes, plus de trois cents personnes se rassemblèrent sur une place de Leningrad pour exprimer leur solidarité avec le peuple arménien[16]. Vers la fin de l'été, les militants démocrates de la ville organisèrent un voyage pour les enfants arméniens de Sumgaït, qui furent accueillis dans des camps de vacances de la région de Leningrad[17]. Une certaine Galina Starovoïtova, anthropologue de Leningrad – dont je couvrirais l'assassinat dix ans plus tard – devint la porte-parole la plus connue du pays sur les questions arméniennes. Le 10 décembre 1988, la plupart des membres du Comité Karabakh favorable à la sécession du Nagorno-Karabakh furent arrêtés[18].

Deux jours plus tard, une vague de perquisitions balaya Leningrad. La police passa au peigne fin les appartements de cinq militants démocrates radicaux, parmi lesquels l'ancien prisonnier politique Iouli Rybakov et Ékatérina Podoltséva, la mathématicienne qui avait proposé de manger des citrons pour réduire la fanfare au silence. Ils furent tous poursuivis en application de l'article 70 du code pénal soviétique, qui prévoyait entre six mois et sept ans de détention pour propagande antisoviétique (davantage encore pour les récidivistes)[19]. Ce serait la dernière affaire de toute l'histoire du pays jugée en vertu de l'article 70[20].

Autrement dit, la transformation de la société soviétique continuait à se faire cahin-caha, deux pas en avant, un pas en arrière : des rassemblements publics impensables deux ans plus tôt étaient suivis de mandats de perquisition, et des propos jugés inacceptables pouvaient toujours vous envoyer en prison pour plusieurs années. La censure était progressivement levée : *Le Docteur Jivago*, de Boris Pasternak, fut enfin publié en URSS cette année-là, mais les ouvrages d'Alexandre Soljénitsyne restaient interdits. Le dissident et lauréat du prix Nobel Andreï Sakharov, autorisé à vivre paisiblement dans la sphère privée, affrontait encore des obstacles insurmontables dans la sphère publique. Dans le courant de l'été 1988, il se rendit à Leningrad ; le journaliste de télévision le plus connu de la ville enregistra une interview de lui, mais les censeurs en interdirent la diffusion. Une productrice décida de la glisser subrepticement au milieu d'une nouvelle émission sur les affaires publiques diffusée en fin de soirée et qui connaissait une popularité croissante. Le nom de Sakharov ne figurait pas dans le script qui devait être soumis aux censeurs, lesquels signèrent sans difficulté ce qui ressemblait, sur le papier, à une publicité anodine : « Voici ce que vous verrez dans l'émission de ce soir. » « Non, je n'y crois pas ! » « Et ceci encore ! » « Impossible ! C'est sérieux ? » « Tout ce qu'il y a de plus vrai ! » « Pour de bon ? » Les censeurs ne pouvaient pas savoir que des images de Sakharov apparaîtraient brièvement sur les écrans pendant ce dialogue, indiquant sans la moindre ambiguïté quel serait le vrai sujet de l'émission, tout en laissant aux téléspectateurs le temps de téléphoner à toutes leurs connaissances pour leur conseiller d'allumer leur téléviseur[21].

Personne ne fut renvoyé pour avoir ainsi abusé les censeurs, et ce fut sans doute l'indice le plus révélateur de la profondeur et, peut-être, de l'irréversibilité des changements qui se produisaient en Union soviétique. Cette affaire montra également que l'évolution ne toucherait pas seulement les médias, mais aussi les institutions politiques du pays, si intransigeantes en apparence. Le 1er décembre 1988, une nouvelle loi électorale entra en vigueur mettant fin, dans les faits, au monopole du Parti communiste sur le pouvoir d'État[22].

L'année 1989 commença par une réunion de militants démocrates à Leningrad. Il s'agissait d'organiser ce qui aurait été inimaginable quelques mois auparavant seulement : une campagne électorale. Un comité baptisé Élection-89 se constitua, dirigé notamment par Marina Salié[23]. Il imprima des tracts expliquant aux gens comment voter : « Il y aura deux, trois ou quatre noms sur le bulletin. Ce sont des candidats rivaux. Vous ne devez choisir qu'*un seul* nom et rayer les autres. » C'était en réalité un système alambiqué : il fallait élire 2 250 députés dans l'ensemble de l'Union soviétique, parmi lesquels 750 dans des circonscriptions territoriales et 750 dans des circonscriptions administratives, les 750 derniers étant élus par le Parti communiste ou par des institutions placées sous son contrôle. Néanmoins, c'était la première fois que les électeurs de la plupart des régions auraient à choisir entre deux candidats ou plus.

À Leningrad, les fonctionnaires du Parti communiste furent battus à plate couture. Galina Starovoïtova, l'anthropologue originaire de la ville, fut choisie pour représenter l'Arménie au Soviet suprême. Elle rejoignit une minorité de députés nouvellement élus – environ trois cents – au sein d'un groupe dirigé par Sakharov et favorable à la démocratie. Une fois entré au Parlement, l'ancien dissident se donna pour objectif de mettre fin au règne du Parti communiste en abrogeant la clause constitutionnelle qui garantissait sa prééminence dans la politique soviétique. Parmi les autres membres illustres de ce Groupe interrégional figuraient Boris Eltsine, apparatchik fantasque, et Anatoli Sobtchak, un professeur de droit de Leningrad, très bel homme et beau parleur.

Au cours de cette campagne électorale d'une brièveté ahurissante – moins de quatre mois s'écoulèrent entre l'adoption de la loi révolutionnaire sur les élections et le scrutin proprement dit –, Sobtchak s'était fait remarquer par ses extraordinaires dons d'orateur. Lors de l'une de ses premières apparitions devant des électeurs potentiels, sentant que l'auditoire était fatigué et commençait à s'ennuyer, il rangea le discours qu'il avait préparé sur les questions municipales et nationales et décida d'éblouir son public par son éloquence : « Je rêve, déclara-t-il, que les prochaines élections ne soient pas organisées par le Parti communiste mais par les électeurs eux-mêmes, et que ces électeurs soient autorisés à s'unir et à former des organisations. Que les meetings de la campagne électorale soient ouverts à tous ceux qui ont envie d'y assister sans qu'ils aient besoin d'un laissez-passer. Que tous les citoyens aient le droit de se présenter ou de présenter quelqu'un d'autre à une fonction, et qu'il ne soit pas nécessaire que les candidatures passent par un processus d'approbation à plusieurs niveaux ; que le nom d'un candidat puisse figurer sur le bulletin de vote dès lors qu'il aura rassemblé suffisamment de signatures de soutien[24]. » C'était une vision absolument utopiste.

Les députés du peuple, puisque tel était le nom officiel des membres du quasi-Parlement soviétique, se rassemblèrent pour leur première session à la fin du mois de mai 1989. Les rues du pays se vidèrent pendant deux semaines : toutes les familles étaient rivées à leur écran de télévision pour assister au premier débat politique ouvert de leur vie et voir l'histoire s'écrire sous leurs yeux. Cette immense et pesante assemblée tourna rapidement à un affrontement sans issue entre deux hommes : Gorbatchev, le chef d'État, et Sakharov, l'autorité morale suprême de son époque. Juvénile, dynamique et désormais confirmé dans sa position et dans sa popularité, Gorbatchev projetait une image d'assurance. Sakharov – voûté, la voix douce, enclin à trébucher aussi bien en parlant qu'en marchant – paraissait déplacé et inefficace. Il sembla commettre sa plus grave erreur quand, le dernier jour de la session parlementaire, il prit la parole pour se lancer dans un long discours compliqué. Il appela à l'abrogation de l'article 6 de la Constitution accordant au Parti communiste l'autorité de gouverner l'État soviétique. Il évoqua l'effondrement imminent de l'empire – l'Union soviétique proprement dite et le bloc de l'Est – et supplia le Parlement d'adopter une résolution sur la nécessité de réformer l'État. La gigantesque salle commença à s'agiter et à devenir de plus en plus grossière : les députés du peuple se mirent à taper du pied et à essayer de noyer Sakharov sous les huées. Le vieux dissident, qui tenait le micro et s'efforçait désespérément de se faire entendre, s'écria alors : « Je m'adresse au monde ! »

Assis à la tribune à quelques mètres de l'endroit où Sakharov tentait de prononcer son allocution, Mikhaïl Gorbatchev avait l'air exaspéré – aussi bien, semblait-il, par la teneur des propos de Sakharov que par le chahut qu'ils provoquaient dans la salle. Soudain, le vieil homme se tut : Gorbatchev avait coupé son micro. Sakharov rassembla les pages de son discours, franchit les quelques pas qui le séparaient du secrétaire général et lui tendit les feuillets d'une main tremblante. Gorbatchev prit une expression écœurée. « Retirez-moi ça[25] », cracha-t-il.

En humiliant ainsi Sakharov devant les caméras de la télévision, Gorbatchev était allé trop loin. Six mois plus tard, quand le dissident succomba à un infarctus le deuxième jour de la session suivante des députés du peuple – ayant, entre-temps, assisté à la chute du mur de Berlin et à la dislocation du bloc de l'Est, exactement comme il l'avait prédit –, on s'accorda largement à le considérer comme un martyr et à voir en Gorbatchev son bourreau. Des dizaines, voire des centaines de milliers de personnes assistèrent à ses obsèques à Moscou[26]. Les autorités municipales cherchèrent, comme d'ordinaire et sans la moindre efficacité, à éviter un attroupement en fermant les stations de métro proches du cimetière et en installant des cordons de police autour du quartier ; les gens firent des kilomètres à pied par un froid glacial avant d'entreprendre de percer calmement les cordons.

À Leningrad, près de vingt mille personnes se réunirent pour un rassemblement à la mémoire de Sakharov l'après-midi même de son inhumation. Les organisateurs avaient souhaité que cette cérémonie se déroule dans le centre de la ville, mais leur demande fut rejetée. Le rassemblement commença donc dans un des vastes terrains vagues qui surgissent autour des villes socialistes ; il s'agissait en l'occurrence d'un espace informe situé devant la salle de concert Lénine. Une kyrielle d'orateurs se succédèrent à la tribune pour parler de Sakharov. Bravant le froid, la foule continua de grossir même lorsque l'éphémère soleil d'hiver disparut. Au crépuscule, de façon apparemment spontanée, les personnes présentes prirent la décision de se diriger vers le centre-ville. Elles furent des milliers à se mettre en formation, comme dirigées par une main invisible, et à entreprendre cette longue et pénible marche[27].

Les participants se relayaient à la tête du cortège, portant un portrait de Sakharov et une bougie allumée. Pendant tout le trajet, Marina Salié défila derrière ce portrait, affirmant ainsi sa volonté de suivre les traces du grand dissident, mais aussi celle d'assumer la responsabilité de ce défilé illégal. Moins de six semaines auparavant, le 7 novembre, Salié et ses partisans avaient participé à une autre marche : la commémoration annuelle de la révolution d'Octobre. Près de trente mille personnes avaient alors rejoint le groupe démocrate. La police avait essayé d'écarter leur colonne des caméras de télévision, mais, à un moment, les manifestants s'étaient trouvés au même niveau que la tribune du premier secrétaire du comité régional du Parti de Leningrad, qui agitait la main vers la foule. Le contingent de défenseurs de la démocratie s'arrêta alors et se mit à scander : « Front populaire ! Front populaire ! » Les membres du cortège communiste officiel cherchèrent à les faire taire, sans ralentir le pas. Le secrétaire du Parti souriait imperturbablement, comme s'il ne se passait rien d'inhabituel. C'était la dernière fois qu'il se tiendrait à une tribune pour assister au défilé du 7 novembre[28].

Si le 7 novembre les manifestants démocrates avaient affronté les membres disciplinés du cortège communiste approuvé par les autorités, en ce 19 décembre ils affirmaient simplement que cette ville était la leur. Le défilé durerait plusieurs heures. La foule surmonterait toutes les tentatives de la police pour interrompre sa marche. Elle ferait halte en plusieurs points symboliques du trajet pour tenir des meetings. Des bougies surgiraient dans les mains. Des milliers de participants supplémentaires rejoindraient le cortège en cours de route. Pour Salié, âgée de cinquante-cinq ans et souffrant d'embonpoint, cette marche fut une épreuve éreintante. Elle était sortie ce jour-là avec un lourd manteau de fourrure un peu trop serré, et elle défila avec son manteau déboutonné, souffrant d'être exposée aux regards, se sentant déplacée. À un moment, elle glissa et tomba ; elle ne se fit pas mal mais fut humiliée. Tout au long des nombreuses heures que dura la marche, elle ne cessa d'entendre dire qu'à l'arrière de la colonne la police cherchait encore à disperser les manifestants.

« Le lendemain, a raconté Salié bien des années plus tard, nous étions chez moi à travailler sur un programme du Front populaire, car nous voulions organiser un congrès. Un colonel de la police est venu me remettre une convocation pour avoir organisé une marche illégale. C'était vraiment un policier étonnant. Il m'a dit : "Vous savez, j'aurais très bien pu passer et ne pas vous trouver chez vous." Un homme charmant. Mais j'ai protesté : "Non, non, faites ce que vous avez à faire." J'ai accepté la convocation et nous avons commencé à appeler des avocats et à prévenir les médias. Le lendemain matin, je suis allée me présenter au poste de police... Ils voulaient absolument me faire dire le nom de la personne qui avait organisé cette marche. Et moi je répondais : "Comment voulez-vous que je sache ? Je ne me rappelle pas. Il y avait tellement de monde." » En fait, l'organisateur de cette marche était un des camarades de Salié au Front populaire.

« Ils insistaient pour avoir une réponse, a-t-elle poursuivi. Pendant que j'étais là, on leur a apporté un télégramme. Des dirigeants démocrates de Moscou très connus prenaient ma défense. Alors on m'a annoncé que j'allais être conduite au tribunal. Je me suis agrippée au bureau de toutes mes forces et j'ai dit : "Il faudra que vous me portiez jusque là-bas. Je ne bougerai pas d'ici tant que mon avocat ne sera pas arrivé." J'ai passé toute la journée au poste. Ils ne cessaient de passer des coups de fil, ils demandaient des instructions pour savoir ce qu'ils devaient faire de moi. Finalement, ils ont pris tous mes papiers, m'ont conduite dans une pièce avec des barreaux aux fenêtres et m'y ont enfermée. Et puis voilà, tout a été fini, et j'ai pu quitter le poste de police, accueillie par les cris de joie de mes amis, qui s'étaient rassemblés devant[29]. »

Le lendemain, les journaux de Leningrad titrèrent : « Arrêtée pour avoir pleuré Sakharov ». Marina Salié, qui était déjà une des personnalités les plus populaires de la ville, en devint alors le leader politique incontestable. Moins de deux mois plus tard, Leningrad organiserait des élections municipales et Salié entrerait au conseil. Bien des années après, elle a prétendu n'avoir pas eu l'intention de postuler à des responsabilités politiques – elle voulait seulement coordonner la campagne des candidats du Front populaire sans se présenter elle-même –, mais, après son arrestation à l'issue de la marche pour Sakharov, il lui fallait une garantie d'immunité[30].

Ce serait le premier conseil municipal élu de l'histoire de Leningrad, le premier organe de gouvernement élu par le peuple en Union soviétique. Comme toutes les villes, Leningrad avait été dirigé jusque-là par la branche locale du Parti communiste. De nouveaux responsables politiques, et de nouvelles règles, proposaient de reléguer le Parti communiste au rang de... parti politique, justement, et de faire gouverner la ville par une démocratie représentative. La transition fut rapide, douloureuse et parfois comique. Aux élections de mars, les candidats démocrates laminèrent le Parti communiste, s'emparant de près des deux tiers des quatre cents sièges – cent vingt sièges revinrent au Front populaire. À la suite du scrutin, un comité d'organisation de soixante conseillers élus se constitua pour discuter du fonctionnement du conseil municipal. Le chef du Parti communiste de Leningrad, Boris Guidaspov, invita le comité à lui rendre visite à l'institut Smolni, un ancien établissement d'enseignement qui abritait le siège régional du Parti. Les nouveaux conseillers suggérèrent poliment que ce soit au contraire Guidaspov qui vienne leur rendre visite au palais Mariinski, le bâtiment grandiose donnant sur la place Saint-Isaac où l'ancien conseil municipal dirigé par les communistes s'était réuni – là où les militants de la « bataille d'Angleterre » avaient cherché à négocier avec les autorités municipales – et qui abriterait également le nouveau conseil démocratique.

Guidaspov, personnification même de l'ancienne garde, avait passé toute sa vie professionnelle au sein du complexe militaro-industriel de Leningrad, gravissant rapidement les échelons ; il avait dirigé d'importants établissements avant d'être nommé à la tête de l'organisation du Parti de la ville en 1989. Entrant dans la salle de réunion du palais Mariinski, il se dirigea immédiatement vers l'extrémité de la table. À peine s'était-il assis qu'un des conseillers lui fit remarquer : « Ce n'est pas votre place[31]. » La relève de la garde avait commencé.

Une scène symbolique du même genre se déroula dans la grande salle du palais Mariinski quelques jours plus tard, quand le nouveau conseil municipal se réunit pour sa première séance. Prenant place dans le vaste amphithéâtre, les quatre cents nouveaux conseillers contemplèrent du haut des gradins un petit bureau de noyer où deux hommes étaient déjà assis. C'étaient des bureaucrates du Parti d'autrefois, coulés dans le même moule que Guidaspov : solidement charpentés, les épaules carrées, un costume gris, un visage empâté qui n'avait jamais l'air correctement rasé. L'un des deux hommes se leva et se mit à lire un discours convenu, commençant par quelques mots de félicitations à l'adresse des nouveaux élus. Un des conseillers qu'il venait de féliciter s'approcha du bureau pour demander : « Qui vous a dit que c'était vous qui présidiez la réunion ? » Le bureaucrate se tut, confus, et Alexeï Kovalev, le « héros de la bataille d'Angleterre », militant de la protection du patrimoine, rejoignit les deux hommes et les pria de bien vouloir cesser d'entraver le bon déroulement de la séance. Ils se levèrent. Kovalev et Salié les remplacèrent devant le bureau et entreprirent de diriger la première réunion du premier conseil démocratiquement élu d'Union soviétique[32].

La séance s'ouvrit, comme l'avait prévu le comité de coordination, par des questions de procédure présentées par trois de ses membres. Lorsqu'ils s'avancèrent, l'assistance éclata de rire parce qu'ils arboraient tous l'uniforme de l'intelligentsia – le pull à col roulé et la barbe. « C'était fantastique, a raconté un sociologue présent lors de cette réunion. C'était un changement complet d'atmosphère : les costumes et les gros bras avaient disparu, et les informels faisaient leur entrée[33]. »

Dans l'esprit de ce que l'un d'eux a appelé plus tard le « sens aigu de la démocratie[34] » qui les avait conduits au palais Mariinski, les nouveaux conseillers décidèrent, dans l'un de leurs premiers arrêtés, de retirer l'intégralité des gardes du palais afin que tous les citoyens puissent accéder librement à n'importe quel bureau et à toutes les salles de réunion. « Le Mariinski s'est mis à ressembler à un hall de gare pendant la guerre civile [russe], écrivit plus tard un membre du conseil. Des dizaines de sans-abri occupaient l'entrée de la grande salle de réunion, hélant les conseillers et essayant de leur glisser dans la main des papiers portant des textes tapés à la machine. Je me souviens d'un barbu qui ne cessait d'essayer de convaincre les députés d'examiner une de ses brillantes inventions. Nous avions voté de retirer les gardes du palais – et dès le lendemain, littéralement, nous avons été obligés de calculer le coût des ornements de bronze qui avaient disparu de l'intérieur du bâtiment[35]. »

Les gardes furent aussitôt rétablis, mais les gens continuèrent à affluer. « Ils avaient tellement envie de se faire entendre, a raconté par la suite un autre membre du conseil. Quand les électeurs venaient nous voir, nous avions un peu l'impression d'être des prêtres écoutant les fidèles en confession. Nous leur disions : "Je ne peux pas vous fournir de nouvel appartement, je n'ai pas l'autorité nécessaire pour le faire", et ils répondaient : "Tout ce que je vous demande, c'est de m'écouter." Alors nous écoutions, attentivement, patiemment. Ils repartaient contents[36]. »

Quelques mois s'écouleraient avant que les conseillers prennent conscience qu'il ne suffisait pas d'écouter les gens, mais qu'il fallait également les protéger et les nourrir.

Pendant un temps, conformément aux principes de la démocratie radicale, le conseil municipal n'eut pas de responsable désigné. Mais ce mode de fonctionnement se révéla tout à la fois difficile à appliquer et politiquement préjudiciable : alors que les membres du nouveau conseil municipal essayaient d'inventer des procédures parlementaires en partant plus ou moins de zéro, expérimentant et réaffirmant les règles d'organisation en temps réel – souvent même devant les caméras de la chaîne de télévision locale –, les électeurs de Leningrad commençaient à s'impatienter. La ville, le pays et la vie elle-même semblaient se désagréger autour d'eux tandis que leurs conseillers municipaux pratiquaient la démocratie sans résultat concret.

Marina Salié, qui était toujours la femme politique la plus populaire de la ville, décida de ne pas être candidate à la présidence du conseil municipal. Vingt ans plus tard, on lui a demandé d'expliquer ce choix : « J'aimerais bien que quelqu'un puisse me donner la réponse, a-t-elle dit. Était-ce le fruit de ma stupidité, de mon inexpérience, de ma timidité ou de ma naïveté ? Je n'en sais rien, mais le fait est que je ne me suis pas présentée. C'était une erreur[37]. »

Salié s'étant récusée, les activistes du conseil décidèrent de s'adresser au second héros municipal de la perestroïka : Anatoli Sobtchak, le professeur de droit qui s'était fait connaître à Moscou comme le démocrate de Leningrad. Sobtchak sortait d'un autre moule que les informels barbus en pull : tranchant avec leur air contemplatif et leur allure sans prétention, il s'habillait avec une élégance recherchée – les communistes critiquaient volontiers ses tenues « bourgeoises », et sa veste à carreaux emblématique apparaît encore dans les souvenirs politiques une bonne vingtaine d'années plus tard. C'était par ailleurs un remarquable orateur, qui semblait se griser lui-même du timbre de sa voix. Comme l'a raconté un de ses anciens collaborateurs, Sobtchak était capable de « faire avorter une réunion de travail en prononçant un discours improvisé de quarante minutes sur les bienfaits de la construction d'un pont imaginaire », et d'hypnotiser ses auditeurs avec des paroles creuses[38].

Bien qu'appartenant au Groupe interrégional de Sakharov au Soviet suprême, Sobtchak était en réalité beaucoup plus conservateur que les informels qui le rappelaient à Leningrad. Ayant enseigné le droit à l'école de police, il faisait à maints égards partie de l'establishment soviétique sortant. Il avait récemment adhéré au Parti communiste, apparemment convaincu que celui-ci continuerait à gouverner le pays grâce à toutes les réformes entreprises par Gorbatchev. Et, dans une ville divisée que les nouveaux hommes politiques démocrates appelaient de plus en plus souvent par son nom historique de Saint-Pétersbourg, il se déclarait hostile à ce changement, affirmant que le nom de Leningrad rappelait mieux la bravoure militaire dont la ville avait fait preuve[39].

Sobtchak était également un politicien beaucoup plus aguerri que les informels. Il était mû par une ambition sans borne : d'ici peu, il se mettrait à raconter à qui voudrait l'entendre qu'il allait être le prochain président de la Russie. En attendant, au niveau de la ville, il avait apparemment l'intention de présider tout le conseil municipal sans avoir de comptes à rendre aux démocrates qui l'avaient appelé sur le trône. À cette fin, il fit des avances – fort discrètes – au groupe minoritaire communiste au sein du conseil, et celui-ci créa la surprise en votant en sa faveur. Quelques instants plus tard, ce fut au tour de Sobtchak d'étonner tout le monde en ne choisissant pour adjoint ni Salié ni aucun des autres démocrates en vue. Il leur préféra en effet Viatcheslav Chtcherbakov, un vice-amiral, membre du Parti communiste. Déconcertés, les démocrates n'en honorèrent pas moins l'accord conclu avec Sobtchak et votèrent pour confirmer Chtcherbakov à son poste d'adjoint[40].

Sobtchak s'adressa alors au conseil municipal pour exposer sa conception de sa mission : il serait le patron, et non un simple responsable. Il estimait que le conseil municipal était enlisé dans « la procédure démocratique pour la procédure démocratique », comme il disait, et voulait qu'on se mette au travail pour de bon. Sa voix prit des accents de plus en plus assurés tandis qu'il faisait savoir au conseil que les choses allaient changer.

« Nous avons compris notre erreur tout de suite après avoir voté pour lui[41] », a déclaré plus tard un des membres du conseil municipal. Sobtchak était bien décidé à détruire ce qu'une majorité des membres considéraient comme la plus grande réussite des deux mois qui s'étaient écoulés depuis leur propre élection : l'invention d'une méthode non soviétique de gestion des affaires. Les informels rentrèrent chez eux consternés, en état de choc.

Sobtchak gagna l'aéroport pour se rendre aux États-Unis, où il devait assister à un colloque de droit.

« Les années qu'il a passées à Saint-Pétersbourg sont les plus troubles », a dit Guévorkian, évoquant la biographie de Poutine qu'elle a rédigée avec ses collègues à l'occasion de la campagne électorale. « Je n'ai jamais vraiment compris comment il a rencontré Sobtchak. »

À Leningrad, les collègues de Poutine au KGB paraissaient chercher à s'adapter à la nouvelle réalité politique au lieu de la combattre, et il sembla dans un premier temps que Poutine suivrait la même voie : plutôt que de prendre la mouche et de quitter le KGB, mieux valait y rester, fût-ce à contrecœur, et se chercher de nouveaux amis, de nouveaux mentors et, peut-être, de nouveaux moyens d'exercer de l'influence en coulisse.

Dans les faits, le dicton « Espion un jour, espion toujours » était vrai : le KGB ne lâchait jamais ses officiers. Mais où allaient tous les espions usés ? Le KGB avait un nom et une structure destinés à ces hommes : la « réserve active », qui regroupait ses innombrables officiers – peut-être même ignorait-on leur véritable effectif – infiltrés dans toutes les institutions civiles d'URSS.

Un an plus tard exactement, quand Vadim Bakatine, un libéral désigné par Gorbatchev, reprit les rênes du KGB avec l'objectif de démanteler cette institution, c'est la réserve active qui le plongea dans la plus grande perplexité et qu'il trouva la plus réfractaire. « C'étaient des officiers du KGB qui travaillaient officiellement dans toutes les institutions civiles ou nationales de quelque importance, a-t-il écrit. Le plus souvent, une grande partie sinon l'intégralité du personnel de ces établissements savait que ces gens-là travaillaient pour le KGB. Les officiers de la réserve active remplissaient toutes sortes de fonctions : certains géraient les systèmes de certificats de sécurité donnant accès à des documents confidentiels, d'autres étaient chargés de sentir l'humeur ambiante, de surveiller les conversations au sein des institutions en question et aussi de prendre les mesures qui leur paraissaient s'imposer concernant d'éventuels dissidents... Il existe certainement des situations où il est bon qu'une organisation de police secrète place des hommes dans telle ou telle institution, mais on aurait tendance à penser que cela se fait dans la plus grande discrétion. À quoi sert un service secret dont tout le monde est capable d'identifier les agents[42] ? »

Bakatine donnait lui-même la réponse : « Tel qu'il existait, le KGB ne pouvait pas prétendre être un service secret. C'était une organisation formée pour contrôler et réprimer tout et n'importe quoi. Il semblait avoir été créé tout spécialement pour organiser des complots et des coups d'État, et possédait tout ce qui était nécessaire pour les mener à bien : ses propres forces armées spécialement entraînées, la capacité de pirater et de contrôler les communications, des hommes infiltrés dans toutes les institutions majeures, un monopole sur l'information, et bien d'autres choses encore[43]. » C'était en vérité un monstre dont les tentacules s'étendaient à travers l'ensemble de la société soviétique. Vladimir Poutine décida de se trouver une place à l'extrémité d'un de ces tentacules.

Poutine avait d'abord déclaré à son ami le violoncelliste qu'il envisageait d'aller s'installer à Moscou pour rejoindre la vaste bureaucratie du KGB, mais il décida finalement de rester à Leningrad. Peut-être parce qu'il avait toujours été plus attiré par ce qu'il connaissait déjà, il se tourna vers la seule institution extérieure au KGB avec laquelle il avait entretenu des liens un jour : l'université d'État de Leningrad. Il obtint un poste d'assistant du recteur, chargé des affaires internationales. Comme tous les établissements d'URSS, l'université de Leningrad venait tout juste de prendre conscience qu'il était possible d'entretenir des relations internationales : ses enseignants et ses étudiants avancés commençaient à voyager à l'étranger à des fins d'études et pour assister à des congrès ; il leur fallait encore surmonter des obstacles administratifs considérables, mais la possibilité de se rendre dans d'autres pays, réservée jusque-là à une minuscule élite, était désormais accessible à nombre d'entre eux. Des étudiants et des enseignants arrivaient aussi d'autres horizons : là encore, ce privilège jadis réservé aux étudiants des pays du bloc socialiste et à quelques étudiants occidentaux triés sur le volet était désormais offert à presque tous. Comme des milliers d'autres organismes soviétiques, l'université de Leningrad avait vu son financement par l'État diminuer considérablement, et elle espérait que ces contacts avec l'étranger, quelle qu'en fût la forme, lui apporteraient de précieuses devises. C'était un emploi idéal pour un membre de la réserve active : non seulement les postes de ce genre étaient traditionnellement attribués à des hommes du KGB, mais tout le monde s'accordait à penser que ces derniers étaient vraiment plus compétents que les autres pour nouer et consolider des relations avec les étrangers ; ils étaient, après tout, les seuls à avoir un peu d'expérience en la matière.

Poutine a affirmé qu'il avait alors l'intention de préparer une thèse et, sans doute, de finir sa carrière à l'université[44]. En réalité, comme tant de choses dans l'Union soviétique de l'époque, cet emploi avait un petit côté transitoire. Poutine resta moins de trois mois à l'université de Leningrad.

Les circonstances qui conduisirent Poutine à travailler pour Anatoli Sobtchak pendant que celui-ci était président du conseil municipal de Leningrad sont bien connues et ont fait l'objet de nombreux récits, sans aucun doute inexacts en ce qui concerne un certain nombre, voire l'intégralité, de leurs détails les plus fréquemment rapportés.

Selon cette version apocryphe, Sobtchak, professeur de droit et homme politique célèbre, traversait le vestibule de l'université quand il aperçut Poutine. Il lui demanda alors de venir travailler pour lui au conseil municipal. À en croire Poutine lui-même, c'est un de ses anciens condisciples de la faculté de droit qui aurait organisé une entrevue dans le bureau de Sobtchak. Dans cette variante, Poutine avait assisté aux cours de Sobtchak dans les années 1970, mais n'entretenait aucune relation personnelle avec lui.

« Je me souviens parfaitement de la scène, a déclaré Poutine à ses biographes. Je suis entré, je me suis présenté et je lui ai tout dit. C'était un homme impulsif et il a réagi au quart de tour : "Je vais parler au recteur. Vous commencez à travailler lundi. Voilà tout. Je vais prendre toutes les dispositions nécessaires à votre transfert." » Dans le système soviétique, en effet, il n'était pas rare que des gens exerçant des emplois de bureau soient mutés comme des serfs, par simple accord entre leurs « propriétaires ». « Je n'ai pu que lui répondre : “Anatoli Alexandrovitch, je serais enchanté de travailler pour vous. Cet emploi m’intéresse. Plus encore, je le veux. Mais il y a peut-être un obstacle à cette mutation.” Il me demande : “Quoi donc ?” Je réponds : “Il faut que je vous dise que je ne suis pas simplement l’assistant du recteur. Je suis officier du KGB.” Il a pris le temps de réfléchir, parce qu’il ne s’y attendait vraiment pas. Et, au bout d’un moment de réflexion, il a lancé : “Qu’ils aillent se faire foutre[45] !” »

Ce dialogue est certainement du roman, et du mauvais roman qui plus est. Pourquoi Poutine prétend-il avoir « tout dit » à Sobtchak s’il n’a pas mentionné son appartenance au KGB avant que son interlocuteur ne lui fasse cette offre d’emploi ? Pourquoi cherche-t-il à faire passer Sobtchak pour un imbécile ignorant – à l’université de Leningrad, tout le monde savait que Poutine était officier du KGB – et un personnage vulgaire de surcroît ? Sans doute parce que ce mensonge n’était pas encore parfaitement au point au moment où il l’a raconté à ses biographes. Il n’avait probablement pas imaginé que ces derniers lui poseraient la question délicate et trop évidente du biais qui avait conduit un officier de carrière du KGB à travailler pour l’un des principaux politiciens démocrates de Russie.

Le récit de Sobtchak est fort différent : « Poutine ne m’a certainement pas été envoyé par le KGB », déclara-t-il à un journaliste la semaine même où Poutine se confiait à ses propres biographes – ce qui explique la divergence entre leurs deux versions. « J’ai trouvé Poutine moi-même, et c’est moi qui lui ai demandé de venir travailler pour moi, parce que je le connaissais déjà. Je me souvenais très bien de lui quand il était étudiant à la faculté de droit. Pourquoi est-il devenu mon adjoint ? Je suis tombé sur lui par hasard, dans l’entrée de l’université. Je l’ai reconnu, je lui ai dit bonjour et je lui ai demandé ce qu’il devenait. J’ai appris qu’il avait travaillé assez longtemps en Allemagne et était maintenant assistant du recteur. Il avait été un excellent étudiant, mais il avait un trait de caractère singulier : il n’aimait pas se distinguer. En ce sens, c’est un homme dénué de vanité et de toute ambition extérieure, mais au fond de lui-même c'est un leader[46]. »

Anatoli Sobtchak ne pouvait ignorer que Poutine était un officier du KGB. C'est même pour cette raison précise qu'il l'a choisi. Il faut bien comprendre quel homme politique était Sobtchak : s'il défendait une ligne démocrate originale dans ses discours, cela ne l'empêchait pas d'aimer s'appuyer sur une solide base conservatrice – ce qui explique également qu'il ait choisi un communiste et vice-amiral comme adjoint au conseil municipal. Non seulement il se sentait plus en sécurité entouré d'hommes issus des différents corps d'armée, mais il était aussi beaucoup plus à l'aise en leur compagnie qu'avec les militants démocrates, remarquablement instruits, excessivement loquaces et rigoureux sur les procédures, à l'image de Salié et de ses semblables. Il avait, rappelons-le, enseigné le droit à l'école de police de Leningrad ; il avait eu pour élèves des hommes parfaitement conformes à l'image qu'il se faisait de Poutine : sûrs mais assez peu brillants, sans ambition manifeste et toujours extrêmement respectueux de la hiérarchie. En outre, Poutine l'intéressait pour la même raison que celle qui avait poussé l'université à l'engager : c'était l'une des très rares personnes de la ville à avoir travaillé dans un autre pays – et la municipalité avait encore plus besoin que l'université de l'aide et de l'argent de l'étranger. Enfin, Sobtchak, qui avait gravi tous les échelons de l'université, où il était désormais professeur titulaire, ainsi que ceux du Parti communiste, savait qu'il était préférable de choisir soi-même son officier traitant plutôt que de s'en voir imposer un de l'extérieur.

On peut évidemment se demander si Sobtchak ne se trompait pas en pensant qu'il avait choisi librement son officier traitant. Un ancien collègue de Poutine en Allemagne de l'Est m'a dit que, en février 1990, ce dernier avait rencontré le général Iouri Drozdov, chef de la direction du renseignement illégal du KGB, lors de sa visite à Berlin : « Cette rencontre ne pouvait avoir qu'un but : indiquer à Poutine sa prochaine mission, m'a affirmé Sergueï Bezroukov, passé en Allemagne en 1991. Pour quelle autre raison le chef de la direction rencontrerait-il un type qui était sur le point de rentrer chez lui ? Ça ne se passait jamais comme ça[47]. » Bezroukov et d'autres officiers s'étaient demandé quelle serait la prochaine affectation de Poutine et en quoi elle pouvait être suffisamment importante pour éveiller l'intérêt des huiles. Quand Poutine alla travailler pour Sobtchak, Bezroukov pensa avoir obtenu la réponse à sa question : son vieil ami avait été rappelé pour infiltrer le premier cercle de l'une des principales personnalités politiques démocrates du pays. Son poste universitaire n'avait été qu'une étape intermédiaire.

Poutine informa le KGB de Leningrad qu'il avait l'intention de changer d'emploi. « Je leur ai dit : “J'ai reçu une offre d'Anatoli Alexandrovitch [Sobtchak], qui me propose de quitter l'université et d'aller travailler pour lui. Si c'est impossible, je suis prêt à démissionner.” Ils ont répondu : “Mais non, pour quoi faire ? Prenez ce nouvel emploi, il n'y a aucun problème[48].” » Ce dialogue a tout d'une nouvelle page de roman absurde, même en admettant – ce qui est peu probable – que ce ne soit pas le KBG qui ait envoyé Poutine à Sobtchak. Poutine n'avait aucune raison de penser que le KGB n'accueillerait pas avec enthousiasme la perspective de pouvoir placer un de ses hommes dans l'intimité du démocrate le plus en vue de la ville.

À cette date, les nouveaux démocrates étaient en effet devenus le principal centre d'intérêt du KGB. L'année précédente, Gorbatchev avait créé le Comité de surveillance constitutionnelle, une organisation chargée de faire respecter la loi et destinée à adapter les pratiques gouvernementales soviétiques à la nouvelle Constitution du pays[49]. En 1990, ce comité commença à s'en prendre aux opérations clandestines du KGB et décida d'interdire toutes les actions qui s'appuyaient sur des instructions internes secrètes. Le KGB ignora cette mesure[50]. Bien plus, il soumit à une surveillance constante Boris Eltsine et d'autres démocrates connus, et mit sur écoute leurs téléphones, même lorsqu'ils étaient à l'hôtel, ainsi que ceux de leurs amis, de leurs parents, de leur coiffeur et de leur entraîneur sportif[51]. Il semble donc pour le moins improbable que Poutine ait dit la vérité à ses biographes quand il a prétendu ne pas avoir transmis au KGB d'informations sur son travail avec Sobtchak, alors même que le salaire qu'il touchait de la police secrète était bien supérieur à celui que lui versait le conseil municipal[52].

Les documents officiels ne révèlent pas comment, si et quand Poutine rompit ses liens avec le KGB ; pourtant, et c'est sans doute le plus surprenant, cet épisode n'a pas non plus fait l'objet d'un mythe cohérent. Poutine a affirmé avoir été victime, alors qu'il travaillait pour Sobtchak depuis quelques mois, d'une tentative de chantage de la part d'un membre du conseil municipal qui menaçait de révéler son appartenance au KGB. Il aurait alors compris qu'il devait partir. « C'est une décision que j'ai eu beaucoup de mal à prendre. En réalité, cela faisait presque un an que j'avais cessé de travailler pour le service de sécurité, mais toute ma vie tournait encore autour de lui. Cela se passait en 1990 : l'URSS ne s'était pas encore disloquée, le putsch d'août n'avait pas encore eu lieu, et personne ne pouvait être certain de la direction que prendrait le pays. Sobtchak était indéniablement un individu remarquable et un homme politique de premier plan, mais il semblait risqué de lier mon avenir au sien. Tout pouvait capoter d'un instant à l'autre. Et j'étais incapable d'imaginer ce que je ferais si je perdais mon poste à la mairie. Je me disais que je pourrais peut-être retourner à l'université, écrire ma thèse et prendre des petits boulots. J'avais un emploi sûr au KGB et on me traitait correctement. Je réussissais bien à l'intérieur de ce système, et pourtant j'étais décidé à partir. Pourquoi ? Pour quoi faire ? C'était une vraie souffrance. Je me trouvais face à la décision la plus difficile de ma vie. J'ai réfléchi longtemps, j'ai essayé de peser le pour et le contre, et puis je me suis concentré, je me suis assis, et j'ai rédigé ma lettre de démission d'un jet, sans brouillon[53]. »

Ce monologue, prononcé dix ans après les faits, est en réalité un document remarquable. Si Poutine a effectivement quitté l'organisation la plus redoutée et la plus redoutable d'Union soviétique, il n'a jamais présenté – pas même rétrospectivement – sa décision en termes idéologiques, politiques ou moraux. Dix ans plus tard, alors qu'il s'apprêtait à diriger une nouvelle Russie, il admettait sans difficulté avoir été prêt à servir n'importe quel maître. Surtout, il aurait bien voulu assurer ses arrières et les servir tous.

Or c'est précisément ce qu'il a fait. Le KGB a perdu sa lettre de démission – que ce soit grâce à une combine astucieuse ou parce que cette organisation était chroniquement incapable de gérer une paperasserie pléthorique, le mystère reste entier. Toujours est-il que Vladimir Poutine était encore officier du KGB en août 1991, au moment où le service secret tenta le coup d'État pour lequel il semblait avoir été conçu.

## Chapitre 5

# Un putsch et une croisade

Il m'a fallu deux ans pour convaincre Marina Salié d'accepter de me parler. Et près de douze heures de route pénible, dont une demi-heure sur un chemin quasiment impraticable – j'avais reçu pour instruction de « rouler aussi loin que possible puis de faire le reste du trajet à pied » – pour arriver chez elle. Je devais ensuite, m'avait-on expliqué, chercher le drapeau tricolore russe qui flottait au-dessus d'une maison de bois. J'aurais eu du mal à le manquer : les Russes n'ont pas pour habitude de pavoiser leurs façades.

Salié vivait à présent dans un village, si l'on peut dire : vingt-six maisons et seulement six habitants. Comme tant de villages russes, celui-ci, situé à plusieurs centaines de kilomètres de la première grande ville et à plus de trente de l'épicerie la plus proche, était un désert oublié, sans avenir. C'est là que Salié, désormais âgée de soixante-quinze ans, avait choisi d'habiter avec la femme qu'elle appelait sa sœur, pour la bonne raison que personne ne pourrait jamais les y retrouver.

Sa compagne, de quelques années plus jeune qu'elle et manifestement en meilleure santé, apporta les cartons de documents que Salié avait emportés avec elle quand elle avait quitté la scène publique. C'était le fruit des longs mois d'enquête qu'elle avait menés – après avoir découvert l'affaire de la viande disparue.

En 1990, le monde allait à vau-l'eau. Ou du moins était-ce le cas de l'Union soviétique. Le 13 janvier 1990, des pogromes éclatèrent dans les rues de Bakou, capitale de l'Azerbaïdjan, historiquement la ville la plus bigarrée de l'Empire russe[1]. Quarante-huit Arméniens de souche furent tués et près de trente mille – tout le reste de la population arménienne de la ville – prirent la fuite. Le champion du monde d'échecs Garry Kasparov, un Arménien de Bakou, affréta un avion pour évacuer sa famille, ses amis et les amis de ses amis. Le 19 janvier, les soldats soviétiques firent irruption dans la ville, prétendument pour rétablir l'ordre. À l'issue de cette opération, on dénombra une centaine de morts parmi la population civile – en majorité des Azéris de souche.

L'Empire soviétique s'effritait. Le centre était impuissant à en préserver la cohésion ; son armée était brutale et inefficace.

L'économie soviétique vacillait, elle aussi, au bord du gouffre. Les pénuries de produits alimentaires et d'autres articles de première nécessité avaient atteint des proportions catastrophiques. Si Moscou était encore tout juste en mesure de mobiliser les ressources de l'intégralité de ce vaste empire pour approvisionner en articles de base ne fût-ce que quelques rayonnages de ses magasins, toute l'étendue du désastre se reflétait à Leningrad, la deuxième ville du pays. En juin 1989, les autorités de Leningrad avaient commencé à rationner le thé et le savon. En octobre 1990, le sucre, la vodka et les cigarettes avaient rejoint la liste des produits rationnés. En novembre 1990, le conseil municipal démocrate fut obligé de prendre une mesure terriblement impopulaire en introduisant de véritables cartes de rationnement – lesquelles ne pouvaient que rappeler la terrible période du siège de la ville pendant la Seconde Guerre mondiale[2]. Tous les habitants avaient désormais droit à trois livres de viande par mois, un kilo de conserves de viande, dix œufs, une livre de beurre, une demi-livre d'huile végétale, une livre de farine et un kilo de céréales ou de pâtes. En imposant les cartes de rationnement, les conseillers municipaux n'espéraient pas seulement éviter la famine – le mot, dans toute son horreur, n'était plus considéré comme un vestige du passé ou comme l'apanage de pays lointains –, mais également les troubles.

La cité faillit sombrer dans la violence de masse à deux reprises au cours de cette année-là, au moment de l'émeute du tabac d'août 1990 puis de l'émeute du sucre quelques semaines plus tard[3]. Les cigarettes étaient rares depuis quelque temps, mais généralement les grands magasins du centre de Leningrad en vendaient encore au moins une marque. Un jour de la fin d'août 1990, cependant, les bureaux de tabac de la perspective Nevski eux-mêmes se retrouvèrent vides. Une foule se rassembla de bon matin devant l'un d'eux, attendant une livraison qui n'arriva jamais. La boutique ferma pour le déjeuner et rouvrit une heure plus tard, ses rayonnages toujours aussi déserts. À 3 heures de l'après-midi, plusieurs centaines de fumeurs fous de rage avaient interrompu la circulation sur cette grande artère et menaçaient de briser des vitrines. Les autorités de police, affolées, appelèrent le conseil municipal : si des violences éclataient, elles seraient incapables d'éviter les blessures ou les dégâts matériels. Plusieurs conseillers, conduits par Sobtchak, rejoignirent alors précipitamment la perspective Nevski pour tenter de calmer la foule.

Ils arrivèrent juste à temps. Les manifestants avaient déjà démonté une immense jardinière installée sur le trottoir et démoli un long morceau de la palissade d'un chantier voisin pour édifier des barricades en travers de la principale avenue de la ville. La circulation était paralysée. Les forces spéciales de police, constituées deux ans plus tôt seulement et déjà célèbres pour la brutalité avec laquelle elles dispersaient les rassemblements – on avait surnommé leurs matraques les « démocratiseurs » –, étaient arrivées sur les lieux et se préparaient à donner l'assaut contre les fumeurs en colère et leurs barricades. Contrairement à la police régulière, ces forces en tenue antiémeute ne semblaient pas se poser de questions : elles savaient que le sang coulerait. Sobtchak et plusieurs autres conseillers municipaux connus cherchèrent à discuter avec différents groupes, choisissant des gens qui semblaient les reconnaître et engageant la conversation avec eux. Iouli Rybakov, ancien dissident et prisonnier politique, qui faisait lui aussi partie du conseil municipal, se dirigea vers les forces spéciales pour annoncer à leurs responsables qu'un camion chargé de cigarettes devait arriver d'un moment à l'autre et que la manifestation s'achèverait pacifiquement[4].

Pendant ce temps, une autre équipe du conseil municipal, dirigée par Salié, passait au peigne fin les entrepôts de la ville à la recherche d'une cache de cigarettes. Elle en trouva effectivement et les distribua aux manifestants de la perspective Nevski bien après la tombée de la nuit. Les fumeurs se calmèrent et se dispersèrent, laissant aux conseillers municipaux le soin de démolir leurs barricades de fortune et d'affronter la sombre perspective d'autres futures émeutes, qui ne seraient peut-être pas aussi faciles à apaiser parce que, semblait-il, la ville finirait par manquer de tout.

Quelques semaines plus tard, à la fin de l'été, c'est-à-dire au plus fort de la saison des conserves et des confitures, le sucre vint à manquer[5]. Craignant une réplique des émeutes du tabac, un groupe de conseillers municipaux lança une enquête. Ils découvrirent ce qui était, selon eux, un complot du Parti communiste pour discréditer le nouveau régime démocratique municipal. Profitant du fait que plus personne ne savait vraiment qui exerçait quelle autorité dans la ville, des fonctionnaires du Parti avaient apparemment actionné quelques bons vieux leviers pour empêcher le déchargement de trains de marchandises transportant du sucre vers Leningrad. Marina Salié convoqua d'urgence un certain nombre de membres du conseil municipal et les envoya surveiller personnellement l'arrivée, le déchargement et la livraison du sucre dans les magasins. L'émeute avait été évitée.

À cette date, Marina Salié, la géologue, avait été élue à la présidence du comité d'approvisionnement alimentaire du conseil municipal. On estimait en effet que cette femme qui n'avait jamais été mêlée de près ni de loin aux questions d'alimentation ni de commerce de détail, qui n'avait jamais été une organisatrice professionnelle ni la patronne de qui que ce soit, mais qui semblait foncièrement honnête et incorruptible, était la mieux placée pour empêcher la famine à Leningrad. En toute logique, c'est la responsable politique de la ville en qui on avait le plus confiance qui fut chargée de la mission la plus importante et la plus difficile.

En mai 1991, en sa qualité de présidente du comité d'approvisionnement alimentaire du conseil municipal de Leningrad, Salié se rendit à Berlin pour signer des contrats d'importation concernant plusieurs trains chargés de viande et de pommes de terre à destination de Leningrad. Les négociations étaient presque terminées ; en réalité, Salié et un collègue de confiance de l'administration municipale n'étaient venus que pour signer les derniers documents.

« Nous arrivons, m'a raconté Salié de longues années plus tard, toujours scandalisée, et cette Frau Rudolf avec qui nous avions rendez-vous nous fait dire qu'elle ne peut pas nous recevoir parce qu'elle est en pleines négociations urgentes avec la ville de Leningrad au sujet des importations de viande. Nous en restons bouche bée. Parce que la ville de Leningrad, c'est nous, et nous sommes précisément venus pour régler cette histoire d'importation de viande ! »

Salié et son collègue appellent alors en toute hâte le comité d'approvisionnement alimentaire de l'administration municipale de Leningrad, un pendant de leur propre comité ; la seule explication qu'ils puissent imaginer est que la branche exécutive de la municipalité, on ne sait pourquoi, est intervenue dans cette affaire. Mais le président du comité ignore tout des négociations en cours.

« Alors j'appelle Sobtchak, a raconté Salié. Je lui dis : "Anatoli Alexandrovitch, je viens de découvrir – à ce moment-là, j'avais obtenu des chiffres – que Leningrad est en train d'acheter soixante tonnes de viande." Sobtchak téléphone à la Banque économique extérieure pendant que je suis encore en ligne – je l'entends parler – et il donne le nom de la société. La banque confirme que, effectivement, une ligne de crédit de quatre-vingt-dix millions de marks a été ouverte au nom de cette société. Il ne me dit rien d'autre ; il ajoute seulement : "Je ne comprends pas ce qui se passe[6]." »

Salié est rentrée en Russie les mains vides, espérant vaguement que les soixante tonnes de viande prétendument achetées par la ville se matérialiseraient un jour. Elles n'arrivèrent jamais, et Salié n'eut guère le temps d'enquêter plus avant sur cette mystérieuse histoire, qui ne cessa pourtant de la tracasser. Trois mois plus tard, l'affaire fut éclipsée par un autre événement, bien plus effrayant et tout aussi étrange – et inextricablement lié, selon Salié, à sa mésaventure allemande.

La crise majeure de la Russie moderne, l'instant le plus décisif de son histoire, n'a donné lieu, chose curieuse, à aucun récit cohérent. Aucun consensus national ne s'est fait autour de la nature des événements qui ont déterminé l'avenir du pays, et cette absence même est, aux yeux de certains, le plus grave échec de la nation russe moderne.

En août 1991, un groupe de ministres de la fédération soviétique conduits par le vice-président de Gorbatchev chercha à évincer ce dernier du pouvoir, prétendant vouloir empêcher l'effondrement de l'URSS. Le coup d'État échoua, l'URSS se désagrégea et Gorbatchev perdit tout de même le pouvoir. Vingt ans plus tard, on cherche vainement un récit des événements qui suscite une adhésion universelle, voire seulement une large approbation. Quelle était la motivation de ces ministres ? Pourquoi leur opération a-t-elle échoué si rapidement et si lamentablement ? Et, finalement, à qui est revenue la victoire ?

Des rumeurs faisant état d'une réaction brutale de conservateurs irréductibles circulaient depuis le début de l'année. Certains prétendent même avoir été informés à l'avance de la date du coup d'État en projet ; je connais au moins un homme d'affaires, un des tout premiers riches russes, qui quitta le pays parce qu'il avait été averti de ce dessein[7]. Il n'était du reste pas nécessaire d'avoir ses entrées au KGB ni d'être doté d'une imagination débridée pour s'en douter : le sentiment de vague appréhension, d'instabilité funeste, était palpable. Des conflits ethniques armés éclataient aux quatre coins du pays. Les républiques baltes – la Lettonie, la Lituanie et l'Estonie – décidèrent de rompre leurs liens avec l'Union soviétique, et Boris Eltsine, président du Soviet suprême de Russie, leur accorda son soutien. Gorbatchev envoya des chars à Vilnius, capitale de la Lituanie, pour réprimer le soulèvement. Cela se passait en janvier. En mars, des chars envahirent les rues de Moscou lorsque Gorbatchev – soit dans un élan de désespoir face au caractère incontrôlable que semblait prendre le pays, soit sous la pression des tenants d'une ligne dure au sein de sa propre administration (peut-être les deux en réalité) – prétendit interdire toutes les manifestations publiques dans la capitale. C'est ce jour-là que je vis pour la première fois Galina Starovoïtova à la tête de centaines de milliers de Moscovites défiant le décret et les chars. En ce même mois de mars, Gorbatchev organisa un référendum sur le maintien de l'unité de l'Union soviétique ; la population de neuf des quinze républiques membres vota pour, mais les six autres boycottèrent le scrutin. À la fin du mois, la Géorgie mena son propre référendum et décida de se séparer de l'URSS.

Les républiques cessèrent de payer ce qu'elles devaient au centre fédéral, aggravant une crise budgétaire déjà préoccupante. Les pénuries alimentaires et le manque de biens de première nécessité empirèrent, ce que l'on aurait pu croire impossible. En avril, le gouvernement essaya précautionneusement de relâcher les contrôles sur les prix : ceux-ci montèrent en flèche, tandis que l'approvisionnement suivit un mouvement inverse. En juin, l'Ukraine déclara son indépendance et quitta l'URSS, imitée par la Tchétchénie, qui faisait pourtant partie de la République russe de l'URSS. La Russie organisa des élections présidentielles ce mois-là. Eltsine fut élu. Au même moment, Moscou comme Leningrad créèrent la fonction de maire, qui n'existait pas à l'époque soviétique, et Sobtchak fut élu maire de Leningrad. Ce poste lui convenait mieux que celui de président du conseil municipal ; après tout, il avait toujours agi comme s'il détenait le pouvoir exécutif. Poutine devint adjoint au maire, chargé des relations internationales.

Au cours des deux années de bouleversements politiques constants et de débats civiques animés qui venaient de s'écouler, les citoyens soviétiques étaient devenus extrêmement dépendants de leurs téléviseurs et de leurs postes de radio. Le 19 août 1991, les lève-tôt découvrirent que leurs appareils étaient silencieux – ou presque : la musique du *Lac des cygnes* passait en boucle. À partir de 6 heures du matin, la radio d'État se mit à diffuser une série de décrets et de discours politiques. Une heure plus tard, on put entendre les mêmes textes à la télévision.

« Compatriotes ! Citoyens de l'Union soviétique ! » – c'est sur ces mots que s'ouvrait la plus éloquente des allocutions, diffusées sans interruption. « Nous nous adressons à vous en une heure critique pour notre patrie et pour tout notre peuple ! Notre grande patrie court un grave danger. La politique de réforme lancée par M.S. Gorbatchev dans l'intention d'assurer le développement dynamique du pays et la démocratisation de notre société nous a conduits dans l'impasse. Ce qui avait débuté dans l'enthousiasme et dans l'espoir a abouti au discrédit, à l'apathie, au désespoir. À tous les niveaux, le gouvernement a perdu la confiance des citoyens. La politique politicienne s'est emparée de la vie publique, éclipsant les vraies préoccupations touchant le destin de la patrie et des citoyens. Les institutions de l'État ont été bafouées. Le pays est, par essence, devenu ingouvernable. »

Les putschistes, qui comptaient dans leurs rangs le président du KGB, le Premier ministre, le ministre de l'Intérieur, le vice-président du Conseil de sécurité, le ministre de la Défense, le vice-président, le président du Soviet suprême et les responsables des syndicats du commerce et de l'agriculture, entreprirent ensuite de faire des promesses au peuple.

« L'orgueil et l'honneur soviétiques seront intégralement restaurés. »

« La croissance du pays ne doit pas reposer sur une baisse du niveau de vie de sa population. Dans une société saine, une augmentation constante des richesses sera la règle. »

« Notre tâche prioritaire sera de trouver des solutions au problème de la pénurie alimentaire et du manque de logements. Toutes les forces seront mobilisées pour faire face à ces besoins essentiels de la population[8]. »

À cette fin, proclamait un autre document, « prenant en compte les besoins de la population, qui a réclamé des mesures décisives pour empêcher que la société ne se dirige vers une catastrophe nationale et pour assurer le respect de la loi et le maintien de l'ordre, l'état d'urgence sera déclaré en plusieurs lieux d'URSS pour une période de six mois, à partir de 4 heures du matin, heure de Moscou, le 19 août 1991[9] ». Aussi les putschistes prirent-ils le nom de Comité national pour l'état d'urgence en URSS (GKTchP SSSR). Ils dirent et répétèrent au peuple que Gorbatchev était malade, inapte à exercer ses fonctions. En réalité, il était assigné à résidence dans une maison de vacances à Foros, au bord de la mer Noire.

La seconde quinzaine d'août est une saison morte dans les villes de Russie. Aucune session des conseils municipaux n'était prévue, un grand nombre d'hommes politiques, de militants et d'autres citoyens étaient partis en vacances. Quand les habitants restés sur place entendirent les informations, ils commencèrent à se rassembler sur leurs lieux de travail dans l'espoir d'obtenir des directives ou des détails sur ce qui se passait, ou simplement de partager avec d'autres leur chagrin et leur angoisse.

Les trois premiers membres du conseil municipal de Leningrad arrivèrent au palais Mariinski un peu après 7 heures du matin. Ils décidèrent de convoquer immédiatement une séance du conseil et commencèrent à passer des coups de fil. À 10 heures, ils n'avaient toujours pas atteint le quorum. C'est à cet instant qu'ils virent le visage du général Viktor Samsonov, chef du district militaire de Leningrad, apparaître à la télévision. Se présentant comme le représentant régional du GKTchP, il déclara l'état d'urgence dans la ville. En l'absence de quorum, Igor Artémiev, président adjoint du conseil municipal, suggéra de tenir au moins une réunion de travail[10]. Ce docteur en biologie de trente ans, barbu, la voix douce, dépourvu de la moindre expérience dans l'organisation d'une telle réunion, n'était absolument pas préparé à ce qui suivit. Il donna la parole à la première personne qui la demanda ; or il s'agissait d'un délégué du GKTchP, le vice-amiral Viktor Khramtsov. Celui-ci avait à peine commencé à parler que Vitali Skoïbéda, un conseiller municipal d'une trentaine d'années connu pour aimer la bagarre, l'interrompit brutalement, hurlant que Khramtsov devait être arrêté – et se mettant à le rouer de coups.

Le président du conseil municipal, Alexandre Béliaïev, qui avait été absent de la ville, arriva en cet instant décisif. Rappelant les conseillers au respect des procédures, il s'approcha promptement du vice-amiral, toujours étendu face contre terre sur l'impressionnant parquet de la salle, et lui demanda s'il existait un document établissant l'état d'urgence dans la ville. Il n'y en avait pas. Dans ce cas, déclara Béliaïev, il n'y avait pas non plus d'état d'urgence[11]. Marina Salié qualifia les agissements du GKTchP de « putsch militaire[12] » – une définition qui ne tombait pas encore sous le sens, mais dont la pertinence s'imposa aux participants. Les conseillers commencèrent à élaborer un plan de résistance, formèrent un comité de coordination et rédigèrent une déclaration hostile au putsch. Restait à transmettre ce message à la population de Leningrad.

Sobtchak, le maire, était absent, et personne ne savait comment le joindre. Il téléphona au conseil municipal en fin de matinée ou en début d'après-midi, au moment précis où les conseillers concluaient leur débat. « Nous l'avons averti que nous avions l'intention de passer à la télévision dès que possible pour informer la ville qu'il s'agissait d'un putsch militaire, m'a dit Salié bien des années plus tard. Il a répondu : "Ne faites pas ça. Vous ne feriez que semer la panique. Attendez-moi, j'arrive[13]." » Plusieurs conseillers municipaux, dont Salié, voulurent tout de même se rendre à la station de télévision, mais on ne les laissa pas entrer. Ils se résolurent donc à attendre Sobtchak.

Celui-ci avait passé la matinée dans la datcha de Boris Eltsine, aux environs de Moscou. Le président russe avait convoqué tous les démocrates de quelque importance présents dans la capitale. C'était un groupe d'hommes effrayés et déroutés. En toute logique, Eltsine aurait dû être arrêté, et personne ne comprenait pourquoi il ne l'avait pas été. En réalité, un mandat d'arrêt avait été signé dans la nuit, et il aurait dû être appréhendé à son arrivée à l'aéroport de Moscou ce matin-là. Mais, pour une raison toujours inexplicable, cette arrestation n'eut pas lieu[14]. Les agents du KGB reçurent alors l'ordre d'encercler la datcha d'Eltsine. Ils le virent entrer chez lui et en ressortir, mais ne reçurent jamais le commandement définitif de l'appréhender ; on apprendrait plus tard que deux commandants adjoints de l'unité chargée de l'opération s'y étaient opposés et avaient intercepté le mandat d'arrêt. Les agents du KGB restèrent en faction devant sa maison, armés et impuissants, tandis qu'Eltsine filait rejoindre le siège du gouvernement russe au cœur de Moscou.

D'autres membres de ce groupe de démocrates, parmi lesquels Sobtchak, se rendirent eux aussi à l'aéroport pour regagner leurs villes respectives et coordonner les efforts de résistance locaux. Mais, avant de quitter Moscou, Sobtchak appela Leningrad et donna ordre aux forces spéciales de la police de bloquer toutes les entrées et toutes les sorties de la station de télévision de Leningrad[15]. On ignore s'il prit cette mesure avant ou après avoir téléphoné au conseil municipal. Toujours est-il que c'est pour cette raison que Salié et ses compagnons ne purent accéder aux locaux de la télévision.

Ils attendirent. Sobtchak aurait dû atterrir depuis longtemps. En réalité, son avion s'était bien posé mais, au lieu de rejoindre immédiatement le conseil municipal – comme semblait le prévoir tout Leningrad, puisqu'une foule s'était massée devant le Mariinski et grossissait au fil des heures –, il se rendit au siège du district militaire de Leningrad pour s'entretenir avec le général Samsonov. « Pourquoi ai-je fait cela ? a écrit Sobtchak plus tard dans une notice biographique. Je n'arrive toujours pas à expliquer mon geste. Sans doute ai-je obéi à une intuition. En effet, à mon arrivée au siège du district, place du Palais, une réunion de travail du GKTchP venait de commencer dans le bureau de Samsonov... À la fin de notre entretien, Samsonov m'a donné sa parole que, à moins d'événements extrêmes ou extraordinaires, il n'y aurait pas de troupes dans la ville, tandis que je m'engageais, moi, à y assurer la sécurité[16]. »

En fait, Sobtchak avait choisi une ligne de conduite très différente de celle de ses collègues de Moscou et d'autres villes : une fois de plus, il avait ménagé ses arrières en créant une situation qui le mettrait à l'abri si les conservateurs l'emportaient, sans lui faire perdre son image de démocrate dans le cas où ils perdraient.

Le conseil municipal de Moscou s'était, lui aussi, réuni à 10 heures du matin et avait décidé de s'opposer au putsch[17]. Contrairement à leurs collègues de Leningrad, les conseillers de Moscou pouvaient compter sur le soutien sans équivoque du maire de la ville, Gavriil Popov, qui, entre autres mesures, avait ordonné aux services municipaux de couper l'eau, l'électricité et les lignes téléphoniques dans tous les bâtiments où opéraient des partisans du GKTchP[18]. Il avait également demandé aux banques d'interrompre tous les versements au profit du GKTchP et des organisations qui lui étaient liées. Le conseil municipal et le bureau du maire constituèrent collectivement un détachement spécial pour coordonner la résistance. Tandis que, tout au long de la journée du 19 août, des troupes faisaient leur entrée aux quatre coins de la ville, les volontaires se rassemblèrent autour de la « Maison blanche » de Moscou – le grand immeuble abritant le siège du gouvernement russe. Quand des représentants du GKTchP appelèrent l'adjoint au maire de Moscou, Iouri Loujkov, pour tenter de négocier, ce dernier, qui avait pourtant toujours été plus bureaucrate que démocrate, les insulta et raccrocha[19].

Pendant ce temps, ayant conclu ses négociations avec le général Samsonov, Sobtchak finit par rejoindre son bureau du palais Mariinski, où Poutine avait mis en place une puissante garde qu'il surveillait personnellement[20]. En milieu de journée, des dizaines de milliers de personnes s'étaient massées devant le palais, espérant obtenir des informations – ou trouver un moyen d'agir. Sobtchak apparut enfin à la fenêtre de son bureau et lut une déclaration – qui n'était pas de lui mais du président russe, Boris Eltsine, et d'autres membres de son gouvernement. « Nous appelons le peuple de Russie à répondre comme il convient aux putschistes et à exiger que le pays puisse reprendre le cours normal de son développement constitutionnel[21]. » Après 21 heures, rejoint par son adjoint, le vice-amiral, il se rendit à la station de télévision de Leningrad, où il lut son propre discours – aussi inspiré et éloquent que de coutume. Cette allocution revêtait une importance particulière, car les émissions de la télévision de Leningrad sont diffusées dans de nombreuses villes à travers tout le pays ; bien que le GKTchP ait apparemment cherché à interrompre le programme dès que Sobtchak eut pris la parole, la retransmission se poursuivit. Sobtchak appela les habitants de la ville à participer à un rassemblement le lendemain. Il semblait prêt à relever tous les défis, mais ce n'était qu'une posture : il avait déjà tout préparé avec le général Samsonov et lui avait promis d'empêcher les manifestants de sortir d'un périmètre étroitement circonscrit. Une fois son discours terminé, Sobtchak, accompagné de Poutine, alla se cacher. Il passerait les deux jours suivants dans un bunker enfoui sous la plus grosse usine de Leningrad, n'en sortant qu'une seule fois pour donner une conférence de presse. Il était terrifié[22].

Le deuxième jour du putsch, on assista à un événement pour le moins étrange. Marina Salié assurait la permanence téléphonique au siège improvisé de la résistance du conseil municipal quand le vice-président d'Eltsine, le général Alexandre Routskoï, appela et se mit à hurler dans le combiné : « Mais qu'est-ce qu'il a fait ? Il a lu un décret ? Merde alors, mais qu'est-ce qu'il a lu[23] ? » Salié mit quelques instants à comprendre de quoi parlait Routskoï, et bien plus longtemps encore à saisir ce que cela signifiait. Routskoï avait pris un arrêté retirant au général Samsonov son poste de chef du district militaire de Leningrad et nommant à sa place le vice-amiral Chtcherbakov, adjoint de Sobtchak. Remplacer un loyaliste pur et dur du GKTchP par un des fidèles du maire démocrate était une mesure parfaitement raisonnable, et Sobtchak aurait dû l'approuver sans réserve. Malheureusement, elle renversait les défenses qu'il avait soigneusement édifiées et l'obligeait, fondamentalement, à prendre parti pour Eltsine non seulement dans ses discours – ce qu'il avait fait –, mais dans ses actions. Aussi, en juriste avisé, Sobtchak avait-il remanié le texte de l'arrêté de Routskoï avant d'en donner lecture lors de sa conférence de presse, privant le document de toute validité.

On assista à un déluge d'arrêtés, de déclarations, de discours et d'ordres en provenance des deux camps. C'était une guerre des nerfs plus qu'une bataille juridique, car chaque organisation, chaque individu n'obéissait qu'aux décisions prises par l'autorité qu'il reconnaissait. C'est ce qui explique qu'Eltsine n'ait pas pu se contenter d'appeler Samsonov et de lui ordonner de quitter son bureau. Samsonov ne rendait compte qu'au GKTchP, pas à Eltsine. Le gouvernement démocrate de Moscou avait donc espéré que Sobtchak, en donnant lecture de cet arrêté avec toute son éloquence et toute son autorité, lui conférerait suffisamment de poids pour persuader les troupes stationnées à Leningrad que le vice-amiral Chtcherbakov était leur nouveau commandant. Or, en lisant l'arrêté, Sobtchak remplaça la dénomination de la nouvelle fonction de Chtcherbakov par « premier chef militaire », un titre inconnu, un poste imaginaire issu d'un monde parallèle et qui ne laissait planer aucun doute sur l'autorité supérieure du général Samsonov. C'était ainsi que Sobtchak maintenait le flou et assurait la stabilité de sa propre position.

Puis ce fut la fin du putsch. Au terme de deux jours de face-à-face au centre de Moscou, la majorité des soldats renoncèrent à marcher sur la « Maison blanche » ; les quelques transports de troupes qui s'avancèrent furent arrêtés par une poignée de volontaires sans armes et par les barricades qu'ils avaient édifiées avec les pavés des trottoirs et des voitures de tram renversées. On déplora trois morts.

Gorbatchev regagna Moscou. Le processus de démembrement de l'Union soviétique commença. Il allait être d'une incroyable rapidité. Dans le même temps, les gouvernements russe et soviétique s'attelèrent au démantèlement de la plus puissante institution soviétique, le KGB. Mais cette entreprise se révélerait infiniment plus compliquée, et beaucoup moins efficace.

Le 22 août, le Soviet suprême russe adopta une résolution remplaçant le drapeau rouge de l'ère soviétique, orné de la faucille et du marteau, par un nouveau drapeau russe – blanc, bleu et rouge. Un groupe de conseillers municipaux conduit par Vitali Skoïbéda – celui qui avait frappé le conservateur trois jours plus tôt – s'employa à remplacer le drapeau qui flottait à Leningrad. « Le drapeau se trouvait à un angle de la perspective Nevski, au-dessus du siège du Parti, a raconté quelques années plus tard Éléna

Zélinskaïa, l'éditrice de samizdat, dans une interview. C'était l'endroit le plus visible de la ville. Ils ont commencé à le descendre – un groupe de gens qui comprenait des journalistes et des conseillers municipaux. Un orchestre est arrivé, pour je ne sais quelle raison, c'était la fanfare de l'école militaire. Et une équipe de télévision filmait. Ils ont baissé le drapeau rouge soigneusement. Pendant que l'orchestre jouait, ils ont hissé le drapeau tricolore. L'homme qui avait abaissé le drapeau se tenait juste au milieu de nous, sur la perspective Nevski. Il y avait un groupe, debout dans la rue, un orchestre qui jouait, et puis cet homme, avec un drapeau rouge dans les mains, et tout d'un coup nous nous sommes sentis complètement perdus, nous ne savions plus quoi faire. Nous avions un drapeau qui pendant quatre-vingts ans avait été le symbole de l'État ; nous l'avions tous détesté, mais nous l'avions tous craint également. Et voilà qu'un membre du groupe dit : "Je sais ce qu'il faut faire : on va le leur rendre." Le siège du Parti était juste de l'autre côté de la rue. Alors il prend le drapeau et traverse la perspective Nevski en courant, sans regarder à gauche ni à droite. Les voitures s'arrêtent. L'orchestre joue une marche, et lui court de l'autre côté de cette très large avenue, et, juste au moment où l'orchestre joue la dernière note, il lance le drapeau de toutes ses forces contre la porte du siège du Parti. Tout s'arrête. Et puis la porte s'ouvre lentement, elle s'entrebâille à peine ; une main apparaît et tire le drapeau à l'intérieur d'un coup sec. La porte se referme. Ç'a été l'instant le plus marquant de toute ma vie. J'ai vu hisser le drapeau russe sur la perspective Nevski[24]. »

Cinq jours après le début du putsch, Moscou organisa les funérailles des trois jeunes gens qui avaient trouvé la mort en essayant d'empêcher les soldats d'avancer. Trois responsables politiques de Leningrad, dont Salié, assistèrent à la cérémonie. Ils rejoignirent Nikolaï Gontchar, président du conseil municipal de Moscou et démocrate notoire, en tête du cortège funèbre. « La procession avançait et s'arrêtait sans cesse, m'a raconté plus tard Salié. Et, chaque fois que nous faisions halte, Gontchar se tournait vers moi et me demandait : "Marina Evguénievna, que s'est-il passé ?" Il m'a posé cette question une bonne dizaine de fois. » À la fin de la journée, Gontchar avait réussi à convaincre Salié que le putsch n'était pas ce qu'il avait paru être[25].

Alors, que s'était-il passé ? Pourquoi ce coup d'État, dont l'organisation avait duré de si longs mois, s'était-il effondré comme un château de cartes ? Pourquoi le mouvement n'avait-il pas fait tache d'huile ? Pourquoi avait-on laissé les responsables démocrates, à l'exception de Gorbatchev, circuler à leur guise dans tout le pays et se servir de leur téléphone ? Pourquoi aucun d'eux n'avait-il été arrêté ? Pourquoi, au cours des trois journées où ils prétendirent détenir le pouvoir en Union soviétique, les conservateurs ne s'étaient-ils pas emparés des principaux centres de communication ou de transport ? Et pourquoi avaient-ils capitulé sans combattre ? Ce putsch n'était-il que la médiocre tentative de prise de pouvoir d'un groupe de ratés désorganisés ? Ou se tramait-il quelque chose de plus complexe, de plus sinistre ? S'est-il agi, comme Salié a fini par s'en convaincre, d'une manœuvre soigneusement échafaudée destinée à permettre à Eltsine d'obtenir le départ de Gorbatchev et de négocier la mort pacifique de l'Union soviétique, tout en faisant de lui, en contrepartie, le débiteur du KGB à tout jamais ?

À mon sens, ce ne fut ni l'un ni l'autre – et un peu des deux. Au moment même du putsch, de part et d'autre des barricades, des personnes différentes se racontaient des histoires différentes à propos de ce coup d'État. Quand il fut terminé, les vainqueurs théoriques – ceux qui s'étaient battus pour la démocratie en Russie – furent incapables de créer ou de présenter un récit propre à devenir la vérité collective de la nouvelle Russie. Tout le monde continua donc à raconter son histoire personnelle. En définitive, ces trois jours d'août 1991 sont restés pour certains une histoire d'héroïsme et de victoire de la démocratie. Pour d'autres, ils sont restés – ou devenus – l'histoire d'un complot cynique. La vérité de chaque version est fonction de l'identité de ceux qui occupent le pouvoir en Russie. La question se pose donc en ces termes : Quelle histoire Vladimir Poutine se raconte-t-il à propos du putsch ?

Pendant ces trois jours d'août, Poutine fut encore moins visible que d'ordinaire. Il passa tout son temps aux côtés de Sobtchak. Ce fut l'autre adjoint de ce dernier, Chtcherbakov, qui joua le rôle le plus en vue et exerça les fonctions de porte-parole : il ne quitta pas une seule seconde le bureau du maire, tandis que celui-ci, accompagné de Poutine, se terrait dans un bunker. Nous savons que Sobtchak jouait sur les deux tableaux, les deux côtés des barricades – lesquelles, en réalité, passaient sans doute à travers son premier cercle. Au début de la crise, Chtcherbakov découvrit que quelqu'un avait équipé son ordinateur portable d'un petit dispositif d'écoute. Le matin du 21 août, a-t-il raconté, « j'avais rassemblé cinq chaises dans mon bureau et m'étais allongé dessus pour dormir. Je me suis réveillé parce que j'ai senti un regard posé sur moi. Anatoli Alexandrovitch [Sobtchak] était revenu. "Rendormez-vous, Viatcheslav Nikolaïévitch, m'a-t-il dit. Tout va bien. Félicitations." J'ai immédiatement saisi mon ordinateur pour voir si le micro y était toujours – il n'y était plus. C'était donc quelqu'un de mon entourage immédiat qui l'avait mis en place, puis retiré pour qu'on ne le découvre pas. Quelqu'un qui travaillait pour l'autre camp[26]. »

Neuf ans plus tard, Poutine a répondu aux questions de ses biographes à propos du coup d'État. « Il était dangereux de quitter le bâtiment du conseil municipal au cours de ces journées, a-t-il dit. Mais nous avons fait beaucoup de choses, nous avons été actifs : nous nous sommes rendus aux usines Kirov, nous avons parlé aux ouvriers, et nous sommes allés dans d'autres entreprises, bien que nous ne nous soyons pas vraiment sentis en sécurité. » Il s'agit en grande partie d'un mensonge : de nombreux témoins oculaires indépendants confirment que Sobtchak, et Poutine avec lui, se sont cachés dans l'abri situé sous les usines Kirov, où le premier a peut-être effectivement prononcé un discours avant de disparaître littéralement sous terre. Rien n'indique qu'ils soient allés dans d'autres entreprises, ni qu'ils aient fait quoi que ce soit pendant les deux derniers jours de crise, sinon une brève apparition pour cette unique conférence de presse.

Et si les conservateurs l'avaient emporté ? demandent les biographes. Vous étiez officier du KGB. Vous seriez certainement passés en jugement, Sobtchak et vous.

— Je n'étais plus officier du KGB, rétorque Poutine. Dès le début du putsch, j'ai choisi mon camp. Je savais que je n'obéirais jamais à la moindre directive de ceux qui avaient monté ce coup d'État et que je ne me rangerais jamais de leur côté. Et je n'ignorais pas non plus que ce serait considéré au minimum comme une infraction. Alors, le 20 août, j'ai rédigé ma deuxième lettre de démission du KGB[27].

On nage dans l'absurde. Si Poutine savait que sa première lettre de démission, qu'il prétend avoir écrite un an auparavant, avait été perdue, pourquoi n'en avait-il pas envoyé immédiatement une seconde – surtout si, comme il l'affirmait, il avait pris la décision de démissionner parce qu'il était sous le coup d'une menace de chantage ? De plus, comment aurait-il pu savoir que sa première lettre avait été égarée ? D'une seule manière, évidemment : il continuait à émarger au budget du KGB, ce qui signifie qu'il était encore officier du KGB au début du putsch.

Mais à ce moment-là, à l'en croire, il ne ménagea pas sa peine pour rompre avec cette organisation. « J'ai dit à Sobtchak : “Anatoli Alexandrovitch, j'ai déjà envoyé une première lettre de démission, mais elle est ‘morte’ en cours de route.” Alors Sobtchak a immédiatement appelé [Vladimir] Krioutchkov [le chef du KGB, un des organisateurs du putsch], puis le chef de mon district. Le lendemain, j'ai appris que ma lettre de démission avait été signée. »

Ce chapitre paraît être de la pure fiction. « Je ne pense pas que le coup de fil dont il parle ait pu avoir lieu le 20 août », explique Arséni Roguinski, un historien, défenseur moscovite des droits de l'homme, qui a passé près de un an à enquêter sur le putsch en passant au crible les archives du KGB et en étudiant de près cette organisation. « Krioutchkov avait mieux à faire ce jour-là que de s'occuper d'une question de personnel, surtout concernant un officier plus ou moins insignifiant. Et l'on imagine mal Sobtchak, si soucieux de jouer sur les deux tableaux, intervenir ainsi au risque de rompre ses propres liens avec le KGB. On ignore également comment Poutine aurait pu faire parvenir concrètement sa lettre – celle qui a été prétendument signée le lendemain – au siège du KGB ce jour-là, surtout s'il n'a pas quitté Sobtchak d'une semelle. Enfin, en admettant même qu'une partie des propos de Poutine soient vrais, cela signifie que sa démission a été acceptée le dernier jour du putsch, à un moment où l'échec des conservateurs était presque évident[28]. »

On est en droit de penser que Poutine, comme son patron, s'est soigneusement abstenu de prendre position pendant le putsch, et, en admettant qu'il ait effectivement démissionné du KGB, il n'a certainement entrepris cette démarche qu'une fois l'aventure terminée. Contrairement à Sobtchak et à beaucoup d'autres, il n'avait même pas suivi l'exemple d'Eltsine quelques mois plus tôt en démissionnant du Parti communiste : l'affiliation de Poutine expira deux semaines après le putsch manqué, au moment où Eltsine promulgua le décret de dissolution du Parti. La question reste donc entière : Quelle histoire Poutine s'est-il racontée pendant le putsch ? Est-il envisageable qu'il ait été celui, ou l'un de ceux parmi le cercle restreint de Sobtchak qui ont soutenu activement les conservateurs ? La réponse est oui.

La cargaison de viande d'une valeur de 90 millions de marks dont Marina Salié avait appris l'existence en mai n'était jamais arrivée à Leningrad, mais Salié ne l'avait pas oubliée, malgré les événements spectaculaires de l'été. Perplexe et scandalisée par ce qui s'était passé en Allemagne, Salié continua à essayer de découvrir le fin mot de l'affaire. Après le putsch manqué, lorsqu'il devint provisoirement plus facile d'accéder à toutes sortes de documents, elle réussit enfin à mettre la main sur un certain nombre de dossiers. En mars 1992, elle avait reconstitué toute l'histoire.

En mai 1991, le Premier ministre soviétique, Valentin Pavlov, avait accordé à une société de Leningrad appelée Kontinent l'autorisation de négocier des contrats commerciaux au nom du gouvernement soviétique. Quelques semaines plus tard, Kontinent avait signé cette commande de viande avec l'entreprise allemande.

La livraison avait bien été faite – mais à Moscou, et non à Leningrad. La raison en était fort simple : le futur GKTchP, dont Pavlov était un des responsables, cherchait à remplir les entrepôts de Moscou afin d'inonder les rayonnages des magasins dès qu'il aurait pris le pouvoir[29].

Le nom de l'homme qui avait négocié avec les Allemands au nom de Kontinent ? Vladimir Poutine.

Dès que Salié pensa avoir compris ce qui s'était passé, elle décida d'agir. En mars 1992, elle se rendit à Moscou pour rencontrer une vieille connaissance du mouvement démocrate de Leningrad. Iouri Boldyrev, jeune économiste moustachu et séduisant, avait été élu au Soviet suprême en même temps que Sobtchak ; il travaillait désormais comme contrôleur en chef des finances dans l'administration Eltsine. Salié lui remit en mains propres une lettre exposant les premiers résultats de son enquête, à savoir le curieux voyage de la cargaison de viande entre l'Allemagne et Moscou. Quelques jours plus tard, Boldyrev écrivit à un autre économiste de Leningrad, qui avait été nommé ministre du Commerce extérieur, pour lui demander de restreindre les pouvoirs de Poutine[30]. Sa lettre fut ignorée. De toute évidence, Poutine disposait d'une base d'influence et de puissance financière d'où il ne serait pas facile à déloger.

Quel rôle Poutine jouait-il exactement dans l'administration de la deuxième ville de Russie ? Une femme qui a travaillé dans les services du maire à cette époque a gardé de lui l'image d'un homme qui occupait un bureau vide, meublé en tout et pour tout d'une table, sur laquelle était posé un unique cendrier de verre, et d'un fauteuil, dans lequel était assis un homme aux yeux vitreux, tout aussi incolores que le cendrier[31]. Au cours des premiers mois qu'il avait passés au gouvernement municipal, Poutine avait frappé certains de ses collègues par son ardeur, sa curiosité et son engagement intellectuel[32]. Il cultivait désormais une apparence impénétrable, impassible. Une de ses secrétaires a raconté plus tard qu'elle avait été chargée un jour de transmettre à son patron un triste message personnel. « Les Poutine avaient un chien, un berger du Caucase qui s'appelait Malych [Bébé]. Il vivait à leur datcha et passait son temps à creuser des trous sous la clôture pour essayer de sortir. Un jour, il est arrivé à ses fins et s'est fait renverser par une voiture. Lioudmila Alexandrovna a pris le chien et l'a conduit à la clinique vétérinaire. Elle a appelé de là-bas et m'a demandé d'avertir son mari que le vétérinaire n'avait pas pu sauver le chien. Je suis entrée dans le bureau de Vladimir Vladimirovitch et j'ai dit : "Je suis désolée, j'ai une nouvelle navrante à vous apprendre. Malych est mort." Je l'ai regardé – il n'y avait pas trace d'émotion sur son visage, rien. Cette froideur m'a tellement étonnée que je n'ai pas pu m'empêcher de lui demander : "Quelqu'un vous a déjà prévenu ?" Il a répondu calmement : "Non, vous êtes la première à me le dire." J'ai compris que j'aurais mieux fait de me taire[33]. »

Ce « j'aurais mieux fait de me taire » se réfère sans doute à la question qu'elle avait posée à Poutine pour savoir s'il était déjà au courant de la mort de son chien. Mais l'ensemble de ce récit est remarquable par le sentiment palpable d'incertitude et même de crainte qu'il transmet.

Quand ses biographes l'ont interrogé sur la nature de son travail à Saint-Pétersbourg, Poutine a réagi avec le manque de subtilité qui caractérisait désormais ses réponses aux questions délicates. Il avait cherché à prendre le contrôle des casinos, a-t-il expliqué. « À l'époque, j'estimais que l'État devait exercer un monopole sur le secteur des casinos. Ma position était contraire à la loi sur les monopoles qui avait déjà été votée, mais cela ne m'a pas empêché de chercher à mettre entre les mains de l'État, incarné par la ville, l'ensemble des activités des casinos. » À cette fin, a-t-il poursuivi, la ville avait constitué une holding qui avait acquis 51 % des actions de tous les casinos de la ville dans l'espoir de toucher des dividendes. « Mais c'était une erreur : les casinos sortaient tout l'argent qu'ils gagnaient en liquide et ne cessaient d'enregistrer des pertes, a déploré Poutine. Plus tard, nos adversaires politiques ont voulu nous accuser de corruption parce que nous possédions des actions dans les casinos. C'était parfaitement ridicule… Bien sûr, d'un point de vue économique, cela n'avait sans doute pas été une très bonne idée. Puisque la combine n'a pas marché et que nous n'avons pas atteint nos objectifs, je dois admettre que toute cette affaire n'avait pas fait l'objet d'une réflexion suffisante. Mais si j'étais resté à Saint-Pétersbourg, j'aurais fini par étrangler tous ces casinos. Je les aurais obligés à partager. J'aurais donné cet argent aux personnes âgées, aux professeurs, aux médecins[34]. » En d'autres termes, le futur président de la Russie admettait que si la loi faisait obstacle à ce qu'il considérait comme juste, eh bien, tant pis pour la loi. C'était à peu près tout ce qu'il avait à dire des années où il avait été l'adjoint de Sobtchak.

Au début de 1992, Marina Salié avait décidé d'avoir le cœur net sur les activités de ce petit homme au bureau vide. Le conseil municipal mena une enquête en bonne et due forme dont Salié présenta les résultats à ses collègues – vingt-deux pages serrées complétées par des dizaines de pages d'annexes –, moins de deux mois après avoir rendu visite à Boldyrev. Elle avait pu établir que Poutine avait conclu une douzaine de contrats au nom de la ville, dont un certain nombre, sinon tous, d'une légalité douteuse.

Le département de Poutine à la mairie avait désormais pris le nom de Comité des relations étrangères. Il consacrait prétendument l'essentiel de ses activités à l'approvisionnement alimentaire de Leningrad en provenance d'autres pays. La ville n'avait pas d'argent pour acheter ces produits : le rouble n'était pas une monnaie convertible, le système monétaire de la Russie, hérité de l'Union soviétique, était déséquilibré, et les efforts pour le redresser entraînèrent une hyperinflation immédiate. Mais la Russie possédait d'abondantes ressources naturelles qu'elle pouvait négocier, directement ou indirectement, en échange de denrées alimentaires. Aussi le gouvernement de Moscou autorisa-t-il des sujets de la fédération à exporter des ressources naturelles.

Salié put établir que la douzaine de contrats d'exportation conclus par le département de Poutine représentaient une somme totale de 92 millions de dollars. La ville avait accepté de fournir du pétrole, du bois, des métaux, du coton et d'autres ressources naturelles que lui avait accordées l'État russe : les sociétés nommément citées dans les contrats se chargeaient d'exporter ces ressources et d'importer des denrées alimentaires. Mais l'enquête de

Salié lui permit de découvrir une faille : chaque contrat, sans exception, était entaché d'un vice de forme qui le privait de toute validité ; il y manquait un tampon, une signature, ou bien il contenait des contradictions flagrantes. « Poutine est juriste de formation, a-t-elle écrit plus tard. Il savait forcément que ces contrats ne pourraient pas être utilisés en justice. » En outre, Poutine avait enfreint les règles de ces opérations de troc import-export fixées par le gouvernement russe en choisissant unilatéralement les sociétés exportatrices, au lieu de lancer un appel d'offres ouvert.

Les denrées alimentaires qui auraient dû être livrées à Leningrad n'y arrivèrent jamais. Pourtant, les marchandises mentionnées dans cette douzaine de contrats avaient apparemment bien été expédiées de leur point de départ. L'enquête de Salié attira également l'attention sur une autre irrégularité : les commissions extravagantes prévues dans ces contrats – entre 25 et 50 % de leur montant total, soit un total de 34 millions de dollars de commissions. Tout semblait révéler un système de ristourne très simple : des sociétés sélectionnées obtenaient des contrats lucratifs… sans la moindre obligation de respecter leurs engagements[35].

Interrogé par ses biographes à propos de cette enquête, Poutine a reconnu qu'un certain nombre des sociétés avec lesquelles il avait signé des contrats n'avaient pas livré à la ville les marchandises prévues. « Je pense que la ville n'a pas fait tout ce qu'elle pouvait, bien sûr, a-t-il admis. Nous aurions dû collaborer plus étroitement avec les services de police, nous aurions dû faire cracher ces sociétés. Mais il aurait été parfaitement inutile de porter cette affaire devant les tribunaux : ces sociétés mettaient la clé sous la porte du jour au lendemain, elles disparaissaient en emportant toutes leurs marchandises. Dans le fond, nous n'avions pas de droits à faire valoir contre elles. Rappelez-vous à quelle époque ça se passait. ce n'étaient qu'affaires louches, pyramides financières, ce genre de choses[36]. » L'homme qui tenait ces propos était le même que celui qui, un ou deux jours plus tôt seulement, rappelait à ses biographes qu'il était capable de montrer les dents à la moindre contrariété, celui qui prenait la mouche pour un oui ou pour un non et avait le plus grand mal à se calmer, celui dont ses amis se souvenaient qu'il était prêt à arracher les yeux de ses adversaires dès qu'il était en colère. Comment imaginer que cet homme ait pu rester inactif alors que des sociétés privées, l'une après l'autre, violaient les termes des contrats qu'il avait conclus avec elles, laissant sa ville dénuée des ressources alimentaires dont elle avait le plus grand besoin ?

Toutes ces opérations n'étaient qu'un coup monté, affirme Salié. « Leur objectif, a-t-elle écrit plus tard, était le suivant : établir un contrat contenant un vice juridique avec une société en laquelle on pouvait avoir confiance, lui accorder une licence d'exportation, obtenir des douanes qu'elles ouvrent la frontière grâce à cette licence, expédier les marchandises à l'étranger, les vendre et empocher l'argent. C'est exactement ce qui s'est passé[37]. »

Mais, selon Salié, la combine ne s'arrêtait pas là. En réalité, Moscou avait autorisé Saint-Pétersbourg à exporter pour un milliard de dollars de produits, si bien que les douze contrats truqués qu'elle avait découverts ne représentaient que le dixième des sommes qui avaient, semble-t-il, transité par le bureau de Poutine. Comment se présentait le reste de l'histoire ? Salié finit par dénicher la preuve que la quasi-totalité des marchandises, parmi lesquelles de l'aluminium, du pétrole et du coton, avaient été exportées ou, comme elle dit, « avaient disparu » : il n'existait pas le moindre dossier à leur sujet. Mais son rapport au conseil municipal se limitait aux douze contrats pour lesquels elle disposait de documents écrits ; près de un million de dollars de produits prétendument échangés contre de la nourriture qui n'avait jamais été livrée.

Le conseil municipal examina le rapport de Salié et décida de le transmettre au maire, en recommandant qu'il soit communiqué au parquet et que Sobtchak démette de leurs fonctions Poutine et l'adjoint de celui-ci, dont la signature figurait sur un certain nombre de contrats. Le parquet refusa d'ouvrir une instruction sans l'aval de Sobtchak. Salié avait déjà personnellement remis à Eltsine une lettre de trois pages décrivant les principales infractions commises et demandant qu'elles fassent l'objet d'une enquête[38]. Il n'y avait eu aucune réaction. Seul Boldyrev, le contrôleur en chef des finances de Russie, avait fait preuve de compréhension. Il avait immédiatement écrit au ministre du Commerce extérieur et continuait à suivre l'affaire.

Boldyrev examina les documents que Salié lui avait apportés. Ses propres constatations recouvraient pour l'essentiel celles de Salié : quelqu'un avait délibérément spolié la population de Saint-Pétersbourg. Il convoqua Sobtchak à Moscou pour lui demander des explications. « Sobtchak est venu avec tous ses adjoints », a raconté plus tard Boldyrev dans une interview. Poutine était présent. « Ils ont mis par écrit leur version des événements… Puis j'ai transmis les constatations à Eltsine. »

Cela n'alla pas plus loin. Le bureau du président de la Russie à Moscou transmit plusieurs documents au bureau du représentant du président de la Russie à Saint-Pétersbourg – et l'affaire fut enterrée.

« Ce n'était qu'une enquête ordinaire, a expliqué Boldyrev bien des années plus tard. Elle avait révélé des infractions importantes, mais qui n'étaient pas fondamentalement plus graves que ce qui se passait dans le reste de la Russie. C'étaient des infractions courantes, portant sur l'obtention du droit d'exporter des ressources stratégiquement importantes en échange de denrées alimentaires qui ne se sont jamais matérialisées. C'était une affaire parfaitement typique de l'époque. »

La nouvelle élite de Russie était fort occupée à redistribuer les richesses. Cela ne veut pas dire que tous ses membres se conduisaient à l'image de Poutine – l'ampleur et le cynisme du détournement de fonds dénoncé par Salié sont choquants, même pour la Russie du début des années 1990, et plus encore si l'on songe à la rapidité avec laquelle il avait agi –, mais il faut bien voir que, d'un bout à l'autre du pays, les nouveaux dirigeants considéraient visiblement la Russie comme leur propriété personnelle. Moins de un an auparavant, tout appartenait à d'autres : au Parti communiste d'URSS et à ses dirigeants. Désormais, l'URSS n'existait plus, et le Parti communiste ne représentait plus qu'une poignée de retraités obstinés. Tout ce qui leur avait appartenu n'était plus à personne. Pendant que les économistes cherchaient le moyen de transformer la propriété d'État en propriété privée – un processus qui n'est toujours pas achevé vingt ans plus tard –, les nouveaux bureaucrates s'employaient tout simplement à démonter l'ancien édifice de l'État.

Sobtchak distribuait des appartements au centre de Saint-Pétersbourg[39]. Les bénéficiaires de ses largesses étaient ses amis, ses proches et des collaborateurs qu'il appréciait. Dans un pays où les droits de propriété n'avaient jamais vraiment existé et où l'élite communiste au pouvoir avait longtemps joui d'un traitement digne d'une monarchie, Sobtchak, qui savourait sa popularité précoce, ne voyait rien de répréhensible dans ce qu'il faisait.

> Et voici les documents concernant tout un grand ensemble de la ville que Sobtchak a cherché à céder à une société immobilière, m'a dit Salié, sortant de sa pile plusieurs autres feuilles de papier. C'est l'un des rares cas où nous avons pu l'empêcher d'arriver à ses fins. Il a fallu se battre, croyez-moi[40].
>
> — Mais n'agissait-il pas simplement comme un patron régional du Parti ? ai-je demandé. Ils ont toujours distribué des appartements.
>
> — C'était différent, a rétorqué Salié. C'était différent parce que les propos qu'il tenait étaient justes. Il savait qu'extérieurement il devait paraître différent, et il a réussi à le faire. Il jouait au démocrate alors qu'en fait c'était un démagogue[41].

Peut-être est-ce parce que Sobtchak avait si bien réussi à donner l'image d'un homme politique d'un genre nouveau que Salié et ses collègues crurent qu'il prendrait les mesures qui s'imposaient quand on lui présenterait la preuve des exactions de Poutine. Mais pourquoi l'aurait-il fait ? Pourquoi aurait-il établi une distinction entre ses propres procédés de distribution de biens appartenant à la ville et les méthodes mises en place par Poutine pour empocher les profits de la vente de ressources publiques ? Pourquoi aurait-il prêté l'oreille aux démocrates du conseil municipal ? Il ne supportait pas ces gens-là – et ce qui l'exaspérait le plus était précisément leur idéalisme militant, leur insistance grotesque à faire les choses comme elles devaient être faites et non comme elles l'avaient toujours été. L'adhésion à un code éthique imaginaire ne pouvait que faire obstacle à l'action.

Sobtchak ne se débarrassa pas de Poutine. Il se débarrassa du conseil municipal.

À l'automne 1993, Boris Eltsine en avait plus qu'assez du corps législatif russe. Il faut reconnaître que c'était un organe étrangement constitué : plus de un millier de représentants avaient été élus, par une complexe procédure quasi démocratique, au Congrès des députés du peuple ; 252 d'entre eux appartenaient au Soviet suprême, un organe bicaméral qui prétendait exercer la fonction de branche représentative du gouvernement en l'absence de législation *ad hoc*. La Fédération russe ne s'était pas encore dotée d'une nouvelle Constitution postsoviétique, et il faudrait attendre plusieurs années avant qu'on entreprenne une nouvelle rédaction de ses codes civil et pénal. Ainsi, la loi considérait toujours comme un délit la détention de devises, ainsi que toutes sortes d'actes impliquant la possession et la vente de biens. Face à cette situation, le Congrès des députés du peuple accorda à Eltsine le droit de publier des décrets permettant de mener à bien la réforme économique sans tenir compte des lois théoriques du pays – le Soviet suprême était tout de même chargé d'examiner ces décrets et disposait d'un droit de veto. Par ailleurs, le Soviet suprême était dirigé par un présidium de plus de trente membres qui, sous le régime soviétique, fonctionnait comme une sorte de chef d'État collectif[42] ; dans le système postsoviétique, après la création du poste de président de la Russie, la fonction de ce présidium devint un peu floue. Toujours est-il que le Soviet suprême conservait en principe le droit de retarder, voire de bloquer, toutes les initiatives du président. Alors que les réformes économiques d'Eltsine ne cessaient de faire grimper les prix – bien que les pénuries alimentaires aient pris fin, comme par magie –, la popularité de son gouvernement déclinait continûment, et le Soviet suprême commença à s'opposer à presque toutes ses mesures.

Le 21 septembre 1993, Eltsine prononça par décret la dissolution du Soviet suprême et appela à l'élection d'un véritable organe législatif. Refusant de se disperser, le Soviet suprême se barricada à l'intérieur de la Maison blanche – le bâtiment même où les partisans d'Eltsine avaient campé pendant le putsch deux ans plus tôt. Cette fois, les soldats ouvrirent le feu et utilisèrent l'artillerie lourde, obligeant les députés à évacuer la Maison blanche le 4 octobre.

Exaspérées par l'obstruction systématique du Soviet suprême à toutes les mesures que le président cherchait à faire passer, d'éminentes personnalités politiques démocrates, dont d'anciens dissidents, accordèrent leur soutien à ce qui fut appelé l'« exécution du Soviet suprême ». Le conseil municipal idéaliste de Saint-Pétersbourg fut à peu près le seul à s'opposer aux actions d'Eltsine. Quelques semaines après cette « exécution », et quelques jours à peine avant la publication d'une nouvelle Constitution russe inaugurant une ère de relative stabilité législative, Sobtchak se rendit à Moscou et persuada Eltsine de signer un décret de dissolution du conseil municipal de Saint-Pétersbourg[43]. Il n'y aurait pas d'élections avant le mois de décembre de l'année suivante, ce qui laisserait la deuxième ville de Russie aux mains d'un seul homme durant toute une année.

Marina Salié décida alors de quitter la politique municipale et de se lancer dans une activité politique professionnelle. Elle finit par aller s'installer à Moscou pour y travailler.

Six ans plus tard, au cours de la période précédant l'élection de Poutine à la présidence de la Russie, la seule voix critique à s'élever, ou presque, fut celle de Marina Salié. Elle publia un article intitulé « Poutine est le président d'une oligarchie corrompue », dans lequel elle exposait et actualisait les conclusions de son enquête de Saint-Pétersbourg. Elle chercha vainement à dissuader ses collègues libéraux de soutenir la campagne de Poutine. Ce faisant, elle se trouva de plus en plus marginalisée ; elle a ainsi raconté que, lors d'un meeting de la coalition de la droite libérale, l'homme qui avait été le premier Premier ministre d'Eltsine, Egor

Gaïdar, et elle-même avaient été les deux seules personnes – sur plus d'une centaine – à ne pas voter le soutien à Poutine[44].

Quelques mois après l'élection, Salié rendit visite à l'une des rares personnalités politiques qu'elle considérait encore comme des alliés. Ils avaient parlé ensemble de constituer une nouvelle organisation. Sergueï Iouchenkov était un militaire de carrière qui s'était converti avec enthousiasme au libéralisme du temps de la perestroïka et était resté fidèle à ses convictions tout au long des années 1990. Cette visite à Iouchenkov terrifia Salié, au point que dix ans plus tard encore elle refusait d'en révéler les détails.

« Je suis allée là-bas, et il y avait une certaine personne dans son bureau, m'a-t-elle dit.

— Quelle personne ?

— Une certaine personne. Nous avons eu un entretien que je ne qualifierai pas de constructif. Je suis rentrée chez moi et j'ai annoncé à Natacha que je partais à la campagne.

— Vous a-t-il menacée ?

— Personne ne m'a menacée directement.

— Dans ce cas, pourquoi avez-vous décidé de partir ?

— Parce que je connaissais cette personne.

— Mais qu'est-ce que ça pouvait faire ?

— Ça faisait qu'il fallait que je m'en aille le plus loin possible.

— Je suis désolée, mais je ne comprends pas, ai-je insisté, tout en craignant de me faire chasser de la retraite de Salié.

— Je savais de quoi cette personne était capable. Est-ce plus clair ?

— Oui, merci. Mais que faisait-elle dans le bureau de Iouchenkov ? Avaient-ils quelque chose en commun ?

— Non. Je ne savais pas ce qu'elle faisait là, et surtout je ne savais pas pourquoi Iouchenkov ne l'avait pas fait sortir à mon arrivée. Cela veut dire qu'il était incapable de s'en débarrasser. Pourtant, la conversation que nous devions avoir, Iouchenkov et moi, n'était pas destinée à être entendue par autrui.

— Je vois.

— Je n'en dirai pas plus. »

Salié a donc fait ses bagages et est allée s'installer dans cette maison, à douze heures de voiture de Moscou, au bout d'un chemin impraticable, là où je l'ai rencontrée dix ans plus tard. Pendant des années, le bruit a couru qu'elle vivait à l'étranger, peut-être en France (je suppose que c'est son patronyme français qui a donné naissance à cette rumeur), et qu'elle avait reçu de Poutine une carte de vœux de bonne année menaçante. J'ai entendu plusieurs personnes évoquer cette carte imaginaire en citant exactement la même formule : « Je vous souhaite de passer une heureuse nouvelle année et d'avoir la santé nécessaire pour en jouir. » Salié m'a affirmé que cette histoire de carte de vœux était une pure chimère ; comme je m'en étais doutée, cette rumeur persistante en disait plus long sur l'image que Poutine s'était créée que sur le sort de Salié elle-même. Néanmoins, carte ou non, Salié était manifestement terrifiée.

Sergueï Iouchenkov a poursuivi sa carrière politique. En 2002, il a quitté le groupe libéral au Parlement pour protester contre le soutien que continuaient d'apporter ses collègues aux mesures politiques de Poutine et à ce qu'il appelait un « régime policier bureaucratique[45] ». Dans l'après-midi du 17 avril 2003, Iouchenkov a été abattu de quatre balles dans la poitrine au moment où il sortait de sa voiture pour rejoindre son immeuble, au nord de Moscou[46]. Chargée de rédiger sa notice nécrologique pour le site d'analyse politique où j'étais alors rédactrice, j'ai écrit : « Parfois, quand les journalistes craignent d'affirmer quelque chose sous leur propre responsabilité, ils appellent des gens comme Iouchenkov qui, sans regarder par-dessus leur épaule, tiendront des propos clairs et nets, des propos d'autant plus nécessaires qu'ils sont prévisibles. Il reste très peu de gens comme lui[47]. »

## Chapitre 6

# La fin d'un réformateur

Dès la publication de sa biographie en février 2000, Poutine cessa d'être le jeune réformateur démocrate qu'avait inventé Bérézovski pour prendre le visage d'un ancien truand devenu un dirigeant autoritaire. Je ne pense pas que les créateurs de son image aient été conscients de cette évolution.

Si quelqu'un était incapable d'imaginer que Poutine puisse se transformer de démocrate en homme à poigne, c'était bien Sobtchak. Ils partageaient la même antipathie pour le processus démocratique, mais, au début des années 1990, l'allégeance affichée à ces principes était le prix de l'accès à la vie publique – et, partant, à une existence confortable.

Dans ces années-là, les membres des nouvelles élites économiques et politiques étaient fort occupés à tailler en pièces l'ancien système, d'un bout à l'autre de la Russie. Sans hésitation – et manifestement sans scrupules –, ils s'en appropriaient de larges parts et les redistribuaient. En même temps, les plus entreprenants mettaient en place un nouveau système – et évoluaient avec lui. Des personnages comme Mikhaïl Khodorkovski – un fonctionnaire des jeunesses communistes, les Komsomols, devenu banquier avant de se lancer dans l'industrie pétrolière –, Mikhaïl Prokhorov – qui avait abandonné le commerce des vêtements pour devenir magnat des métaux puis investisseur international – ou encore

Vladimir Goussinski – un importateur reconverti dans la banque et les médias – étaient des hommes d'affaires qui s'étaient faits tout seuls et avaient commencé par se lancer dans des opérations aussi louches que lucratives. Alors que leur vision du monde s'élargissait et que leurs ambitions grandissaient en proportion, ils commencèrent à revêtir, en plus, les casquettes de philanthropes, de défenseurs des droits civils et de visionnaires. Leurs opinions évoluant, ils investirent de l'argent et de l'énergie pour édifier un nouveau système politique.

Sobtchak détestait ce nouveau système, et Poutine le détestait aussi, ce qui explique pourquoi, à la différence de tant d'alliés de la première heure du maire de Leningrad, il lui resta fidèle après l'échec du putsch de 1991, le scandale de l'affaire de corruption de 1992 et la dissolution du conseil municipal en 1993. Je ne sais pas très bien pour quelles raisons Sobtchak, qui avait vécu une histoire d'amour brève mais intense avec la politique démocratique, s'était pris d'une telle haine pour ses méthodes ; je suppose qu'en bon mégalomane il était profondément blessé chaque fois qu'il n'obtenait pas gain de cause – et qu'il supportait mal la rivalité politique, la possibilité même de dissensions. En outre, il avait constamment Poutine à ses côtés, lequel n'avait de cesse de le convaincre des inconvénients du régime démocratique. C'est Poutine, par exemple, qui persuada Sobtchak – et manipula en ce sens un certain nombre de membres du conseil municipal – de créer la fonction de maire de la ville : sans cela, a-t-il déclaré à ses biographes de nombreuses années plus tard, Sobtchak « risquait d'être destitué par ces mêmes membres du conseil municipal à n'importe quel moment[1] ». L'hostilité de Poutine aux réformes démocratiques n'était pas moins personnelle que celle de Sobtchak, mais ses racines étaient bien plus profondes.

Comme la majorité des citoyens soviétiques de sa génération, Poutine n'avait jamais été un idéaliste politique. Ses parents avaient pu croire – ou ne pas croire – que le communisme régnerait un jour sur le monde entier, ils avaient pu être convaincus que le prolétariat verrait le triomphe ultime de la justice et ajouter foi à l'un ou l'autre des clichés idéologiques déjà éculés du temps où Poutine était adolescent ; mais lui-même ne s'est jamais demandé comment il se situait par rapport à ces idéaux. La manière dont il parlait des Jeunes Pionniers, desquels il avait été exclu dans son enfance, des Komsomols ou du Parti communiste, dont il ne cessa d'être membre qu'au moment où l'organisation elle-même fut supprimée, montre clairement qu'il n'accorda jamais grande importance à son appartenance à ces mouvements. Comme d'autres membres de sa génération, Poutine remplaça la foi dans le communisme, qui ne paraissait plus ni plausible ni même possible, par la foi dans les institutions. Sa loyauté allait au KGB et à l'empire que celui-ci servait et protégeait : l'URSS.

En mars 1994, Poutine assista à une réunion de l'Union européenne organisée à Hambourg et au cours de laquelle le président estonien, Lennart Meri, prononça un discours[2]. L'Estonie, comme les deux autres républiques baltes, avait été annexée par l'Union soviétique au début de la Seconde Guerre mondiale, avant d'être occupée par les Allemands, puis reprise par les Soviétiques en 1944. Les trois États baltes avaient été les derniers à être intégrés à l'Empire soviétique et les premiers à s'en détacher – en grande partie parce que leur population avait gardé le souvenir de l'époque antérieure aux Soviétiques. Meri, le premier dirigeant démocratiquement élu d'Estonie depuis un demi-siècle, avait été un des chefs de file du mouvement de libération antisoviétique. Ce jour-là, prenant la parole à Hambourg, il utilisa le terme d'« occupants » pour désigner l'Union soviétique. À cet instant, Poutine, qui était assis dans la salle au milieu de diplomates russes, se leva et sortit. « C'était très impressionnant », a raconté un de ses collègues de Saint-Pétersbourg qui finirait par diriger la commission électorale fédérale russe sous le président Poutine. « La réunion se tenait dans la salle des Chevaliers, qui a un plafond de dix mètres de haut et un sol de marbre. Quand il est sorti, l'écho de chacun de ses pas a résonné bruyamment. Pour couronner le tout, l'immense porte de fonte a claqué derrière lui en faisant un vacarme assourdissant. »

Que Poutine se soit permis de faire fi du protocole diplomatique – et de tourner, au sens propre, le dos au président d'un pays voisin et d'un partenaire commercial essentiel pour Saint-Pétersbourg – souligne combien il prenait les choses à cœur ; ce qu'il percevait comme une attaque contre l'Union soviétique le blessait aussi profondément que les insultes personnelles qui l'avaient fait bouillir de colère dans sa jeunesse. Quant au récit admiratif que son collègue a fait de cette anecdote aux biographes de Poutine, il montre bien la profondeur de la veine de nostalgie soviétique à laquelle puisait Poutine.

Poutine aimait l'Union soviétique, et il aimait le KGB. Dès qu'il exerça un pouvoir personnel, administrant dans les faits toutes les finances de la deuxième ville du pays, il chercha à mettre sur pied un système sur le même modèle. Un système fermé, reposant sur un contrôle absolu – du flot d'informations, notamment, et du flot d'argent. Un système qui viserait à empêcher toute dissension et l'écraserait impitoyablement si elle avait l'imprudence de se manifester. En un sens pourtant, ce système serait meilleur que ne l'avaient été le KGB et l'URSS : il ne trahirait pas Poutine. Ce serait un système trop intelligent et trop puissant pour cela. Aussi Poutine ne ménagea-t-il pas sa peine pour centraliser le contrôle sur l'ensemble du commerce extérieur, mais aussi sur les entreprises qui jaillissaient de terre à travers tout le pays – d'où sa tentative pour mettre la main sur les casinos, qui étaient apparus soudainement et se développaient avec une étonnante rapidité. Il chercha également à manipuler les relations de la ville avec les médias, imprimés et électroniques, les isolant de la mairie ou, au contraire, leur forçant la main pour qu'ils couvrent certaines affaires à sa convenance.

Sobtchak avait indéniablement bien choisi son adjoint : Poutine vouait une haine encore plus féroce que lui aux démocrates mous et savait faire fonctionner encore plus efficacement une politique de crainte et de profit.

Les politiciens comme Sobtchak sont généralement les derniers à apprendre que leur étoile a pâli. En 1996, au moment où il annonça qu'il briguerait un second mandat, la ville le détestait. Sous son autorité, Saint-Pétersbourg avait connu une transformation qui tenait de la tragédie autant que de la farce – dans une large mesure, cependant, Sobtchak n'y était pour rien. L'économie de la ville était sens dessus dessous[3]. Plus d'un cinquième de ses cinq millions d'habitants avaient été employés dans le secteur militaro-industriel, dont l'activité avait ralenti, sinon entièrement cessé. Comme ailleurs en Russie, quelques individus s'enrichissaient à tout-va, à une vitesse folle, d'abord en achetant et en vendant tout et n'importe quoi (par exemple en exportant du bois russe et en important des parapluies chinois), puis, peu à peu, en privatisant les entreprises industrielles soviétiques et en créant de nouvelles institutions. Mais, à l'inverse, de nombreux Russes s'étaient appauvris – ou du moins avaient l'impression d'être beaucoup plus pauvres : les marchandises étaient tellement plus abondantes dans les magasins désormais, mais si peu de choses étaient à leur portée. De surcroît, ils avaient presque tous été dépossédés du seul bien disponible à profusion pendant l'ère de stagnation : la foi inébranlable dans l'idée que demain ne serait pas différent d'aujourd'hui. L'incertitude donnait aux gens le sentiment d'être encore plus pauvres.

Par rapport aux problèmes de Saint-Pétersbourg, le reste de la Russie semblait prospère. Les trois quarts de la population de la ville vivaient au-dessous du seuil de pauvreté. Son infrastructure, déjà précaire à la fin des années 1980 – d'où, en partie, l'élan en faveur du mouvement informel de protection du patrimoine –, était désormais en ruine. Les rues n'avaient pas été repavées depuis si longtemps que, chaque fois qu'il pleuvait ou neigeait – c'est-à-dire souvent, dans cette ville littorale du Nord –, elles se transformaient en rivières de boue. Les transports en commun étaient paralysés : la ville ne remplaçait pas les bus hors d'usage. Dans une agglomération entièrement composée de grands immeubles d'habitation, les ascenseurs en état de marche étaient une espèce en voie d'extinction. L'électricité du centre-ville fonctionnait par intermittence. Des études sur les niveaux de vie relatifs dans l'ensemble des villes russes rangeaient régulièrement Saint-Pétersbourg, la deuxième du pays, aux alentours de la vingtième place[4].

Sur cette toile de fond, Sobtchak continuait à cultiver son image d'homme politique mondain et sophistiqué : toujours tiré à quatre épingles, sa femme blonde à son bras, il circulait dans des limousines entouré de gardes du corps. Alexandre Bogdanov, un jeune militant démocrate, se rappela avoir essuyé une rebuffade de la part de Sobtchak en 1991, deux mois tout juste après l'échec du putsch, à l'occasion du premier anniversaire de la Révolution célébré dans la Russie postcommuniste : « Il y avait un concert place du Palais. Personne ne savait vraiment s'il fallait célébrer ce jour ou le commémorer comme un événement tragique. Il y a donc eu un rassemblement l'après-midi et un bal le soir. Pendant ce temps, Sobtchak et [sa femme Lioudmila] Naroussova avaient organisé un banquet au palais Tavritcheski, avec un droit d'entrée de 500 roubles ! Cela se passait avant la crise d'hyperinflation, et cela représentait donc une somme considérable. Et nous, nous étions là à nous promener autour du bal en brandissant des banderoles portant ces mots : “Une journée de tragédie nationale”. On se sentait idiots, et on avait l'air idiots. Alors j'ai dit : “Vous savez quoi ? Pourquoi perdre notre temps ici ? Allons au banquet du palais Tavritcheski.” On est arrivés là-bas au moment précis où tous les invités remontaient en voiture. Sobtchak est sorti en queue-de-pie, avec Naroussova qui portait une belle robe et une sorte de chapeau enroulé comme un turban. Sobtchak avait un garde du corps qui deviendrait plus tard le principal agent de sécurité de Poutine. Il avait une habitude stupide ; chaque fois, il fonçait sur moi et cherchait à me faire dégager en m'insultant, en me disant : “Tu me cherches ! Fous le camp d'ici ! Allez, casse-toi, j'en ai marre de toi !” Alors j'ai demandé à Sobtchak : “Pourquoi votre garde du corps me menace-t-il tout le temps ?” Lioudmila Borissovna [Naroussova] a rétorqué : “Et vous, pourquoi vous ridiculisez-vous tout le temps ?” Sobtchak était parfaitement détendu, il frimait en montant dans sa limousine, et il m'a lancé : “Boucle-la, les gens m'ont élu !” Je m'en souviendrai jusqu'à la fin de ma vie. Ça montre bien le snob que c'était[5]. »

Dans son rôle d'adjoint au maire, Poutine exerçait les fonctions traditionnellement réservées aux membres de la « réserve active » du KGB ; parallèlement à ses responsabilités dans le domaine du commerce extérieur, il cherchait à contrôler le flot d'informations qui parvenait au gouvernement et qui en émanait. Iouri Boldyrev, le contrôleur en chef des finances d'Eltsine qui avait vainement cherché à exploiter les allégations de Salié, était sénateur de Saint-Pétersbourg en 1994-1995 : « Pas une fois au cours de cette période, a-t-il raconté plus tard, je n'ai été autorisé à passer en direct à la télévision de Saint-Pétersbourg. Ce n'est qu'après avoir cessé d'être sénateur que j'ai pu m'exprimer en direct – et même alors, les présentateurs ne cessaient de m'interrompre, si bien qu'en définitive je ne disais rien[6]. »

Chaque fois que je me rendais à Saint-Pétersbourg dans le cadre de mon travail, la première personne que j'allais voir était Anna Charogradskaïa : son bureau se trouvait sur la perspective Nevski, juste au-dessous de la gare, et elle savait tout. Elle dirigeait le Centre de presse indépendant, qui proposait des locaux à tous ceux qui souhaitaient organiser des conférences de presse – y compris ceux qui s'étaient vu refuser toutes les autres salles de la ville. Elle connaissait tout le monde, et ne craignait personne. Au moment de l'effondrement de l'Union soviétique, elle approchait de la soixantaine et gardait le souvenir très vif d'une époque bien plus effrayante. Un jour, Charogradskaïa organisa une conférence de presse pour dénoncer la pratique de Sobtchak consistant à mettre sur écoute les bureaux des journalistes et des responsables politiques, ses propres collaborateurs inclus. Beaucoup de gens le savaient, ou le supposaient, mais seul le journal anglophone local, dont la direction et les collaborateurs étaient des expatriés, avait eu le courage de publier un article à ce sujet. Charogradskaïa avait toujours été convaincue que c'était Poutine, largement responsable des relations du maire avec les médias, qui était à l'origine de ces mises sur écoute.

Conformément aux pratiques du KGB, les informations transmises à Sobtchak étaient amplement révisées. C'est certainement l'une des raisons pour lesquelles il ne s'est jamais douté de l'ampleur de son impopularité. Certains téléspectateurs de Saint-Pétersbourg furent même témoins de l'instant où Sobtchak fit cette découverte pour le moins déplaisante : « La télé diffusait une émission qui s'appelait *Opinion publique*, a raconté Charogradskaïa. Elle était très populaire au moment des élections de 1996. Quand Sobtchak a constaté que sa cote de popularité était de 6 %, il a crié : “C'est impossible !” Il s'est levé d'un bond et a quitté le studio. L'émission a été interrompue. L'animatrice, Tatiana Maksimova, a été renvoyée. Son mari, Vladimir, le producteur de l'émission, m'a appelée et m'a dit qu'il voulait organiser une conférence de presse. J'ai répondu : “Aucun problème”, et nous l'avons fixée au jour suivant, à midi. Le lendemain matin, trois ou quatre heures avant l'heure prévue pour la conférence, Vladimir me rappelle et m'annonce qu'il faut annuler : “Nous ne pouvons pas la faire parce qu'on nous a menacés de représailles contre notre fille.” Je lui ai dit : “Je vous en prie, venez le dire aux journalistes. Je ne peux pas ne pas donner d'explications si nous annulons.” Ils sont venus et ont dit à tout le monde qu'on les avait menacés et qu'ils avaient peur. Les journalistes ont essayé de leur poser des questions, mais ils ont refusé de répondre[7]. »

Dans les années 1990, à l'époque où Charogradskaïa me racontait ce genre d'histoires, j'avais l'impression qu'elle me parlait d'un autre pays. En ce temps-là, la pagaille et l'absurdité régnaient en Russie, mais jamais je n'avais eu l'impression d'être en danger dans mon activité de journaliste – du moins jusqu'au jour où j'ai commencé à écrire à Saint-Pétersbourg et sur Saint-Pétersbourg. À l'invitation de Charogradskaïa, je donnais des cours de reportage au Centre de presse indépendant. Je prenais le train depuis Moscou en fin de semaine pour venir travailler avec un groupe d'étudiants en journalisme. (Je donnais le même cours à l'université de Moscou, mais celle de Saint-Pétersbourg ne voulait rien savoir – raison pour laquelle l'organisation de Charogradskaïa avait décidé de l'héberger.) Le week-end de l'élection municipale, j'ai envoyé mes étudiants prendre des notes dans les bureaux de vote du centre-ville. Ils sont revenus le nez en sang, les yeux pochés ; deux d'entre eux ont dû recevoir des soins médicaux. Ils s'étaient présentés dans deux bureaux comme des étudiants en journalisme : les gardiens avaient demandé des instructions par radio puis les avaient tabassés. Voilà comment les hommes politiques de Saint-Pétersbourg traitaient les journalistes de leur ville.

Comprenant trop tard qu'il allait perdre les élections, Sobtchak se lança dans des tentatives désespérées pour redresser la situation. Il demanda à Alexandre Iouriev, un spécialiste de psychologie politique de l'université de Saint-Pétersbourg qui avait cherché à l'avertir de son impopularité croissante, de diriger sa campagne. Quelques jours après avoir accepté, Iouriev fut victime d'un violent attentat ; quelqu'un sonna à sa porte et l'aspergea d'acide sulfurique. Comme la porte s'ouvrait vers l'intérieur, c'est elle qui reçut une partie de l'acide, et quelques gouttes ricochèrent même sur l'agresseur, épargnant sans doute à Iouriev d'être atteint par une dose mortelle. Il fut en outre la cible de coups de feu – dont il réchappa aussi. Mais il lui fallut de longs mois, et deux greffes de peau, pour récupérer[8].

Dans la période précédant les élections, Sobtchak chercha également à acheter le soutien de la presse locale, distribuant des prêts et des subventions et aggravant ainsi encore la dette de la ville[9]. Il était trop tard. La presse le détestait, les autres hommes politiques le détestaient, et les gens ordinaires le détestaient. Sobtchak perdit les élections. Son dernier directeur de campagne s'appelait Vladimir Poutine.

Pour succéder à Sobtchak, Saint-Pétersbourg choisit son adjoint aux travaux publics, un homme qui était son opposé à tous égards : d'apparence ordinaire, mal habillé, Vladimir Iakovlev était à peine capable d'aligner deux mots. Mais dans une ville où les transports en commun étaient paralysés, où les immeubles s'effondraient et où l'électricité fonctionnait quand elle le voulait bien, on espérait qu'il s'efforcerait de remédier à la situation. Ou, du moins, qu'il ne mentirait pas sur la réalité. Iakovlev ne réussit pas, en fait, à guérir Saint-Pétersbourg de ses maux – la ville continua à devenir de plus en plus pauvre, de plus en plus sale, de plus en plus dangereuse –, mais, quatre ans plus tard, il se fit réélire sans difficulté, car Saint-Pétersbourg se battait toujours contre le spectre abhorré du maire Sobtchak.

En perdant les élections, Sobtchak ne perdit pas seulement son pouvoir et son influence. Il perdit également son immunité judiciaire – ce qui était probablement, à cette date, ce qu'il redoutait le plus. Cela faisait presque un an qu'une équipe spéciale d'une quarantaine d'enquêteurs envoyés sur place par le bureau du procureur général de Moscou examinait les allégations de corruption au sein du bureau du maire. On avait déjà arrêté un promoteur immobilier, qui avait livré des témoignages contre les fonctionnaires municipaux. Ce volet de l'enquête concernait un grand immeuble résidentiel du centre de Saint-Pétersbourg qui avait fait l'objet, disait-on, de travaux de réhabilitation illégaux grâce à des fonds de la ville. Presque tous les habitants de cet immeuble, dont la propre nièce de Sobtchak, étaient des employés de la ville haut placés ou leurs proches[10].

Sobtchak risquait fort, désormais, de rejoindre la liste des suspects. La plupart de ses alliés l'avaient lâché – certains avant le scrutin, comme l'adjoint qui l'avait remplacé à la tête de la mairie, d'autres en se ralliant au nouveau régime une fois Sobtchak éliminé. Poutine, pour sa part, refusa une offre d'emploi dans la nouvelle administration municipale – la manifestation de loyauté qui lui avait valu l'estime de Bérézovski – et disparut promptement à Moscou, comme transporté par une main invisible. Selon la version qu'il a transmise à ses biographes, un vieil apparatchik de Leningrad qui travaillait désormais au Kremlin s'était souvenu de lui et lui avait trouvé un bon poste dans la capitale[11]. Poutine était désormais chef du bureau de gestion immobilière de la présidence, ce qui ressemble fort à un nouvel emploi de « réserve active ». Que ce fût le résultat de la volonté de la police secrète, de la Providence ou de l'habitude, peu importe sans doute. Poutine occupait une fois de plus une position sans grandes responsabilités mais susceptible de le mettre en contact avec des gens intéressants.

Le nouvel emploi de Poutine et ses anciennes relations étaient de toute évidence une aubaine pour Sobtchak, qui vivait à présent sous la menace quotidienne d'une arrestation. Le parquet ne le lâchait pas d'une semelle, cherchant à lui faire accepter une convocation pour un interrogatoire. Sobtchak ne s'y résigna que le

3 octobre 1997. Il arriva dans le bureau du procureur accompagné de son épouse, membre du Parlement. Au cours de l'interrogatoire, Sobtchak fut pris d'un malaise, et Naroussova réclama une ambulance. Devant les caméras de télévision, Sobtchak quitta le bureau du procureur pour être conduit à l'hôpital, où il semblerait que l'on ait diagnostiqué une crise cardiaque. Un mois plus tard exactement, Naroussova informa la presse que Sobtchak était suffisamment rétabli pour être transféré dans une autre clinique, l'hôpital de l'école militaire, où il serait soigné par Iouri Chevtchenko, un ami des Poutine qui s'était personnellement occupé de Lioudmila Poutina lorsqu'elle avait subi un grave accident de voiture quelques années auparavant.

À peu près au moment où Sobtchak était admis dans le service de Chevtchenko, Poutine quitta Moscou pour rejoindre Saint-Pétersbourg. Il alla rendre visite à son ancien patron à l'hôpital. Quatre jours plus tard, le 7 novembre, à la faveur du jour férié – on ne célébrait plus la Révolution, mais le jour de congé avait été conservé –, Sobtchak fut conduit en ambulance jusqu'à l'aéroport, où un avion finlandais médicalisé l'attendait pour le conduire à Paris. Le *timing* était impeccable : personne ne remarqua son départ avant la fin de ce week-end prolongé, trois jours plus tard. Les correspondants de presse russes à Paris firent immédiatement le siège de l'hôpital Américain, où Chevtchenko avait annoncé que Sobtchak était soigné, mais l'administration de la clinique prétendit ne pas avoir de patient de ce nom. Le jour même, Naroussova déclara aux médias que Sobtchak avait été opéré et qu'il allait mieux. Sur ces entrefaites, des employés de l'aéroport déclarèrent aux journalistes que l'ancien maire avait paru en grande forme lors de l'embarquement : l'ambulance était arrivée sur la piste même et, contrairement à ce qu'ils prévoyaient, Sobtchak en était sorti sur ses deux jambes. C'est tout juste s'il n'avait pas couru jusqu'à l'avion[12].

Sobtchak commença alors une vie d'émigré à Paris : il logeait chez une connaissance russe, faisait de longues promenades dans la ville, donnait de temps en temps un cours à la Sorbonne et écrivait ses Mémoires, dans lesquels il se présentait comme un homme trahi à maintes reprises ; cet ouvrage était intitulé *Une dizaine de poignards dans le dos*. Iouri Chevtchenko devint le ministre russe de la Santé en juillet 1999, dès que Poutine eut entrepris son ascension fulgurante vers le pouvoir suprême.

Mais que faisait Poutine au Kremlin ? Son nouvel emploi tenait apparemment de la sinécure. Il passa son temps à rédiger et à présenter une thèse – un objectif qu'il s'était fixé lorsqu'il était allé travailler à l'université de Leningrad sept ans auparavant. Curieusement, sa thèse ne portait pas sur le droit international, comme il l'avait prévu initialement, mais sur l'économie des ressources naturelles, et il la soutint à l'école des mines de Saint-Pétersbourg, et non à l'université. Neuf ans plus tard, un chercheur de la Brookings Institution de Washington entreprit d'étudier ce document de près ; il déclara que seize pages de texte et six tableaux étaient repris d'un manuel américain[13]. Poutine ne s'est jamais expliqué sur ces accusations de plagiat.

Quelles qu'aient été les responsabilités réelles de Poutine au Kremlin, son influence ne pouvait qu'être considérable : il était désormais aussi bien placé et avait des relations aussi intéressantes qu'on pouvait le rêver en Russie, sans être pour autant sous les feux des projecteurs. Peut-être est-ce la raison pour laquelle l'équipe spéciale du procureur n'a pas trouvé beaucoup d'éléments contre l'ancien maire et ses proches alliés : les trois fonctionnaires mis en examen dans cette affaire furent tous acquittés, et le parquet passa à autre chose. Le fait que l'ancien maire lui-même fût hors de portée et dans l'impossibilité de témoigner contribua sans doute à faire baisser la pression.

Encouragé par l'ascension vertigineuse de son ancien adjoint, Sobtchak décida de mettre fin à son exil parisien et de rentrer en Russie dans le courant de l'été 1999. Il revint rempli d'espoir et, plus encore, d'ambition. Au moment où il quittait Paris, Arkadi Vaksberg, un spécialiste de médecine légale qui s'était lancé dans le journalisme d'investigation et dans l'écriture et avec lequel il s'était lié pendant son séjour à Paris, lui demanda s'il espérait revenir dans la capitale française comme ambassadeur. « Mieux que ça », lui répondit Sobtchak. Vaksberg était convaincu que l'ancien maire visait le portefeuille des Affaires étrangères[14] : dans les milieux politiques moscovites, la rumeur courait que Sobtchak présiderait la Cour constitutionnelle, la plus haute instance judiciaire de Russie.

Avec son outrecuidance coutumière, Sobtchak se présenta immédiatement aux élections législatives – et essuya une défaite humiliante. Mais, dès que Poutine lança sa propre campagne électorale, il nomma son ancien patron au poste de « représentant habilité » – un emploi qui permettait à Sobtchak de mener campagne en faveur de Poutine (les candidats peuvent avoir des dizaines, voire des centaines de « représentants habilités »). Sobtchak soutint énergiquement la cause de Poutine, oubliant semble-t-il que sa réputation politique avait reposé jadis sur de prétendues convictions démocrates. Il surnomma Poutine « le nouveau Staline[15] », ne promettant évidemment pas aux électeurs des massacres potentiels, mais une poigne de fer – « la seule manière de faire travailler le peuple russe », selon lui.

Sobtchak ne se contenta cependant pas d'effets rhétoriques. Il parlait trop, et trop librement, comme toujours. Au moment même où Poutine dictait sa nouvelle biographie officielle aux trois journalistes, l'ancien maire répondait aux questions d'autres journalistes, évoquait abondamment ses souvenirs et relatait des épisodes clés de la carrière de Poutine dans une version qui contredisait celle de son ancien protégé.

Le 17 février, Poutine demanda à Sobtchak de se rendre à Kaliningrad, une enclave russe coincée entre la Pologne et la Lituanie, dans le cadre de sa campagne électorale. La requête était urgente : Sobtchak devait partir le jour même, ce qui contraria sa femme, qui n'aimait pas le laisser voyager seul[16]. Elle prétendait qu'il risquait de ne pas prendre régulièrement ses médicaments si elle n'était pas là, mais la plupart de leurs connaissances pensaient qu'en réalité cette blonde décolorée à la voix suraiguë n'avait pas confiance en son mari et voulait le garder à l'œil. Il n'est pas exclu non plus qu'elle ait craint pour sa sécurité. Toujours est-il qu'elle était au Parlement de Moscou ce jour-là et ne pouvait accompagner son mari dans ce déplacement improvisé. L'ancien maire partit donc avec deux collaborateurs qui lui servaient en même temps de gardes du corps. Le 20 février, Sobtchak mourut dans un hôtel privé situé dans un lieu de villégiature proche de Kaliningrad.

Les journalistes locaux relevèrent immédiatement d'étranges détails autour de ce décès. Le principal était que deux autopsies successives avaient été réalisées sur le corps – l'une à Kaliningrad, la seconde à Saint-Pétersbourg, dans l'hôpital militaire que dirigeait Iouri Chevtchenko, le médecin qui avait aidé à organiser le départ de Sobtchak pour Paris ; Chevtchenko était désormais ministre de la Santé, mais il n'avait pas renoncé à son service hospitalier. La cause officielle du décès était un infarctus massif, sans cause suspecte.

Pourtant, dix semaines après la mort de Sobtchak, le parquet de Kaliningrad ouvrit une enquête pour suspicion de « meurtre avec préméditation et circonstances aggravantes ». Trois mois plus tard, on referma l'enquête, sans résultat.

Aux obsèques de Sobtchak, qui eurent lieu à Saint-Pétersbourg le 24 février, Poutine, assis à côté de l'épouse et d'une des filles du défunt, paraissait sincèrement affligé. Les téléspectateurs russes ne le verraient jamais exprimer d'émotion plus vive. Dans l'unique déclaration publique qu'il fit ce jour-là, il prononça ces paroles : « La disparition de Sobtchak n'est pas seulement une mort, mais une mort violente, la conséquence de la persécution. » La plupart des gens pensèrent qu'il voulait dire que Sobtchak, injustement accusé de corruption, avait succombé au stress avant que son ancien adjoint n'ait eu le temps de lui rendre toute la grandeur qu'il méritait.

De retour à Paris, Arkadi Vaksberg décida de lancer sa propre enquête sur la mort de Sobtchak. Il n'avait jamais été un ami intime ni même un grand adepte de cet homme politique russe impérieux, mais c'était un journaliste d'investigation doté d'une longue expérience de la médecine légale et qui savait reconnaître un bon sujet d'article. C'est lui qui mit le doigt sur l'élément le plus troublant dans les circonstances de la mort de Sobtchak : ses deux gardes du corps, deux jeunes gens en excellente forme physique, avaient dû être traités pour de légers symptômes d'intoxication après le décès de l'ancien maire. C'était là une des caractéristiques des assassinats par empoisonnement : il était déjà arrivé à plusieurs reprises que des secrétaires ou des gardes du corps souffrent de malaises au moment où leurs patrons étaient liquidés. En 2007, Vaksberg publia un ouvrage sur l'histoire des empoisonnements politiques en URSS et en Russie. Il y avançait la théorie selon laquelle Sobtchak aurait été tué par un poison placé sur l'ampoule de sa lampe de chevet ; lorsque celle-ci était allumée, la substance toxique chauffait et était vaporisée dans l'atmosphère[17]. Il s'agissait d'une technique mise au point en URSS. Quelques mois après la publication de ce livre, la voiture de Vaksberg explosa dans son garage de Moscou[18]. Par bonheur, Vaksberg ne se trouvait pas à l'intérieur.

## CHAPITRE 7

# Le jour où les médias moururent

Je passai la journée des élections, le 26 mars 2000, en Tchétchénie. Il n'était pas question pour moi de participer à un scrutin qui m'apparaissait comme une comédie dérisoire après une parodie de campagne. Moins de trois mois s'étaient écoulés depuis la démission d'Eltsine, et Poutine n'avait encore fait aucune déclaration politique – ses directeurs de communication et lui en faisaient apparemment une vertu : aller pêcher des voix était indigne de lui. Sa campagne avait consisté pour l'essentiel dans l'ouvrage livrant la vision qu'il avait de lui-même, un voyou sans foi ni loi, à quoi s'était ajouté, une semaine avant l'élection, un numéro aux commandes d'un avion de chasse dont l'atterrissage avait attiré une presse nombreuse à l'aéroport de Grozny. Son message politique semblait se résumer à une injonction : « Ne me cherchez pas ! »

J'avais donc accepté l'invitation du bureau de presse de l'armée à couvrir les élections depuis la Tchétchénie. Je savais que je n'aurais guère l'occasion de me déplacer et que des officiers russes surveilleraient le moindre de mes mouvements, mais j'imaginais pouvoir me faire une idée de l'état d'un pays qui m'était familier ; je m'y étais rendue environ trois ans auparavant, peu après la mise en application de l'accord de cessez-le-feu.

Grozny comptait à peu près un million d'habitants avant la première guerre. J'en connaissais assez bien la topographie ; c'était une ville aux proportions raisonnables, parsemée de quelques collines et de quartiers reconnaissables, dont la plupart comportaient suffisamment de tours pour se repérer. Peu de temps après le bombardement de la ville lors du premier conflit, quelques observateurs européens l'avaient comparée à Dresde, rasée par les Britanniques et les Américains vers la fin de la Seconde Guerre mondiale. La comparaison m'avait paru assez exacte – et pourtant Grozny avait conservé alors l'essentiel de ses traits physiques.

Cette fois, ils avaient disparu. Je ne distinguais plus aucune tour. Impossible d'identifier un quelconque monument, alors qu'ils avaient été nombreux. Tous les secteurs de la ville avaient la même apparence et dégageaient la même odeur de chairs brûlées et de poussière de béton. Il y régnait un silence terrifiant, assourdissant. Mon regard absorbait avec une avidité obsessionnelle les uniques vestiges de vie humaine et de communication urbaine : CAFÉ ; INTERNET ; PIÈCES DÉTACHÉES POUR AUTOMOBILES ; LOGEMENT OCCUPÉ. Ces derniers mots, on les lisait sur les pancartes que les habitants avaient apposées en rentrant chez eux après la dernière guerre dans l'espoir de décourager le pillage et les fusillades.

Une douzaine de haut-parleurs avaient été installés autour de ce qui avait été une ville, balises sonores des bureaux de vote et des soupes populaires organisées par le ministère fédéral des Urgences. Des passants, surtout des femmes, marchaient à deux ou trois dans les rues, avançant en silence vers le haut-parleur le plus proche en se guidant au son, certainement plus attirés par les secours alimentaires que par les urnes.

Nous autres journalistes, nos guides de l'armée nous dirigèrent vers l'un des neuf bureaux. En y arrivant aux alentours de midi, nous découvrîmes une quantité de gens, là encore surtout des femmes, qui attendaient depuis l'aube. Ils étaient venus dans l'espoir d'obtenir de l'aide humanitaire : soit quelqu'un leur avait promis qu'on distribuerait de la nourriture ou des vêtements dans les bureaux de vote, soit une simple rumeur les avait conduits là. LA DÉMOCRATIE EST LA DICTATURE DU DROIT, proclamait l'écriteau au-dessus de l'entrée du petit immeuble, citant la métonymie d'une annonce qu'avait faite Poutine en parfaite violation de la loi électorale. Quant à l'aide humanitaire, elle restait invisible.

Une vieille femme se dirigea vers moi et me demanda d'écrire qu'elle en était réduite à vivre dans la rue.

« Avez-vous voté ? lui demandai-je.

— Oui.

— Et pour qui ?

— Je l'ignore, m'avoua-t-elle avec simplicité. Je ne sais pas lire. J'avais un bulletin et je l'ai mis dans l'urne. »

Quelques heures plus tard, près d'un bureau de vote d'un autre secteur de la ville, j'aperçus au loin un petit groupe qui s'approchait. Je faussai compagnie à mes mentors avant qu'ils aient eu le temps de me retenir, espérant intercepter des résidants de Grozny devant le bureau. Je reconnus trois personnes, dont un couple très âgé que j'avais vu au premier bureau. Tous trois tiraient des charrettes vides. Ils me racontèrent que, après le départ du bus transportant les journalistes, des responsables locaux leur avaient dit qu'il n'y aurait pas d'aide humanitaire ; ils marchaient depuis des heures pour regagner ce qui avait été leurs maisons.

Profitant des courts instants où mes mentors ne me voyaient pas, j'essayai de leur demander pourquoi ils avaient regagné Grozny. Le couple âgé demanda à leur compagne plus jeune de me raconter son histoire. Elle commença par refuser, disant : « À quoi bon en parler ? », mais elle n'osa pas désobéir à ses aînés. « Nous sommes revenus chercher les corps de membres de la famille. On nous a accompagnés. Ils étaient tous liés avec du fil de fer. Mais il y a une tête qu'ils n'ont jamais pu retrouver. » Huit membres de sa famille figuraient parmi les milliers d'habitants emprisonnés puis sommairement exécutés par les troupes russes. Cette femme et ses proches avaient quitté Grozny depuis plusieurs mois et s'étaient réfugiés chez des parents dans un petit village. Les huit membres de sa famille restés à Grozny n'avaient pas l'argent nécessaire pour quitter la ville ; chaque fois que l'un d'eux franchissait un point de contrôle mis en place par les troupes russes, il devait payer. Tandis que nous discutions, une autre femme s'approcha de nous, suivie de deux de ses nièces, une fillette de huit ans blafarde et une adolescente à l'air renfrogné. « Leur père a été tué dans le bombardement, expliqua-t-elle. Leur mère ne l'a pas supporté et elle est morte, et leur grand-mère est morte aussi. Les filles les ont enterrés dans le jardin. Nous avons exhumé le père hier et lavé le corps, mais comme les hommes sont trop terrifiés pour sortir l'enterrer, il est toujours dans la maison. » Elle demanda à l'adolescente de confirmer ses dires, mais la fille se mit à pleurer et partit à l'écart.

Ces gens me dirent qu'ils avaient voté pour une militante des droits de l'homme qui avait obtenu si peu de voix que la plupart des communiqués de presse ne l'avaient même pas mentionnée. Mais je constatai que de nombreux Tchétchènes aussi avaient voté Poutine. « J'en ai marre de la guerre, me confia un homme d'âge moyen habitant à Grozny. J'en ai marre qu'on me repasse, comme un bâton de relais, d'une bande de voyous à l'autre. » Je jetai un coup d'œil autour de moi : nous nous trouvions dans un secteur de la ville qui avait été naguère essentiellement résidentiel ; seules subsistaient des clôtures métalliques séparant les maisons fantômes les unes des autres.

« C'est bien l'œuvre de Poutine, non ? lui demandai-je. — La guerre dure depuis dix ans », me répondit l'homme, n'exagérant que très légèrement : les premiers soulèvements armés en Tchétchénie remontaient à 1991. « Qu'aurait-il pu changer ? Ce que nous voulons, c'est un pouvoir fort, un pouvoir qui soit uni. Nous sommes des gens qui avons besoin d'un arbitre. »

Il y avait un Tchétchène parmi les dix candidats peu connus qui affrontaient Poutine sans illusions dans cette élection. Millionnaire moscovite et promoteur immobilier, il avait expédié des tonnes de farine dans les camps de réfugiés tchétchènes avant le scrutin. « Inutile de voter pour lui, me dit le directeur adjoint de l'un des camps, situé en Ingouchie, de l'autre côté de la frontière. Je l'aurais bien fait, mais en Russie il n'obtiendra pas une seule voix. » Il prévoyait de voter Poutine. « C'est un type bien. Il ne nous a pas fait ça pour son propre bénéfice : beaucoup d'autres avaient intérêt à remettre ça. »

« On nous a dit de voter Poutine parce que n'importe comment il va être président », me confia son patron, un dénommé Hamzat, cinquante ans, le visage fripé. Hamzat avait passé vingt-neuf jours aux mains des Russes pendant le premier conflit tchétchène ; il en conservait deux cicatrices sur la tête et un creux permanent sur l'omoplate, à l'endroit où il avait reçu un coup de crosse de fusil. Il me montra une photo de son fils, un adolescent de seize ans aux lèvres pleines et aux cheveux bouclés, lui-même détenu en ce moment précis. Hamzat avait réussi à localiser le camp où il se trouvait, mais les gardiens exigeaient une rançon de 1 000 dollars – une pratique des plus éprouvées chez les deux belligérants. Il ne me dit pas ce qui se passa ensuite, mais d'autres réfugiés du camp me le racontèrent : ils avaient organisé une collecte mais n'avaient réussi à recueillir qu'à peine un dixième de la somme demandée. Le garçon était toujours en captivité.

Le camp consistait en un champ couvert de tentes provenant de surplus de l'armée, auxquelles s'ajoutait un train de dix wagons qu'on avait remorqué jusque-là. C'était une solution assez courante pour suppléer au manque de logements intacts ; je résidais moi-même dans un train militaire, à quelques villes de là. Hamzat avait son bureau dans l'un des wagons. Une feuille de papier apposée à l'extérieur recensait soixante et un noms écrits à la main sous la rubrique : « Localisés à la prison de Naoursk, transférés ensuite à l'hôpital Piatigorsk ». Les âges, allant de seize à cinquante-deux ans, figuraient à côté des noms. Il s'agissait de détenus qui avaient été convoyés dans un hôpital avant que la presse ne vienne visiter la plus célèbre prison de Tchétchénie. Un détenu avait établi la liste afin d'aider les familles à retrouver les disparus. Quelqu'un avait écrit « tué » au stylo bille bleu à côté de l'un des noms.

Conformément au règlement de l'armée, je passais le plus clair de mon temps en compagnie de Russes en uniforme. J'aurais préféré de beaucoup rester du côté tchétchène – leur cause m'inspirait plus de sympathie, mais surtout le climat de peur constante du côté russe m'épuisait. Des soldats étant tous les jours victimes d'embuscades, les jeunes appelés et les officiers qui les commandaient ne parvenaient pas à se détendre, même quand ils se soûlaient à mort, comme ils le faisaient tous les soirs, pour noyer les bruits de fusillade qui semblaient ne jamais cesser. On tirait partout autour de nous dans la journée aussi, élections ou non. Quand je voulus explorer un quartier de Grozny densément peuplé en d'autres temps, mes deux mentors me supplièrent de ne pas m'y risquer. « D'ailleurs, il n'y a plus personne là-bas, fit valoir l'un d'eux. Quel besoin avez-vous d'y aller ? On va tous se faire éteindre. » Il voulait dire « être tués ». Ces soldats – qui avaient tous voté Poutine, comme cela leur avait été prescrit par leurs supérieurs – étaient censés contrôler Grozny. Mais les Russes allaient continuer à perdre des hommes tous les jours, et ce pendant des années.

Un nouveau chef de district nommé par les Russes à Grozny chantait les louanges de Poutine comme sur commande. « Aujourd'hui nous avons un type en or au pouvoir en Russie, déclara-t-il. Un homme à poigne. » Avant le scrutin, les organisateurs locaux avaient passé au peigne fin les caves du quartier pour recenser les électeurs. Ils en avaient dénombré 3 400 et avaient prévu un nombre correspondant de bulletins, mais ils s'étaient retrouvés à court en milieu de journée. « Je leur avais bien dit qu'on aurait plus de monde, pestait le chef de district. Mais ils n'ont pas voulu m'écouter ! Mais d'où sont venus tous ces gens ? Ils ne sont quand même pas sortis de terre ! »

Eh bien, si. Beaucoup avaient surgi d'une existence souterraine, non pas des caves où ils vivaient sous les décombres de leurs immeubles, mais de la clandestinité. Un grand nombre d'électeurs – essentiellement des vieilles femmes – s'étaient rendus aux urnes avec deux ou trois passeports chacun, le leur et ceux des membres de leur famille qu'ils espéraient sans doute encore vivants. Les gens qui avaient perdu leur passeport pouvaient remplir un formulaire spécial pour indiquer leur choix, même si cela signifiait aussi que leurs propres papiers pouvaient être utilisés pour voter ailleurs. Je vérifiai mon hypothèse en faisant le tour des circonscriptions : partout où j'allais, on ne demandait qu'à accueillir ma voix, pièces d'identité moscovites à l'appui ou rien du tout.

Avant le début de la deuxième guerre, la Tchétchénie comptait officiellement 380 000 habitants. Lors de l'élection, le nombre des électeurs inscrits passa à 460 000, gonflé non seulement par les soldats russes, mais par les âmes mortes revenues à la vie grâce à l'usage de leurs passeports réels ou imaginaires[1]. Poutine ne recueillit même pas 30 % des voix, sa pire prestation dans toute la Russie. Sur l'ensemble du pays, cependant, l'homme sans visage, qui n'avait pas de plate-forme électorale et n'avait pas fait campagne, remporta l'élection avec plus de 52 % des voix, annulant toute nécessité d'organiser un second tour[2].

Le 7 mai 2000, Vladimir Poutine fut intronisé président de la Russie. Strictement parlant, la cérémonie d'investiture marqua une première dans l'histoire du pays, puisque Eltsine avait été élu pour son premier mandat alors que la Russie faisait encore partie de l'Union soviétique. Poutine put ainsi instituer un rituel. À son instigation, la cérémonie, prévue à l'origine pour se dérouler au palais d'État de style moderniste du Kremlin, où le Parti communiste avait tenu ses congrès et l'administration Eltsine organisé des conférences, eut lieu au Grand Palais du Kremlin, la résidence historique des tsars[3]. Poutine traversa le hall d'entrée sur un long tapis rouge, balançant le bras gauche tout en gardant le droit légèrement plié au niveau du coude et curieusement immobile – une allure qui allait bientôt devenir familière aux téléspectateurs russes et amener les observateurs américains à se demander s'il n'avait pas subi un trauma à la naissance, voire une attaque pendant sa vie utérine[4]. J'y verrais plus volontiers une posture à prendre pour ce qu'elle est et rien d'autre : celle d'un individu qui exécute tous ses actes publics comme un automate et à contrecœur, exprimant à chaque pas une extrême méfiance et une agressivité tout aussi intense. Pour les Russes, sa démarche avait aussi quelque chose d'une affectation d'adolescent, de même que son habitude de porter sa montre au poignet droit (bien qu'il fût droitier) ; cette mode se propagea aussitôt parmi les bureaucrates de tous les échelons, et la principale fabrique horlogère du pays, située dans le Tatarstan, s'empressa de lancer un nouveau modèle, « la montre du Kremlin pour gaucher », expédiant le premier exemplaire de la collection à Moscou pour en faire cadeau à Poutine[5]. On ne le vit jamais porter en public cet accessoire bas de gamme et de fabrication nationale, alors que des photos le montrèrent au cours des années suivantes arborant diverses montres, de préférence une Perpetual Calendar de Patek Philippe en or blanc à 60 000 dollars[6].

Quinze cents invités officiels se pressaient à la cérémonie d'investiture, parmi lesquels un nombre inhabituel d'uniformes. L'un d'eux méritait une mention spéciale : Vladimir Krioutchkov, l'ancien directeur du KGB et auteur du coup d'État de 1991. Un reporter présent sur les lieux décrivit « un homme âgé de petite stature, qui avait des difficultés à rester debout et ne s'est levé qu'une fois, lorsqu'on a joué l'hymne national[7] ». On le repérait facilement, car il était assis à l'écart du reste des invités : il n'appartenait pas franchement à l'élite politique russe de l'époque. Pourtant, personne n'avait osé s'élever publiquement contre la présence d'un homme qui avait tenté de recourir aux armes pour écraser la démocratie russe. Il avait passé plusieurs mois en prison, puis avait été gracié par le Parlement en 1994. La grande majorité des comptes rendus de la cérémonie le passèrent carrément sous silence. *Kommersant*, le principal quotidien des milieux d'affaires, lui accorda le vingtième de ses trente-quatre paragraphes. Eussent-ils été doués de prescience que les journalistes l'auraient placé nettement plus en vue dans leurs articles, car la Russie ne commémorait pas seulement un changement de dirigeant, mais un changement de régime – que Krioutchkov était venu accueillir.

Quelques mois plus tôt à peine, le 18 décembre 1999, soit quinze jours avant de devenir président en exercice, Poutine avait pris la parole lors d'un banquet célébrant la création de la police secrète – un obscur jour chômé propre à la profession et qui devait prendre de l'importance au cours des années suivantes, avec banderoles de félicitations dans les rues et reportages télévisés sur les cérémonies. « J'aimerais vous informer, avait déclaré Poutine, que l'équipe d'agents du FSB envoyée travailler sous couverture au gouvernement fédéral a accompli avec succès la première phase de sa mission[8]. » La salle, bourrée de hauts gradés de la police secrète, avait rugi de rire. Poutine s'était efforcé plus tard de minimiser la chose en en faisant une plaisanterie, mais ce même jour il avait remis en place sur l'immeuble du FSB une plaque commémorative rappelant au monde que Iouri Andropov, le seul chef de la police secrète à être devenu secrétaire général du Parti communiste, avait travaillé dans les lieux.

La campagne pour l'élection de Poutine et l'intéressé lui-même ayant paru suivre des voies parallèles, Poutine avait pris quelques rares autres initiatives publiques entre le mois de décembre et son entrée en fonction. Il avait choisi son Premier ministre, un homme dont la stature imposante, la voix sonore de basse, le physique avantageux et le sourire immaculé d'acteur de Hollywood démentaient le manque d'ambition politique. Mikhaïl Kassianov semblait avoir la bureaucratie dans la moelle des os. Il avait gravi les divers échelons des ministères soviétiques, amorcé un passage en douceur dans une série de cabinets ministériels sous Eltsine, et venait d'accéder aux Finances.

« Il m'a téléphoné le 2 janvier » – seulement trois jours après qu'Eltsine eut remis sa démission, me précisa Kassianov. « Il m'a exposé les conditions de ma nomination. Il m'a dit : "Du moment que vous n'empiétez pas sur mon territoire, on s'entendra[9]." » Kassianov, complètement étranger au langage de la rue, fut beaucoup plus frappé par la formulation employée par Poutine que par le contenu de son message. La Constitution confère au Premier ministre une autorité étendue sur les services en uniforme ; Poutine lui signifiait qu'il devrait renoncer à ces pouvoirs s'il voulait devenir Premier ministre. Kassianov accepta sans difficulté, demandant en retour à Poutine à disposer de toute la liberté pour poursuivre les réformes économiques envisagées. Poutine accepta et fit de lui son premier Premier ministre adjoint, en lui promettant de le nommer Premier ministre immédiatement après l'investiture.

Kassianov s'employa pour l'essentiel à conduire les affaires. Poutine s'attela à ce qu'il avait appelé son « territoire ». Son premier décret de président en exercice accorda l'immunité à Boris

Eltsine contre d'éventuelles poursuites. Le deuxième définit la nouvelle doctrine militaire de la Russie, abandonnant l'ancienne politique d'exclusion de la première frappe en matière d'armes nucléaires et soulignant le droit de faire usage de telles armes contre des agresseurs « si les autres moyens de résolution de conflit ont été épuisés ou déclarés sans effet ». Rapidement, un autre décret rétablit l'entraînement obligatoire pour l'armée de réserve (en clair, tous les Russes de sexe masculin valides) – une astreinte qui avait été abolie, au grand soulagement des épouses et des mères, après le retrait d'Afghanistan. Deux des six paragraphes du décret furent classés secrets : sans doute risquaient-ils de préciser auxdits réservistes qu'ils devaient s'attendre à être envoyés en Tchétchénie. Quelques jours plus tard, Poutine émit une ordonnance accordant à quarante ministres du gouvernement et à d'autres responsables le droit de classer secrète une information, en violation directe de la Constitution. Il remit également en vigueur la formation militaire obligatoire dans les écoles secondaires, publiques comme privées ; cet enseignement, qui apprenait notamment aux garçons à démonter, nettoyer et réassembler une kalachnikov, avait été supprimé pendant la perestroïka. Au total, six des onze décrets promulgués par Poutine pendant les deux premiers mois de sa présidence concernaient l'armée. Le 27 janvier, Kassianov annonça une augmentation de 50 % des dépenses de défense – cela dans un pays qui n'avait toujours pas remboursé ses dettes internationales et qui voyait la plus grande partie de sa population s'enfoncer toujours plus profondément dans la pauvreté[10].

Pour peu qu'on ait pris la peine, en Russie ou ailleurs, d'être attentif, tous les indices de la nature du nouveau régime étaient en place quelques semaines après l'accession de Poutine à son trône temporaire. Mais le pays s'occupait activement d'élire un président imaginaire, et il faudrait des années au reste du monde occidental pour commencer à douter de ses choix.

Au moment de l'investiture de Poutine, je me trouvais de nouveau en Tchétchénie. Devant ce qui passait maintenant pour être de la politique et du journalisme politique, j'avais terriblement besoin de sentir que je faisais quelque chose qui ait une raison d'être. Le régime politique du pays s'émiettait sous mes yeux et j'appréciais ma chance d'être en mesure de mener des recherches et de publier des reportages à mon sens importants. Cette fois, je m'étais déplacée avec des officiers de l'armée et des bénévoles indépendants qui recherchaient des soldats russes portés disparus en Tchétchénie ; on en dénombrait environ un millier à l'époque, dont la moitié depuis la dernière guerre.

Je rentrai de Tchétchénie pendant le week-end de l'investiture. Le surlendemain de mon retour au bureau, qui correspondait au deuxième jour de la présidence de Poutine, les forces spéciales de la police opérèrent une descente au siège de Media-Most, le groupe de Vladimir Goussinski, auquel appartenait mon magazine. Des escouades de types en tenue de camouflage, portant des cagoules en tricot avec des fentes pour les yeux et armés de fusils automatiques à canon court, s'introduisirent sans douceur dans les bureaux de l'immeuble récemment rénové, situé en plein centre de Moscou, à quelque seize cents mètres du Kremlin, malmenèrent plusieurs membres du personnel et déversèrent des piles de papiers dans des cartons qu'ils chargèrent ensuite à bord de camionnettes. Le bureau du procureur, l'administration présidentielle et la police fiscale se répandirent plus tard en déclarations publiques embrouillées, propres à semer la confusion, pour expliquer le raid : on soupçonnait des fraudes fiscales ; on soupçonnait des fautes graves de la part du service de sécurité interne de Media-Most ; on soupçonnait même la société d'espionner ses propres journalistes. La nature de l'opération n'avait en réalité rien d'inhabituel pour qui travaillait dans le monde des affaires, voire s'était contenté de l'observer, dans la Russie des années 1990 : il s'agissait d'une menace. Ce genre d'incursion était en général mis en scène par des groupes mafieux pour montrer qui commandait – et qui avait le plus d'influence sur la police. Toutefois, celle-là sortait de l'ordinaire à plusieurs titres : son ampleur (des dizaines de policiers, plusieurs camionnettes remplies de documents), son emplacement (le centre de Moscou), le choix du moment (en plein jour) et sa cible (l'un des sept magnats des affaires les plus influents du pays). Elle se singularisait aussi par son initiateur présumé : Vladimir Poutine, d'après les sources de Media-Most. Lui-même affirma ne pas avoir eu connaissance des faits : pendant l'opération, il se trouvait au Kremlin en compagnie de Ted Turner, tous deux évoquant le souvenir des Jeux de la bonne volonté qui s'étaient tenus à Saint-Pétersbourg dans les années 1990 et discutant de l'avenir des médias[11].

Les mois qui suivirent la descente au siège de Media-Most appartiennent à ces périodes qu'on a toujours du mal à se remémorer et à décrire – le temps écoulé entre le diagnostic et le dénouement inévitable, entre le jour où l'on apprend comment l'histoire va finir et celui où elle s'achève vraiment. Je pense qu'il faut dire, en toute honnêteté, que les quelque soixante-dix personnes qui travaillaient à mon magazine et les centaines d'employés du quotidien de Goussinski ainsi que de sa chaîne de télévision, NTV – celle qui avait diffusé l'enquête sur l'épisode de Riazan* –, comprirent tous, le jour du raid, qu'il signifiait le commencement de la fin du plus grand groupe de médias privé de Russie. Pourtant, nous avons continué presque comme si rien ne s'était passé, comme si l'histoire des ennuis du groupe n'était encore qu'un fait divers de plus à rapporter.

Je ne me rappelle pas comment j'ai appris l'arrestation de Vladimir Goussinski le 13 juin. J'en ai peut-être entendu parler à la radio, en voiture, encore que ce soit peu vraisemblable : pendant l'été 2000, comme l'année précédente, je me déplaçais à Moscou en bicyclette, un nouveau mode de transport dans la capitale ; en ce mois de juin, je réfléchissais même à un reportage sur la ville à vélo. Je dus en être informée par un collègue. Ou alors par le coup de téléphone d'un ami. Toujours est-il que je compris surtout qu'on ne venait pas seulement de mettre en examen l'un des hommes les plus influents du pays – qui se trouvait aussi me verser mon salaire –, mais qu'on l'avait fait en raison d'accusations résul-

* Voir *supra*, chapitre 2, p. 45 et suivantes. (N.d.T.)

tant de la privatisation d'une société dénommée Rousskoïé Video. Je tenais le sujet de mon article.

Rousskoïé Video était une société de production de télévision qui avait appartenu à Dmitri Rojdestvenski, l'homme de Saint-Pétersbourg qui végétait depuis maintenant deux ans en prison. J'avais suivi cette affaire pendant quelque temps sans la comprendre lorsque je m'étais rendue dans cette ville pour un article sur le meurtre de Galina Starovoïtova.

Mes sources sur place – dont l'assistant parlementaire de Galina Starovoïtova, qui avait réchappé à la fusillade – avaient tenu à m'emmener voir un couple âgé qui vivait dans un grand appartement résidentiel donnant sur le canal Griboïédov. Au cours de plusieurs rencontres qui s'échelonnèrent sur quelques mois, ils me racontèrent l'histoire de leur fils, Dmitri Rojdestvenski, un producteur de télévision de quarante-quatre ans bardé de diplômes. Il avait fait une belle carrière du temps de Sobtchak (participant à sa campagne de réélection) et se trouvait à présent en prison.

Quelqu'un semblait s'être juré d'avoir sa peau. D'abord, en mars 1997, il avait été soumis à un contrôle fiscal. Puis, en mai, il avait reçu une lettre du bureau de la police secrète locale l'informant que l'émetteur utilisé par la station de télévision qu'il détenait en partie mettait en danger la sécurité de l'État. Après quoi Rojdestvenski avait été interrogé à plusieurs reprises dans le cadre de l'affaire Sobtchak. « On soupçonnait Dmitri de blanchir l'argent de Sobtchak, me dit sa mère. Mais il a eu de la chance : Sobtchak n'avait jamais versé d'argent à son groupe, même pas ce qu'il lui devait pour la production et la diffusion des publicités de sa campagne. » En mars 1998, Dmitri Rojdestvenski fut finalement inculpé pour évasion fiscale. Une nuit, au cours de ce même mois, l'équipe du procureur spécial fouilla les appartements de quarante et une personnes liées au groupe de Rojdestvenski, y compris celles qui y travaillaient avec un statut d'indépendant.

« C'est alors qu'ils s'en sont vraiment pris à lui », me dit la vieille dame. Son fils fut convoqué presque tous les jours pour des interrogatoires ; son appartement, son bureau et sa datcha firent l'objet de fouilles répétées. En août 1998, la femme de Dmitri avait eu une attaque. « Nous nous trouvions alors à la datcha, me précisa sa mère. Il subissait quotidiennement des interrogatoires et nous n'étions jamais sûrs de le voir rentrer. Je savais gérer ce genre de situation – mon père avait été emprisonné à trois reprises sous Staline –, mais Natacha [l'épouse de Dmitri] s'est révélée la plus vulnérable. »

En septembre 1998, Dmitri Rojdestvenski fut accusé de malversations financières et mis en examen. Deux mois plus tard, je faisais la connaissance de ses parents. Pendant les vingt mois suivants, je leur rendis plusieurs fois visite et ils me tinrent au courant de l'instruction du dossier de leur fils. Ballotté d'une prison à l'autre, Dmitri finit par atterrir à Moscou et, plus tard, dans un établissement de la police secrète à l'extérieur de Saint-Pétersbourg. Les chefs d'accusation furent requalifiés : d'abord appropriation frauduleuse de véhicule, puis détournement de fonds provenant de contrats publicitaires, enfin détournement de fonds en vue de la construction d'une résidence secondaire. Pour autant que je puisse dire, les affaires de son groupe et celles de sa famille étaient si étroitement et inextricablement imbriquées que le ministère public avait sans doute matière à le maintenir derrière les barreaux aussi longtemps qu'il le jugerait bon. Ce qui m'échappait, c'était la raison pour laquelle on souhaitait tant le garder en prison.

D'après ses parents, c'était Vladimir Iakovlev, le remplaçant de Sobtchak, qui se vengeait du rôle joué par Rojdestvenski dans la campagne de réélection de ce dernier. Mais d'autres personnes avaient soutenu Sobtchak. Faisait-on de Rojdestvenski un bouc émissaire parce que ces autres soutiens, tel Poutine, étaient devenus trop puissants et hors d'atteinte ? Possible. Ou bien la vengeance ne venait-elle pas de Iakovlev, mais plus vraisemblablement de l'un des anciens associés de Rojdestvenski, parmi lesquels figuraient Poutine et plusieurs personnages influents de Saint-Pétersbourg qui semblaient avoir créé une société de production de télévision en cheville avec les casinos de la ville ? Possible aussi. Ou encore se trouvait-on, comme le pensait l'assistant parlementaire de Galina Starovoïtova, en présence d'un chantage terrifiant de la part d'un magnat des affaires qui avait vainement tenté d'amener Rojdestvenski à vendre son groupe ? Non moins possible.

Je continuai de rendre visite aux parents de Rojdestvenski, car je peinais à trouver l'angle sous lequel je pourrais relater l'histoire de leur fils. Plus elle s'étoffait, moins je la comprenais. Le magnat des affaires supposé avoir recouru au chantage contre Rojdestvenski avait fini par être arrêté et accusé d'avoir torpillé plusieurs contrats, notamment celui d'un maire adjoint chargé d'un projet immobilier : on l'avait abattu en plein jour sur la perspective Nevski en 1997. Une chose était claire : l'inculpation de Rojdestvenski n'avait que peu de rapports, sinon aucun, avec les poursuites qui le visaient, mais relevait de toute évidence de la façon de mener les affaires et la politique à Saint-Pétersbourg[12].

Toujours est-il qu'en 2000 le dossier et cette société, dont la plupart des Russes n'avaient jamais entendu parler, avaient conduit Vladimir Goussinski en prison d'une manière ou d'une autre. Je m'assis et entrepris de trier l'équivalent d'un demi-tiroir de documents que j'avais réunis sur l'affaire – pour l'essentiel des plaintes en justice et des pièces annexes –, comme je l'avais fait à plusieurs reprises au cours des deux années précédentes. Pour la première fois, j'y discernai une certaine logique, même si je ne voyais pas matière à poursuites – pas davantage que les juristes de haut niveau de Media-Most. « Il n'existe aucun chef d'accusation, me dit une spécialiste du droit des sociétés, une femme d'âge moyen et à l'intelligence vive, sincèrement déroutée. Je n'arrive même pas à comprendre en quoi consiste le délit. Impossible de savoir d'où ils tirent les chiffres cités ici. Ils affirment que la société elle-même a été créée illégalement, mais la loi à laquelle ils se réfèrent ne comporte aucun élément pertinent. Et même si la société avait été créée en violation de la loi, Media-Most n'a rien à voir dans cette histoire. » Le groupe plus important avait acquis Rousskoïé Video ainsi que des dizaines de sociétés régionales de production et de diffusion au moment où il constituait un réseau national d'émissions de variétés. La société de Saint-Pétersbourg ne comptait même pas parmi les grands supports publicitaires du réseau : elle avait été acquise principalement pour son énorme réserve de films de série B, que le réseau pouvait utiliser pour remplir les vides tandis qu'il mettait en place sa propre production.

« Il y aurait de quoi rire si ce n'était pas si triste, me dit la juriste. Si seulement la criminalité en Russie se bornait à ce genre de délits[13] » – entendant par là des irrégularités contestables.

Ce n'était pas l'image de la criminalité russe, mais de nombreuses affaires portées devant les tribunaux allaient être la copie conforme de celle-ci : un dossier bâclé et rempli de contradictions. Je compris que ma première hypothèse sur l'affaire Rojdestvenski était la bonne : il s'agissait d'une vengeance personnelle. Mais le coupable n'était ni le gouverneur en place à Saint-Pétersbourg, comme d'aucuns l'affirmaient, ni un chef mafieux sous les verrous, comme d'autres le pensaient.

Il semble qu'un grave problème ait surgi entre Dmitri Rojdestvenski et Vladimir Poutine, avec qui il avait travaillé à la campagne de réélection ratée de Sobtchak. D'où les menaces du procureur la dernière fois que je lui avais téléphoné, le 29 février 2000, alors que je suivais l'affaire depuis deux ans : « Laissez tomber, m'avait-il dit. Croyez-moi, Masha, vous n'avez pas intérêt à pousser plus loin. Ou alors vous allez le regretter. » Il y avait des années que je couvrais l'actualité judiciaire en Russie, et personne – pas même les accusés au pénal et leurs comparses souvent déplaisants – ne m'avait jamais parlé sur ce ton. Qu'y avait-il de si important et de si redoutable dans cette action en justice ? Simplement le fait qu'elle était poursuivie au nom du président en exercice. Le procureur, Iouri Vaniouchine, connaissait Poutine depuis leurs études à la faculté de droit. Son diplôme en poche, il était entré directement au cabinet du procureur, de la même façon que Poutine était entré au KGB, mais, quand ce dernier avait regagné Leningrad et s'était mis au service de Sobtchak, Vaniouchine l'avait retrouvé à la mairie. Lorsqu'il était parti pour Moscou six ans plus tard, Vaniouchine avait de nouveau rejoint le bureau du procureur, devenant enquêteur spécialisé dans les « dossiers très importants », une catégorie légale des plus réelles. Bien que ne répondant pas aux critères officiels, le cas Rojdestvenski était manifestement d'une grande importance aux yeux d'un personnage très important.

Un autre lieutenant de Poutine, Viktor Tcherkessov, qui avait été nommé chef de la section de Saint-Pétersbourg du FSB après une puissante action de lobbying de Poutine et de nombreuses protestations d'anciens dissidents, était entré en scène au moment où l'instruction visant Rojdestvenski semblait démarrer avec lenteur. Après que le contrôle fiscal eut échoué à nourrir une mise en accusation, Tcherkessov avait envoyé à Rojdestvenski une lettre l'informant que l'émetteur utilisé par Rousskoïé Video compromettait la sécurité nationale. Rousskoïé Video avait alors cessé de l'utiliser, et une autre société de télévision l'avait repris : apparemment, désormais, il ne menaçait plus personne[14]. Un an plus tard, Tcherkessov avait rejoint Poutine à Moscou, devenant son premier adjoint au FSB.

Les parents de Rojdestvenski avaient espéré que leur fils sortirait de prison lorsque son vieil ami Vladimir Poutine était devenu tour à tour chef de la police secrète, puis chef du gouvernement, et enfin chef de l'État. Au lieu de quoi Vaniouchine s'était gardé de refermer le dossier, alors même que les chefs d'accusation s'effondraient, continuant de rassembler des éléments tout aussi peu étayés pour le maintenir derrière les barreaux. À la fin de l'été 2000, un tribunal prit enfin en compte la santé chancelante de Rojdestvenski et le libéra, alors que son procès était toujours en attente[15]. Rojdestvenski mourut en juin 2002, à l'âge de quarante-huit ans.

Ce que j'apprenais à présent, en parcourant les documents que j'avais amassés depuis près de deux ans, correspondait exactement aux déductions de Natalia Guévorkian lorsqu'elle avait eu maille à partir avec Poutine au sujet du journaliste Andreï Babitski : « C'est un petit homme vindicatif », avait-elle résumé. Le dossier monté contre Goussinski relevait, comme l'affaire Rojdestvenski, d'une vengeance personnelle. Goussinski n'avait pas soutenu Poutine lors de l'élection. Cordial de nature, il traitait d'affaires importantes avec le maire de Moscou, Iouri Loujkov, l'un des dirigeants de la coalition d'opposition anti-Famille. C'était la chaîne de télévision de Goussinski qui avait diffusé l'émission sur les explosions évitées de Riazan, deux jours avant les élections.

L'arrestation de Goussinski n'avait pas vraiment de lien avec Rousskoïé Video ; par une ironie du sort, l'homme qui avait manigancé son arrestation disposait d'une connaissance détaillée de l'affaire – aussi efficace que n'importe quelle autre pour mettre l'un des plus puissants personnages de Russie derrière les barreaux. S'il existait des irrégularités dans les statuts de la société, Poutine les connaissait aussi : en étudiant mes dossiers, je découvris un document signé de sa main qui autorisait la création de ladite société.

Vladimir Goussinski ne resta que trois jours en prison. Dès qu'il fut libéré sous caution – payée de sa poche –, il quitta le pays, devenant le premier réfugié politique du régime de Poutine, seulement cinq semaines après l'investiture.

Contrairement au propriétaire de mon groupe, je me trouvais encore à Moscou. Et, semblait-il, j'étais dans les ennuis jusqu'au cou, exactement comme le procureur Vaniouchine me l'avait laissé augurer. J'avais écrit un article sur l'affaire Rousskoïé Video ; il avait paru quelques jours après le départ de Goussinski du pays, avec, en illustration, le document portant la signature de Poutine sur lequel j'avais mis la main. La suite, c'est quand je découvris qu'un type était campé sur une échelle de l'autre côté de la porte de mon appartement – vingt-quatre heures sur vingt-quatre. « Qu'est-ce que vous fichez ici ? lui lançais-je chaque fois que j'ouvrais la porte et tombais sur lui. — J'répare », grommelait-il.

Quelques jours plus tard, le téléphone de mon domicile fut coupé. La compagnie m'affirma n'y être pour rien, mais il me fallut des jours pour récupérer ma ligne. C'étaient là des tactiques classiques du KGB, visant à me faire comprendre que je n'étais jamais en sécurité ni jamais seule. Les méthodes n'avaient pas changé depuis les années 1970, lorsque le même genre d'hommes de main s'installaient à résidence dans les cages d'escalier des gens pour s'assurer qu'ils se savaient surveillés. En avoir conscience ne me facilitait pas pour autant les choses. La technique de l'intrusion fonctionnait aussi bien que trente ans auparavant : en moins de quelques jours de ce régime, l'inquiétude sourde que je ressentais me rendit folle.

Je profitai d'un reportage pour quitter le pays pendant une quinzaine de jours. Et décidai de chercher un autre emploi. Mon travail n'avait pas son pareil au monde, et il m'avait conduite à risquer ma vie sans barguigner en me rendant en Tchétchénie, en ex-Yougoslavie et dans d'autres zones de guerre postsoviétiques. Mais rien ne m'avait préparée à vivre sous le coup d'une menace permanente, si imprécise qu'elle fût. Lorsqu'une occasion se présenta pour le poste de chef de bureau à Moscou de l'hebdomadaire américain *US News & World Report*, je m'en emparai.

Dans l'intervalle, Goussinski, qui faisait la navette entre l'Angleterre et l'Espagne, où il possédait une résidence, négociait avec l'État russe le sort de son empire médiatique. Lui-même possédait 60 % des parts de son groupe ; 30 % étaient détenus par le monopole d'État de la production gazière, Gazprom, et les derniers 10 % appartenaient à des personnes privées, essentiellement la haute direction au sein du groupe. Goussinski avait contracté de lourds emprunts auprès d'une banque étatisée pour financer la mise en place de son réseau par satellite. Moins de un an auparavant, il entretenait encore l'espoir – fondé – que ses dettes seraient annulées[16] : ses rapports naguère confortables avec Eltsine et son rôle personnel dans sa campagne de réélection en 1996 semblaient devoir justifier ces attentes, du moins à ses yeux. Maintenant, plusieurs échéances étaient en souffrance et l'État réclamait le solde avant la date fixée, exigeant des titres à la place de liquidités – cela dans le dessein de permettre au monopole gazier de prendre le contrôle des sociétés. Goussinski s'efforçait de restructurer la dette de façon à empêcher les actionnaires de détenir une participation majoritaire, ce qui garantirait l'indépendance éditoriale des médias.

Alors que les négociations prenaient un tour de plus en plus hostile, quelqu'un – chaque camp accusa l'autre – laissa fuiter dans la presse un document que Goussinski avait signé avant de quitter le pays. Il semblait avoir accepté, par écrit, de céder une part majoritaire de son groupe à Gazprom en échange de sa liberté. Surtout, fait accablant entre tous, le document ne portait pas seulement les signatures de Goussinski et du chef de la branche médias de Gazprom – spécialement reconstituée pour l'occasion –, mais aussi celle du ministre de la Presse, Mikhaïl Lessine[17]. En clair, il s'agissait d'un contrat mafieux classique, officialisant l'échange d'une entreprise contre la sécurité personnelle, et dont l'État était partie. Après la fuite, Goussinski déclara publiquement que le ministre lui-même l'avait menacé, l'obligeant sous la contrainte à signer l'abandon de son groupe, « pratiquement à la pointe du fusil ». Il qualifiait toute la procédure de « racket d'État[18] ».

Poutine se refusa à tout commentaire. Pourtant, personne ne parut douter qu'il avait lui-même donné l'ordre d'arracher de force le groupe de médias à Goussinski. Son Premier ministre aux dents éclatantes, Mikhaïl Kassianov, parut sincèrement étonné, voire scandalisé, par les révélations, et il blâma Lessine en public, devant les caméras. Trois jours plus tard, Mikhaïl Gorbatchev sortit de son retrait *de facto* de la scène politique long de neuf années pour rencontrer Poutine et lui demander de régler la situation de Goussinski. Mais il repartit la tête basse, déclarant aux médias que Poutine avait refusé d'intervenir[19]. Le lendemain, le Premier ministre ouvrit la réunion du cabinet en adressant une nouvelle réprimande à son ministre de la Presse, Lessine[20]. Les journalistes et commentateurs politiques russes y virent un signe clair qu'il se sentait impuissant face à une situation orchestrée par le président lui-même.

Ce type de mainmise sur les entreprises privées, grandes et petites, allait très vite devenir monnaie courante. Mais le système que Boris Eltsine avait laissé derrière lui rechignait encore à accorder toute latitude au « racket d'État ». Les gouvernements ultérieurs n'avaient pas réussi à transformer les tribunaux en un système judiciaire fonctionnant sans ratés ; en revanche ils y avaient semé les graines de l'ambition. À présent, ces tribunaux, surtout aux échelons inférieurs, allaient opposer une fin de non-recevoir à certaines poursuites engagées par Gazprom, un tribunal municipal allant même jusqu'à rejeter la plainte contre Goussinski.

Il fallut en définitive presque un an au monopole d'État pour faire main basse sur l'empire médiatique de Goussinski. En avril 2001, après une impasse de près d'une semaine lorsque le personnel de NTV décida de maintenir au programme une diffusion en direct de la prise de contrôle, la vieille équipe éditoriale fut éjectée. Une semaine plus tard, mes anciens collègues du magazine *Itogui* trouvèrent porte close en arrivant au travail et furent tous virés jusqu'au dernier.

Pour ma part, j'étais déjà partie, ayant accepté le poste proposé par *US News & World Report* l'été précédent. Avant de commencer, j'avais pris un vol à destination de la mer Noire pour de courtes vacances au soleil. Mais, au bout de seulement deux jours, j'avais dû regagner le Nord : un sous-marin nucléaire était en train de sombrer dans la mer de Barents, avec cent dix-huit hommes à son bord.

De toutes les tragédies qu'il m'a été donné de couvrir et auxquelles le peuple russe a assisté en direct, la catastrophe du *Koursk* fut peut-être la plus atroce. Neuf jours durant, les mères, épouses et enfants des marins embarqués – en même temps que le pays tout entier – entretinrent l'espoir que certains d'entre eux étaient toujours vivants. La Russie entama une veille, tandis que la marine et le gouvernement tentaient désespérément de secourir le bâtiment. Des équipes norvégiennes et britanniques proposèrent leur aide, qui fut refusée, probablement pour des raisons ayant trait à la sécurité. Pis que tout, le nouveau président garda le silence : il se trouvait alors en villégiature sur la côte de la mer Noire.

Le *Koursk* offre une métaphore facile de la situation postsoviétique. Il fut mis en chantier en 1990, alors que l'Union soviétique frôlait l'effondrement, et entra en service actif en 1994, tandis que l'histoire militaire soviétique touchait le fond, pourrait-on dire, mais au moment précis où les ambitions de superpuissance des Russes, provisoirement écartées pendant que l'empire se démantelait, recommençaient à s'affirmer. Le sous-marin nucléaire était gigantesque, à la mesure de ces ambitions – avec un Poutine au pouvoir qui promettait d'aller « buter l'ennemi jusque dans les chiottes ». Le *Koursk*, qui n'avait fait l'objet que d'un entretien minimal depuis sa mise à l'eau, assura sa première mission à l'été 1999, lorsque Poutine arriva au pouvoir, et il devait procéder à son premier exercice d'entraînement important en août 2000.

Il apparaîtrait plus tard que ni le sous-marin, ni son équipage, ni, en réalité, la flotte du Nord russe dans sa totalité n'étaient prêts pour l'exercice. D'ailleurs, les manœuvres prévues ne relevaient pas officiellement de cette qualification, en partie au moins parce que les bâtiments et les hommes qui y participaient auraient été dans l'incapacité de satisfaire aux normes légales et techniques requises par un exercice majeur. On préféra dire que le sous-marin et les navires qui prirent la mer le 12 août menaient des « opérations conjointes », une qualification qui n'existait pas et n'était donc assortie d'aucune condition clairement définie. Le *Koursk* partit avec un équipage manquant d'expérience et sous-entraîné, composé d'hommes qui appartenaient à divers bâtiments et n'avaient jamais travaillé ensemble. Il était équipé de torpilles d'exercice dont plusieurs avaient largement dépassé leur date de péremption, les autres n'ayant pas fait l'objet d'une maintenance appropriée. Sur certaines, des trous dus à la rouille étaient visibles ; d'autres avaient des anneaux de connexion en caoutchouc déjà utilisés, en parfaite violation des règles de sécurité. « La mort embarque avec nous[21] », avait dit un marin à sa mère six jours avant l'accident en se référant aux torpilles.

Ce fut l'une de ces torpilles qui, de toute évidence, prit feu et explosa. Il y eut deux ondes de choc à bord du sous-marin, et la majeure partie de l'équipage périt instantanément. Vingt-trois survivants se réfugièrent dans une section inutilisée du bâtiment pour attendre les secours. Ils disposaient des équipements nécessaires pour tenir pendant quelque temps à l'intérieur du sous-marin, et ils pouvaient raisonnablement espérer être sauvés – ils procédaient à un exercice d'entraînement, plusieurs vaisseaux de guerre croisaient au voisinage, et l'accident aurait dû être détecté presque aussitôt.

Mais, alors qu'une station sismique norvégienne capta les remous causés par l'explosion, des navires russes situés beaucoup plus près du sous-marin parurent ne pas s'inquiéter de son sort. Il fallut neuf heures à la flotte pour reconnaître qu'un accident s'était produit, et presque autant de temps pour que le président en soit informé sur son lieu de vacances. Les opérations de secours débutèrent alors, mais les équipes de sauvetage n'avaient apparemment pas la formation requise pour accomplir leur tâche. Elles ne parvinrent même pas à s'arrimer au sous-marin.

On peut imaginer que la plupart des vingt-trois survivants seraient parvenus à s'extraire d'eux-mêmes – l'accident s'était produit dans des eaux relativement peu profondes –, mais ce compartiment du sous-marin, contrairement au règlement, ne disposait pas de sas d'évacuation de l'équipage. Les marins restèrent coincés dans l'obscurité la plus totale, jusqu'au moment où une plaque de régénération de l'air s'enflamma, remplissant leur refuge de fumées toxiques qui les tuèrent.

Pendant toute la durée de leur sursis – plus de deux jours –, les vingt-trois hommes ne cessèrent de marteler leurs codes d'appel au secours sur les parois pour aider les efforts de sauvetage, d'abord inexistants, puis inutiles. Comme la fin approchait, les coups devinrent de plus en plus désordonnés et désespérés. Jamais ils ne reçurent de réponse : obéissant à une règle non écrite de la flotte, les sauveteurs gardèrent le silence, prétendument pour empêcher des bateaux ennemis de les localiser. C'est pour la même raison, décisive, que les offres d'aide initiales des plongeurs britanniques et norvégiens avaient été rejetées. Lorsqu'un équipage norvégien reçut enfin l'autorisation de pénétrer dans les eaux russes et de descendre jusqu'au *Koursk*, huit jours après l'accident, les hommes s'amarrèrent aisément au sous-marin, et ce dès leur première tentative. Ne parvenant pas à ouvrir l'écoutille, ils façonnèrent un outil adéquat et, neuf jours après le drame, purent entrer dans le bâtiment et confirmer qu'il n'y avait aucun survivant[22].

Dix jours durant, le pays était resté vissé devant les téléviseurs à attendre des nouvelles du *Koursk*. Ou du nouveau président, celui-là même qui avait promis de restaurer la puissance militaire russe. D'abord, il resta muet. Puis, toujours depuis son lieu de vacances, il émit un vague commentaire semblant indiquer qu'il jugeait plus important de sauver les équipements à bord du *Koursk* que l'équipage. Au septième jour de la catastrophe, il consentit enfin à regagner Moscou par avion – et fut dûment harponné par une équipe de télévision de Yalta, ville balnéaire de la mer Noire. « J'ai fait ce qu'il fallait faire, déclara Poutine, car l'arrivée de non-spécialistes appartenant à toutes les disciplines et la présence de hauts responsables dans la zone de la catastrophe n'auraient servi à rien, et auraient le plus souvent gêné le travail. Tout le monde doit rester à sa place. »

Cette dernière remarque montra clairement que Poutine se considérait comme un bureaucrate – très important et très puissant, certes, mais un bureaucrate. « J'avais toujours pensé que si l'on devenait président, même s'il s'agissait d'un simple rôle de façade, on changeait, me confia Marina Litvinovitch, la jeune femme brillante qui avait travaillé à l'image préélectorale de Poutine. Si la nation pleure, on doit pleurer avec elle. »

À l'époque de la catastrophe du *Koursk*, Marina Litvinovitch, qui n'avait pas encore trente ans, était devenue membre à part entière de ce qui formait maintenant une direction permanente des médias au Kremlin. Une fois par semaine, les chefs des trois grands réseaux de télévision et elle rencontraient le chef de l'administration présidentielle, Alexandre Volochine, pour débattre des affaires courantes et prévoir leur couverture. En août 2000, seulement trois membres du groupe étaient présents : Marina Litvinovitch, Volochine et le chef de la télévision et radiodiffusion d'État ; tous les autres étaient en vacances, comme le sont habituellement les Moscovites au mois d'août. « J'ai hurlé, se souvient Marina Litvinovitch. J'ai hurlé à Volochine qu'il [Poutine] devait se rendre sur place. Et Volochine a fini par saisir le téléphone, il a appelé Poutine et il lui a dit : "Il y a des gens ici qui pensent que tu devrais y aller." Et moi, je me disais : c'est Poutine qui devrait appeler et hurler : "Où est mon avion ?" Et je me suis rendu compte que, si je n'étais pas venue à cette réunion, il ne serait pas allé dans l'Arctique[23]." »

La constellation des villes militaires qui hébergent la flotte du Nord forme un monde en soi, fermé aux gens de l'extérieur et hostile à leur encontre, mais en règle générale résigné et confiant dans les autorités. Les journalistes étaient interdits d'accès à Vidiaïévo, le port d'ancrage du *Koursk*. Les familles des membres d'équipage se déplaçaient dans des bus spécialement affrétés qui leur faisaient franchir à toute allure les points de contrôle. Parfois, quelques parents affrontaient le trajet de près de cinq kilomètres à pied (ils ne disposaient plus de moyens de transport une fois sur zone) depuis les logements qui leur avaient été attribués à Vidiaïévo jusqu'au point de contrôle où les journalistes montaient la garde. Un groupe de femmes qui était sorti de la ville voulait enregistrer un message vidéo exigeant la poursuite des tentatives de sauvetage. L'une d'elles demanda aux journalistes de la conduire en voiture avec quelques-unes de ses compagnes jusqu'à Mourmansk, la grande ville locale, afin d'y acheter des gerbes commémoratives à déposer au bord du rivage.

Les habitants regardaient ces femmes avec un mélange de pitié et de peur. Ici, où les gens vivaient dans des immeubles de béton délabrés de quatre étages auxquels manquaient des vitres et qui étaient souvent dépourvus de chauffage central, tout le monde était rompu au danger et aux effets de la décrépitude. « Ce sont des accidents qui arrivent », ne cessaient de me répéter les marins et leurs épouses. En attendant, des femmes armées de balais et de seaux lavaient les trottoirs et les places à l'eau et au savon dans l'espoir de se protéger des radiations qui pouvaient s'échapper du *Koursk* – même si les autorités placardaient des affiches certifiant qu'il n'y avait aucun risque.

Dix jours après la catastrophe, les parents des membres d'équipage furent enfin convoqués dans la salle municipale de Vidiaïévo. Ils pensaient voir Poutine. Pendant qu'ils attendaient – et ils attendirent des heures –, le commandant de la flotte, l'amiral Vladimir Kouroïédov, s'adressa à eux. Homme de forte stature au visage rude et tanné, il fit preuve d'un savoir-faire dûment maîtrisé pour détourner toutes les questions. L'un des très rares journalistes autorisés à assister à l'événement – qui faisait partie des auteurs de la biographie officielle de Poutine – rapporte ainsi la scène :

> « Croyez-vous que les gars sont vivants ? » lui demanda-t-on.
>
> Et vous savez ce qu'il a répondu ?
>
> « C'est une bonne question ! Je vais vous répondre aussi directement que vous m'avez interrogé. Je crois toujours que mon père, qui est mort en 1991, vit encore. »
>
> Suivit une autre question – probablement bonne aussi.
>
> « Pourquoi n'avez-vous pas demandé immédiatement l'aide de l'étranger ?
>
> — Je vois que vous regardez plus la quatrième chaîne que la deuxième.
>
> — Quand avez-vous informé les autorités que vous manquiez des équipements nécessaires pour les sauver ?
>
> — Il y a trois ans », répondit-il.
>
> Je crus que quelqu'un allait le frapper. Mais non. Ils parurent tous se ratatiner et se désintéressèrent de la conversation[24].

Kouroïédov quitta la salle en laissant l'auditoire sur sa faim. Le vice-Premier ministre, Ilia Klébanov, responsable de l'opération de sauvetage, était présent ; une femme bondit sur l'estrade, le saisit par le revers de sa veste et le secoua en hurlant : « Espèce de salaud ! Vous y allez et vous les sauvez ! » Lorsque Poutine arriva enfin, avec quatre heures de retard sur l'heure annoncée, portant costume et cravate noirs en signe de deuil mais ne réussissant ainsi qu'à avoir une vague allure de mafieux, le public s'en prit à lui. Seul son biographe avait été autorisé à rester sur les lieux. Voici un extrait de son article publié le lendemain, dans lequel il décrivait l'entrevue :

> « Annulez le deuil immédiatement ! lança une voix à l'autre bout de la salle en l'interrompant. [Le lendemain avait été décrété jour de deuil national.]
>
> — Le deuil ? demanda Poutine. Comme vous, j'ai espéré jusqu'au bout, j'espère encore un miracle. Mais une chose est sûre : il y a des morts.
>
> — La ferme ! hurla quelqu'un.

— Je parle de ceux dont on est sûr qu'ils sont morts. Il y en a dans le sous-marin, c'est une certitude. D'où la journée de deuil. C'est tout. »

Quelqu'un tenta de protester, mais il ne voulut rien entendre.

« Écoutez-moi, écoutez ce que j'ai à vous dire. Écoutez et taisez-vous ! Il y a toujours eu des tragédies en mer, y compris à l'époque où nous croyions vivre dans un pays qui réussissait. Il y a toujours eu des tragédies. Mais je n'ai jamais pensé que les choses étaient dans un état pareil. [...]

— Pourquoi avoir attendu si longtemps pour faire venir l'aide de l'étranger ? » demanda une jeune femme.

Elle avait un frère à bord du sous-marin. Poutine se lança dans de longues explications. Il dit que le sous-marin avait été construit à la fin des années 1970, comme d'ailleurs tous les équipements de secours de la flotte du Nord. Que Sergueïev [le ministre de la Défense] lui avait téléphoné le 13 à 7 heures du matin et que jusque-là lui-même n'était pas au courant. [...] Que l'étranger avait proposé de l'aide le 15 et qu'elle avait été acceptée sur-le-champ. [...]

« Et nous ? Avons-nous aussi des plongeurs comme ceux-là ? s'écria quelqu'un au comble du désespoir.

— Nous n'avons pas ce genre de conneries chez nous ! » explosa le président[25].

L'article rapportait que Poutine avait passé deux heures et quarante minutes avec les familles de l'équipage et réussi, au bout du compte, à les convaincre – en grande partie parce qu'il avait consacré une heure à détailler les indemnités globales qu'elles toucheraient. Il avait accepté aussi d'annuler le jour de deuil, lequel fut, par un tour du sort macabre, observé partout en Russie sauf à Vidiaïévo. Mais Poutine sortit de la réunion vaincu et amer, et décidé à ne plus jamais s'exposer à une telle assistance. On ne le reprendrait plus à affronter publiquement les souffrances des victimes au lendemain d'une catastrophe – et il y en aurait beaucoup pendant son mandat présidentiel.

Très vite, deux événements lui confirmèrent que sa visite à Vidiaïévo avait été un désastre. Le 2 septembre – trois semaines après l'accident du *Koursk* –, le présentateur de la première chaîne,

Sergueï Dorenko, qui avait assumé la plus grande partie du travail de terrain lors de la campagne télévisée de Bérézovski pour créer Poutine un an auparavant, réalisa une émission critiquant la manière dont Poutine avait géré la catastrophe. Il recueillit des bandes vidéo de la réunion avec les parents et en diffusa des passages à côté desquels l'article du biographe paraissait un concert de louanges. Dans l'un d'eux, on entendait Poutine se lancer dans une volée d'imprécations : « Vous l'avez vu à la télévision, hein ? hurlait-il. Ça veut dire qu'ils mentent. Ils mentent ! Ils mentent ! Il y a des gens à la télévision qui s'échinent depuis dix ans à démolir l'armée et la marine ! Ils parlent maintenant comme s'ils étaient les plus grands défenseurs de l'armée ! Tout ce qu'ils veulent en réalité, c'est lui porter le coup de grâce ! Cet argent, ils l'ont volé, et maintenant ils achètent tout le monde et font toutes les lois qui les arrangent[26] ! » Le crescendo s'achevait dans un cri de fausset.

Dorenko, personnage charismatique, macho, une voix profonde de baryton, passa près de une heure à disséquer le comportement de Poutine, faisant réentendre certaines de ses remarques particulièrement incongrues, s'attardant sur l'image du président encore en vacances, bronzé et détendu dans ses vêtements d'estivant de couleur claire, souriant et riant avec ses compagnons, pour la plupart de hauts responsables. Enchaînant une preuve sur l'autre, il montra que Poutine avait menti. Le président affirmait que la forte houle qui sévissait depuis huit jours avait gêné les opérations de sauvetage. Or, disait Dorenko, la météo avait été mauvaise seulement les premiers jours, et de plus cela n'avait pas de conséquences à la profondeur où gisait le *Koursk*. Il comparait Poutine à un écolier en retard au cours : « Nous ignorons à quel genre de professeur s'adressent les fables de Poutine, nous savons en revanche ce que le professeur répond dans ce genre de cas : "Je me moque de ce que tu as cru bon de faire : je te demande seulement d'arriver à l'heure." »

Dorenko coupa une partie de l'interview que Poutine avait accordée à la télévision d'État le lendemain de sa visite à Vidiaïévo. La mine grave et recueillie, le président déclara qu'il s'était à peine écoulé une centaine de jours depuis qu'il avait accepté le fardeau de gouverner le pays. En réalité, rectifia Dorenko, cela faisait trois cent quatre-vingt-dix jours que Poutine avait été nommé Premier ministre et adoubé comme successeur d'Eltsine, avant quoi il avait dirigé le FSB, « qui est censé garder un œil sur les amiraux ».

« Le régime ne nous respecte pas et c'est pourquoi il nous ment », concluait-il.

Je pense qu'à ce moment précis, un an après avoir entrepris son ascension miraculeuse, cent jours après son investiture en tant que président, Poutine comprit qu'il assumait désormais la responsabilité de tout l'édifice chancelant de l'ancienne superpuissance. Il n'était plus habilité à déchaîner sa colère contre le peuple qui avait détruit la force militaire soviétique et l'orgueil de l'empire : par le fait qu'il était devenu président, il faisait dorénavant lui-même partie, aux yeux d'un grand nombre de ses compatriotes, de ce peuple. Sa métamorphose pouvait se comparer à celle d'un opposant politique de longue date qui se retrouve brusquement au pouvoir – sauf que Poutine n'avait jamais été un homme politique, que sa colère relevait de la sphère privée, mais que son humiliation était maintenant publique. Peut-être eut-il le sentiment d'avoir été floué : les gens contre qui il avait fulminé à Vidiaïévo – ceux-là mêmes qui avaient déshonoré l'armée à la télévision et voté « toutes les lois qui les arrangent » – l'avaient porté au pouvoir pour faire de lui le bouc émissaire. Puis ils avaient utilisé leurs réseaux de télévision pour l'humilier encore davantage.

Six mois après l'émission de Dorenko, Poutine fit une apparition dans *Larry King Live*, sur CNN. Lorsque King lui demanda : « Que s'est-il passé ? », Poutine haussa les épaules, sourit – avec espièglerie, semble-t-il – et répondit : « Il a sombré[27]. » Cette réplique – cynique, revenant à classer l'affaire et profondément injurieuse à l'égard de tous ceux que touchait la tragédie – suscita l'indignation. C'est seulement en me repenchant sur la transcription de l'émission dix ans plus tard que je compris ce que Poutine avait tenté de faire entendre : qu'il ne se plierait pas à la tactique imaginée par quelque malheureux conseiller en communication russe – à savoir que le *Koursk* était entré en collision avec un sous-marin américain. *On n'a rien à faire de cette théorie du complot démente*, signifiait en réalité son haussement d'épaules. *Il a sombré, point.*

Le monde vit quelque chose de tout à fait différent, et Poutine apprit une leçon capitale. La télévision – celle-là même qui l'avait créé, un président apparu comme par magie – pouvait se retourner contre lui et le détruire tout aussi vite et avec une facilité tout aussi évidente.

Poutine avait donc convoqué Bérézovski, l'ancien faiseur de roi et responsable encore en place de la première chaîne, et exigé que l'oligarque lui remette ses parts de la société de télévision. « J'ai refusé, en présence de Volochine [le chef de l'administration présidentielle], m'a raconté Bérézovski. Du coup, le ton de la voix de Poutine a changé et il m'a dit : "Alors salut, Boris Abramovitch", et il s'est levé pour partir. Je lui ai renvoyé : "Volodia, c'est un adieu." Nous en sommes restés là, en plein pathos. Quand il a quitté la pièce, je me suis tourné vers Volochine et je lui ai dit : "À ton avis, Sacha, qu'avons-nous fait ? Avons-nous rétabli les colonels noirs au pouvoir ?" Volochine s'est gratté la tête et m'a répondu : "Je ne crois pas." » Témoignant sous serment devant un tribunal londonien des années plus tard, Volochine fut incapable de se rappeler les détails de l'entrevue ; il affirma seulement qu'elle avait pour but d'informer Bérézovski que « le concert [était] fini, [qu']on baiss[ait] le rideau[28] ».

Bérézovski m'a expliqué qu'il s'est assis et a aussitôt écrit une lettre à son ancien protégé, puis demandé au chef de l'administration de la transmettre. « Je lui ai parlé d'un journaliste américain qui avait dit un jour que tout problème compliqué a toujours une solution simple et que la solution est toujours fausse. Je lui ai écrit aussi que la Russie est un problème d'une complexité colossale et que son erreur colossale était de penser qu'il pouvait employer des méthodes simples pour le résoudre[29]. » Bérézovski n'a jamais reçu de réponse. Quelques jours après, il avait gagné la France, puis, de là, la Grande-Bretagne, rejoignant son ancien rival Goussinski dans l'exil politique. Il n'avait pas tardé à faire l'objet d'un mandat d'arrestation en Russie et avait dû abandonner ses parts dans la première chaîne.

Trois mois après l'investiture, deux des hommes les plus fortunés du pays avaient été dépouillés de leur influence et diligemment éjectés du pays. Moins de un an après l'accession de Poutine au pouvoir, l'État avait pris le contrôle des trois réseaux de la télévision fédérale.

« J'ai toujours dit aux gens qu'il est inutile d'aller volontairement en prison », déclara la veuve d'Andreï Sakharov, Éléna Bonner, devant un petit groupe de journalistes à Moscou en novembre 2000. Bérézovski, leur dit-elle, lui avait téléphoné pendant l'été pour prendre son avis, et elle lui avait conseillé de rester hors du pays. « À l'époque de la dissidence, j'ai toujours recommandé à ceux qui étaient menacés d'émigrer[30] », expliqua-t-elle. Elle nous avait demandé de venir à une conférence de presse annonçant la donation de Bérézovski au musée Sakharov et au Centre des droits de l'homme à Moscou, lequel était sur le point de fermer.

« Nous vivons vraiment une époque pourrie, déclara le directeur du musée, l'ancien dissident Iouri Samodourov, où nous sommes obligés de prendre la défense de gens que nous n'aimons pas du tout, comme Goussinski et Bérézovski. Nous vivions autrefois dans un État totalitaire qui se distinguait par deux traits principaux : la terreur totalisatrice et le mensonge totalisateur. J'espère que la terreur totalisatrice n'est plus possible dans notre pays, mais nous sommes entrés maintenant dans une nouvelle ère de mensonge totalisateur[31]. »

## CHAPITRE 8

# Le démantèlement de la démocratie

Le système politique changea si vite que même les militants et les analystes mirent du temps à prendre leurs repères. En décembre 2000, j'assistai à une table ronde réunissant des spécialistes des sciences politiques et consacrée à l'examen de ce qui s'était passé au cours de l'année écoulée, depuis qu'on avait remis le pouvoir à Poutine en Russie[1].

« Il a mis la Russie en attente », fit observer un participant, un homme d'une cinquantaine d'années au beau visage taillé à la serpe et aux lunettes à fine monture en métal. « Ce n'est pas forcément une mauvaise chose. Cela a un effet stabilisateur. Mais maintenant ? »

« C'est comme si la révolution était finie », déclara un autre, un ancien dissident aux cheveux et à la barbe poivre et sel en bataille. Il signifiait par là que la société était revenue à son état présoviétique. « Les vieilles valeurs culturelles, les vieilles habitudes sont de retour. Le pays tout entier tente d'appliquer les vieux tics à la réalité nouvelle. »

« Je crois que plus personne n'y comprend vraiment quoi que ce soit », lança un petit homme affublé d'un nez énorme et d'une voix de basse. Je le tenais, en ce qui me concernait, pour la plus intelligente des personnes présentes – et très certainement la plus avertie, car il avait travaillé dans l'administration présidentielle.

« Mais tous les changements survenus l'année dernière se sont produits dans le champ de conscience de l'opinion », fit remarquer un autre participant, un spécialiste des sciences politiques progressiste qui s'était fait connaître pendant la perestroïka. « La nation est sortie d'une dépression psychologique. Pourtant, une période extrêmement rude s'annonce, car l'idéologie nationaliste l'emporte toujours. »

« Sauf qu'il doit répondre aux attentes », fit valoir un chercheur de la jeune génération, un grand gabarit aux sourcils noirs et broussailleux.

Le dernier intervenant n'avait visiblement pas adhéré aux hypothèses des années 1990, lorsque les médias ou le Parlement avaient eu la possibilité de demander des comptes au président, et ne s'en étaient pas privés – en 1999 encore, Eltsine avait dû faire face à une tentative de destitution. L'homme plus âgé qui s'était exprimé avant lui et qui avait été naguère le principal conseiller idéologique de Mikhaïl Gorbatchev ne se berçait pas d'illusions sur ce qu'avaient été les années 1990 : une courte période de quasi-démocratie, une vision éphémère, un coup de chance inespéré. « Ils ont gagné, mes chers amis, déclara Alexandre Tsipko aux personnes présentes. La Russie est un grand État en suspens dans un espace politique encore non formé, et qu'ils s'efforcent de remplir avec leur hymne national, leur aigle à deux têtes et leur drapeau tricolore – les symboles du nationalisme soviétique. »

L'identité incertaine de la Russie des années 1990 s'était manifestée, notamment, par son incapacité à s'arrimer à des symboles étatiques. Ayant assuré sa souveraineté en 1991, le pays avait plongé presque aussitôt dans une sorte de remords du révolutionnaire ; celui-ci avait fait de l'abandon des anciens symboles et de l'affirmation des nouveaux une tâche douloureuse et, comme la suite l'avait montré, impossible. Le drapeau rouge soviétique avait aussitôt cédé la place au drapeau blanc, bleu et rouge qui avait incarné la Russie pendant huit mois entre la révolution bourgeoise de février 1917 et la révolution bolchevique d'Octobre. Le sceau d'État, cependant, conservait son étoile rouge, son marteau et sa faucille, ainsi que ses épis de blé, qui avaient symbolisé sans aucune ironie l'abondance de l'ère soviétique. Le Parlement remettait régulièrement le sujet sur le tapis, mais sans pouvoir parvenir à une décision, sauf, à la mi-1992, celle de remplacer le sigle URSS (Union des républiques socialistes soviétiques) par l'appellation fédération de Russie. À la fin de 1993, Eltsine avait fini par créer par décret un nouveau sceau dont l'aigle à deux têtes était l'icône principale – un symbole que la Russie partage avec d'autres États modernes, à savoir l'Albanie, la Serbie et le Monténégro. C'est en 2000 seulement que le Parlement de Poutine vota d'intégrer le sceau de l'aigle à deux têtes dans la loi constitutionnelle.

L'hymne national avait posé un défi encore plus grand. En 1991, l'hymne soviétique s'était vu mettre au rebut au bénéfice du *Chant patriotique*, une mélodie entraînante du compositeur du XIXe siècle Glinka. Mais cet hymne n'avait pas de paroles ; plus encore, il était tout à fait impossible de lui en imaginer : la musique avait un rythme si rapide qu'y placer le moindre mot – et les mots russes ont tendance à être longs – aboutissait à un résultat carrément grotesque. Les médias organisèrent des concours pour trouver un texte idoine, mais les propositions servaient uniquement et invariablement à faire la joie du personnel des rédactions et rognaient petit à petit la raison d'être de l'hymne.

L'ancien hymne national soviétique, dont on s'était délesté, avait une histoire compliquée. La musique, écrite par Alexandre Alexandrov, datait de 1943, et c'est un poète pour la jeunesse, Sergueï Mikhalkov, qui avait pourvu aux paroles. Le refrain célébrait « le parti de Lénine, le parti de Staline / Qui nous conduisent au triomphe du communisme ». Après la mort de Staline en 1953 et la condamnation en 1956 du « culte de la personnalité » par son successeur, Nikita Khrouchtchev, il devint hors de question de chanter le refrain, et l'hymne perdit ses paroles. On l'interpréta vingt et un ans durant dans sa version instrumentale, tandis que l'Union soviétique cherchait un poète et des mots susceptibles d'exprimer son identité poststalinienne. En 1977 – j'étais alors en avant-dernière ou dernière année de primaire –, l'hymne acquit brusquement un texte qu'on nous somma d'apprendre sans délai. Pour ce faire, tous les cahiers fabriqués en Union soviétique cette année-là portaient les nouvelles paroles de l'ancien hymne national au dos de la couverture, délogeant les tables de multiplication et les verbes irréguliers. Ces paroles étaient l'œuvre du même poète pour la jeunesse, âgé maintenant de soixante-quatre ans. Le refrain célébrait désormais « le parti de Lénine, la force du peuple ».

À l'automne 2000, une délégation d'athlètes olympiques russes rencontra Poutine et se plaignit que l'absence d'hymne à chanter lors des compétitions les démoralisait, leurs victoires sonnant creux. L'ancien hymne répondait infiniment mieux à leurs besoins, firent-ils valoir. On ressortit donc, une fois de plus, l'hymne stalinien recyclé. Le poète, à quatre-vingt-sept ans bien sonnés, reprit sa plume. Le refrain louait désormais « la sagesse des siècles, portée par le peuple ». Poutine présenta un projet de loi au Parlement, lequel vota sans se faire prier le retour au nouvel hymne ancien.

Lorsque la Douma se réunit en janvier 2001, on étrenna la nouvelle production – et tous les assistants se levèrent, hormis deux anciens dissidents, Sergueï Kovalev et Iouli Rybakov. « J'ai passé six ans en prison à l'écouter », dit ce dernier ; la radio d'État était branchée en permanence dans les camps et diffusait quotidiennement l'hymne national soviétique, en début et en fin de journée. « J'ai été emprisonné pour avoir combattu le régime qui a créé cet hymne, qui a mis les gens dans des camps et les a exécutés aux accents de cet hymne[2]. »

Deux sur les quatre cent cinquante membres de la Douma : Rybakov et Kovalev ne formaient qu'une minorité infime, comme c'est toujours le cas des dissidents. L'éthique soviétique reprenait ses droits. Les individus qui revendiquaient la révolution de 1991 se voyaient maintenant profondément marginalisés. D'ailleurs, le Parlement lui-même n'existerait plus très longtemps sous sa forme des années 1990.

Le 13 mai 2000, six jours après son investiture, Poutine signa son premier décret et proposa une série de projets de loi, tous destinés, déclara-t-il, à « renforcer le pouvoir vertical ». Ils servirent d'introduction à une restructuration profonde de la composition fédérale de la Russie – en d'autres termes, à amorcer le démantèlement des structures démocratiques du pays. L'un de ces projets remplaça les membres élus de la haute chambre du Parlement par de nouveaux arrivants : deux pour chacune des quatre-vingt-neuf régions de la Russie, l'un nommé par le gouverneur de la région, l'autre par la législature. Un autre projet autorisa la destitution des gouverneurs élus sur simple soupçon d'infraction à la loi, sans qu'il soit besoin d'une décision de justice. Le décret créa sept émissaires présidentiels dans sept grands territoires eux-mêmes divisés en une dizaine de régions dont chacune avait une législature et un gouverneur élus. Les émissaires, nommés par le président, supervisaient le travail des gouverneurs élus.

Le problème que Poutine tentait de résoudre par ces mesures n'était nullement une vision de l'esprit. En 1998, lorsque la Russie n'avait plus été en mesure de faire face à ses engagements envers ses créanciers étrangers et avait plongé dans une profonde crise économique, Moscou avait laissé une grande latitude aux régions pour gérer leur budget, recouvrer l'impôt, fixer les tarifs et définir une politique économique. Pour cette raison, entre autres, la fédération de Russie était devenue une entité aussi distendue qu'elle pouvait l'être tout en restant, au moins officiellement, un État unique. Au vu de la situation, les responsables politiques progressistes – qui croyaient encore que Poutine était des leurs – ne critiquèrent pas sa solution, quand bien même elle contredisait l'esprit, voire la lettre, de la Constitution de 1993.

Poutine nomma les sept émissaires. Deux d'entre eux seulement appartenaient à la société civile – et l'un d'eux semblait avoir un passé d'agent du KGB travaillant sous couverture[3]. S'y ajoutaient deux agents du KGB de Leningrad[4], un général de la police[5] et deux généraux de l'armée qui avaient commandé les troupes en Tchétchénie[6]. C'est ainsi que Poutine mit en place des généraux pour garder à l'œil des gouverneurs élus par le peuple – également susceptibles, désormais, d'être relevés de leurs fonctions par le gouvernement fédéral.

Une seule voix s'éleva contre ces lois : celle de Boris Bérézovski, ou plutôt de ma vieille connaissance Alex Goldfarb, l'ancien dissident émigré qui, un an plus tôt encore, ne demandait qu'à céder au chant des sirènes de Poutine. Il signa une critique brillante du décret et des projets de loi, accueillie dans la lettre ouverte de Bérézovski dans les pages de *Kommersant*, le quotidien populaire à grand tirage que ce dernier possédait. « J'affirme, écrivait-il, que le résultat le plus marquant de la présidence d'Eltsine aura été de changer la mentalité de millions de gens : ceux qui avaient été jusque-là des esclaves entièrement dépendants de la volonté de leur patron ou de l'État étaient devenus des individus libres qui ne dépendaient que d'eux-mêmes. Dans une société démocratique, les lois existent pour protéger la liberté individuelle... La législation que vous avez proposée va sévèrement limiter l'indépendance et les libertés civiques de dizaines de milliers de hauts responsables politiques russes, les forçant à se référer à une seule personne et à suivre sa volonté. Mais nous sommes déjà passés par là[7] ! »

Personne n'y prêta attention.

Les projets de loi suivirent la filière législative. La mise en place des émissaires ne suscita aucune protestation. Il s'ensuivit exactement ce que la lettre ouverte de Bérézovski avait prévu, et cela dépassa de loin les mesures légales introduites par Poutine. Le changement fut instantané et perceptible, comme si les accents du nouvel/ancien hymne national soviétique/russe avaient marqué l'aube d'une ère nouvelle pour tous. Les réflexes soviétiques se ranimèrent dans tout le pays, et l'esprit de l'Union soviétique reprit aussitôt ses droits.

On ne pouvait pas encore mesurer l'ampleur du changement. Une brillante étudiante en doctorat de l'université de Moscou fit remarquer que la façon traditionnelle de dénoncer les pratiques électorales – ainsi recenser les infractions (elles augmentaient : le scrutin public ou le vote collectif, par exemple, appartenaient désormais à la routine[8]) ou tenter de prouver les fraudes (mission quasi impossible) – était loin de mesurer un phénomène apparemment aussi éphémère que la culture. Daria Orechkina parlait de « culture électorale spéciale » – un système dans lequel les élections, bien qu'officiellement libres, sont orchestrées par les autorités locales, soucieuses de se gagner les faveurs du centre fédéral. Elle en identifiait les symptômes statistiques – l'apparition d'un pourcentage anormalement élevé de votants et une proportion des voix surprenante obtenue par le candidat de tête. Elle montrait que le nombre de bureaux de vote où la « culture électorale spéciale » décidait du résultat avait augmenté au fil du temps à un rythme régulier, et rapidement[9]. En d'autres termes, à chaque élection et à chaque échelon du gouvernement, les Russes abandonnaient une plus grande part de leur pouvoir de décision aux autorités[10]. « La géographie a disparu », déclara-t-elle plus tard – signifiant par là que le pays tout entier se transformait en un espace de gestion indifférenciée.

En mars 2004, lorsqu'il se présenta à sa propre réélection, Poutine comptait quatre opposants. Ils avaient franchi d'immenses obstacles pour participer à la course. Une loi qui prit effet juste avant le début officiel de la campagne prévoyait qu'un notaire devait certifier la présence de toutes les personnes assistant à un meeting de désignation d'un candidat à la présidence et authentifier leurs signatures. Comme cette loi exigeait qu'au moins cinq cents personnes soient présentes lors de tels meetings, les préliminaires prenaient de quatre à cinq heures ; les participants devaient arriver en milieu de journée pour se plier à cette obligation et permettre au meeting de débuter dans la soirée. Ensuite, le candidat potentiel disposait de quelques semaines pour réunir deux millions de signatures. L'ancienne loi électorale en avait requis deux fois moins et avait laissé deux fois plus de temps pour les obtenir ; mais, plus important, la nouvelle loi spécifiait la façon dont devaient se présenter ces signatures, à la virgule près. La commission électorale centrale refusa des centaines de milliers de signatures pour non-conformité – par exemple lorsqu'elles faisaient apparaître la graphie « St. Pétersbourg » au lieu de « Saint-Pétersbourg », ou une adresse qui ne mentionnait pas les mots « immeuble » ou « appartement ».

L'un des collègues de Poutine à la mairie de Saint-Pétersbourg me dit des années plus tard que, pendant son mandat d'adjoint de Sobtchak, Poutine avait reçu « un puissant vaccin contre le processus démocratique[11] ». Sobtchak et lui avaient fini par tomber, victimes de la menace démocratique à Saint-Pétersbourg. Maintenant qu'il dirigeait le pays, Poutine remettait en vigueur les mécanismes de contrôle de la fin de l'ère soviétique : il édifiait une tyrannie de la bureaucratie. La bureaucratie soviétique s'était montrée si lourde, si incompréhensible et si intimidante qu'on ne pouvait s'en accommoder qu'en se livrant à la corruption, usant soit d'argent, soit de services personnels en guise de devises. Cela conférait au système une souplesse infinie – d'où l'excellent fonctionnement de la « culture électorale spéciale ».

Durant l'élection proprement dite, des observateurs internationaux et des organisations non gouvernementales russes relevèrent, preuves à l'appui, un raz de marée de fraudes caractérisées, parmi lesquelles : la radiation des listes de plus de un million d'électeurs d'âge très avancé et d'autres peu susceptibles de se déplacer (quand je suis allée voter, j'ai constaté que le nom de ma grand-mère de quatre-vingt-quatre ans manquait sur la liste ; mon bureau de vote se trouvait situé aussi, pure coïncidence, à côté d'un bureau du parti dominant, Russie unie) ; le dépôt de bulletins préremplis dans un service psychiatrique ; l'arrivée chez une personne âgée de responsables d'un bureau de vote portant une urne mobile, et qui quittèrent prestement les lieux en comprenant que la dame envisageait de voter pour quelqu'un d'autre que Poutine ; des directeurs et responsables d'école disant au personnel ou aux parents d'élèves que les contrats ou les financements des établissements dépendaient de leur vote[12]. Selon toute vraisemblance, aucune de ces initiatives ne se faisait sur instruction directe du Kremlin ; simplement, retrouvant des réflexes soviétiques revigorés, les gens ne ménageaient pas leurs efforts pour leur président.

Pendant la campagne, des candidats de l'opposition se heurtèrent à des refus constants lorsqu'ils souhaitaient imprimer leurs argumentaires de campagne, diffuser des publicités sur les ondes, voire louer des espaces pour des réunions électorales. Iana Doubeïkovskaïa, directrice de campagne de l'économiste nationaliste de gauche Sergueï Glaziev, me raconta qu'il lui avait fallu des jours pour trouver une imprimerie faisant bon accueil à l'argent de son candidat. Lorsque celui-ci tenta de tenir un meeting à Iékatérinbourg, la plus grande ville de l'Oural, la police débarqua soudain et évacua tout le monde de l'immeuble, affirmant avoir reçu une menace d'attentat à la bombe. À Nijni-Novgorod, troisième plus grande ville de Russie, l'électricité fut coupée alors que Glaziev s'apprêtait à prendre la parole – et tout le reste de la campagne dans cette ville se déroula dehors, car personne n'acceptait de louer de local au candidat paria.

Aux alentours de la date des élections, j'interviewai le directeur adjoint des programmes d'information de la télévision d'État pan-russe, un homme de trente et un ans que je connaissais vaguement. Huit ans auparavant, Evguéni Révenko était devenu le plus jeune reporter de la télévision nationale, en l'occurrence NTV, la chaîne indépendante de Goussinski. Il s'était vite taillé la réputation d'un journaliste extrêmement entreprenant et des plus obstinés. Maintenant, sa façon de travailler paraissait très différente. « Un pays comme la Russie a besoin d'une télévision qui puisse faire réellement passer le message du gouvernement, m'expliqua-t-il. À mesure qu'il se renforce, l'État doit se faire entendre directement, et non par le biais d'interprétations. » La politique éditoriale de la chaîne, me précisa-t-il, ne se perdait pas en complications : « Nous montrons bel et bien les sujets négatifs – nous rapporterons une catastrophe si elle se produit, par exemple –, mais nous ne les recherchons pas. Et nous ne privilégions pas davantage les sujets positifs, mais nous centrons l'attention des téléspectateurs sur eux. Nous ne nous perdons jamais en conjectures sur les raisons, disons, du renvoi d'un responsable – même s'il se trouve que nous les connaissons. Toute notre information provient des déclarations officielles du gouvernement. Quoi qu'il en soit, la logique est simple. Nous sommes une société de la télévision d'État. Notre État est une république présidentielle. Ce qui signifie que nous ne critiquons pas le président. » À de très rares occasions, reconnut Révenko devant une chope de bière, dans un pub irlandais du centre de Moscou, il devait réprimer son besoin de créer. « Mais je me dis : "C'est là que je travaille." » Il avait grandi dans une famille de militaires et avait lui-même suivi un entraînement. Visiblement, cela aidait.

À la fin de l'ère soviétique, l'État avait survécu en utilisant les masses et en châtiant les quelques réfractaires – ce dont se chargeait le KGB. Ce régime avait été plus ou moins rétabli. Alors que la vaste majorité s'alignait avec ferveur, les récalcitrants payaient le prix de leur refus. Marina Litvinovitch, la jeune femme qui avait contribué à faire Poutine et l'avait pressé d'aller parler aux familles de l'équipage du *Koursk*, dirigeait à présent la campagne de son opposante progressiste isolée dans la course aux élections, la parlementaire Irina Khakamada, qui avait elle-même soutenu Poutine quatre ans auparavant. Pendant la campagne, Marina Litvinovitch reçut un coup de téléphone. Au bout du fil, une voix lui dit : « Nous savons où vous habitez et où votre enfant joue quand il est dehors. » Elle engagea un garde du corps pour son fils de trois ans. Elle fut aussi volée et battue. Iana Doubeïkovskaïa, directrice de campagne de Glaziev, connut le même traitement ; elle découvrit aussi, un jour qu'elle conduisait, que ses freins avaient été sectionnés. Un cran plus bas sur l'échelle des persécutions, les appartements des journalistes de l'opposition et des militants du Comité 2008 – un groupe qui s'était créé pour promouvoir des élections plus propres quatre ans plus tard – firent l'objet d'effractions. Souvent, ces cambriolages survenaient au même moment dans divers secteurs de Moscou. Mon propre appartement subit le même sort en février. On n'emporta qu'un ordinateur portable, le disque dur d'un ordinateur de bureau et un téléphone cellulaire.

Le soir de l'élection, Irina Khakamada avait prévu une grande réception pour compenser la défaite. Son équipe de campagne loua un vaste restaurant à thème – le thème étant le Sud-Ouest – et prépara une débauche de saumon, de homard, d'artichauts et de boissons à volonté. Des groupes de musique populaire faisaient la queue derrière le micro, et le plus célèbre journaliste de rock du pays officiait. Ce fut un four. Le nombre de serveurs l'emportait de loin sur le nombre de personnes présentes, et les artichauts s'étiolaient. Pourtant, les organisateurs n'en continuèrent pas moins à cocher les noms des arrivants sur une liste nominative draconienne. Les progressistes russes ne parvenaient pas à comprendre à quel point on les avait marginalisés.

En observant les invités, je comprenais ce qui les rendait perplexes. Quatre ans après avoir porté Poutine au pouvoir, les quelques progressistes qui étaient passés à l'opposition conservaient des relations personnelles avec un grand nombre d'anciens de leur bord qui faisaient toujours partie de l'establishment russe. Dans une salle à manger vide, Marina Litvinovitch était assise à l'extrémité d'une longue table de chêne déserte à côté d'Andreï Bystritski – vice-président du conglomérat de la radio-télévision d'État russe, un bon vivant au milieu de la quarantaine arborant une barbe rousse –, lequel se plaignait du vin. « Le vin n'est pas pire que nos résultats électoraux », lui renvoya Marina Litvinovitch. Bystritski commanda séance tenante une bouteille de vin à 100 dollars pour les convives, puis une autre. On aurait dit qu'il était venu atténuer son sentiment de culpabilité. Il assura à qui voulait l'entendre qu'il avait voté pour Irina Khakamada, et avait même recommandé à sa coiffeuse et à sa maquilleuse d'en faire autant. Naturellement, il avait aussi dirigé la couverture de la campagne diffusée dans quarante-cinq millions de foyers russes en leur répétant jusqu'à plus soif de voter Poutine. Soixante et onze pour cent des électeurs l'avaient écouté.

Trois jours après l'élection, j'allai voir Bystritski à son bureau. Nous nous connaissions depuis longtemps – il avait été mon chef de rédaction à *Itogui* au milieu des années 1990 – et il ne servait à rien de tourner autour du pot.

« Alors, racontez-moi, lui dis-je. Comment menez-vous la propagande du régime de Poutine ? »

Bystritski haussa les épaules d'un air contraint et sacrifia aux préliminaires dictés par l'hospitalité. Il me proposa du thé, des cookies, du chocolat, des marshmallows recouverts de chocolat, enfin un CD contenant des extraits de discours, des photographies et une vidéo du président Poutine. La jaquette de présentation exhibait cinq photos du président : sérieux, intense, passionné, souriant officiellement, souriant officieusement. La première, la sérieuse, avait bénéficié d'une large diffusion : rien que le jour de l'élection, je l'avais vue ornant la couverture de cahiers scolaires, sous forme de portraits préencadrés à la poste centrale de Moscou (une affaire : 1,5 dollar pour une photo de la dimension d'une lettre) et reproduite sur des ballons rose, blanc et bleu en vente sur la place Rouge. Écouler un seul article de cette nature un jour de scrutin enfreignait la loi électorale.

« Nous ne faisons pas spécialement de la propagande, me dit Bystritski en se calant dans un fauteuil en cuir. Prenez l'élection, par exemple. » La loi russe, reliquat des années 1990, exigeait que les médias fournissent à tous les candidats un accès égal aux téléspectateurs et aux lecteurs. Bystritski avait ses données chiffrées prêtes à l'usage, et son arithmétique ne manquait pas de sel : le président, soutenait-il, ne s'était livré qu'à une seule activité électorale – une rencontre avec les militants de sa campagne –, et la réunion de vingt-neuf minutes avait été diffusée à trois reprises dans sa totalité au cours de bulletins d'information ordinaires, qu'il avait fallu prolonger en conséquence. Un jour sur deux pendant la campagne, la chaîne de la télévision d'État avait aussi montré Poutine dans ses bulletins d'information – habituellement en sujet-titre –, mais il ne s'agissait pas, m'expliqua Bystritski, de publicité préélectorale : on décrivait simplement la journée de travail d'un président. Une étude exhaustive menée par l'Union des journalistes russes concluait, en revanche, que Poutine avait bénéficié de sept fois plus de temps d'antenne sur la chaîne d'État que Khakamada ou le candidat du Parti communiste ; les autres candidats avaient été encore plus mal lotis. La couverture faite par l'autre chaîne d'État, celle qui avait naguère dépendu de Bérézovski, était encore plus biaisée, alors que NTV, subtilisée à Goussinski, accordait à Poutine un avantage quatre fois supérieur à celui de son rival arrivant en deuxième position[13].

C'était ce que Révenko avait appelé « faire réellement passer » le message du gouvernement. Les responsables locaux l'avaient reçu cinq sur cinq et avaient conduit les élections conformément à son contenu.

Le 1er septembre, la Russie célèbre le « Jour de la connaissance » : toutes les écoles primaires, tous les collèges et les lycées de Russie commencent ensemble la nouvelle année. Le premier jour de classe se déroule selon un certain cérémonial : les élèves, surtout ceux du cours préparatoire et de terminale (la classe du diplôme de fin d'études), sur leur trente et un, se présentent avec des fleurs à la main et habituellement accompagnés de leurs parents. Il y a des discours, des vœux, parfois des concerts, des prières collectives et des processions festives.

À l'été 2000 – celui où j'avais dû quitter brièvement le pays après l'arrestation de Goussinski –, j'avais adopté un enfant, un petit garçon dénommé Vova (onze mois plus tard, j'accouchai aussi d'une fille). Le 1er septembre 2004, j'emmenai Vova pour son premier jour de classe, au cours préparatoire. Il paraissait très sérieux dans sa chemise bleue boutonnée jusqu'au cou et qui ne cessait de s'échapper de son pantalon. Il tendit à sa nouvelle maîtresse un bouquet de fleurs, nous écoutâmes les discours, puis les enfants entrèrent dans le bâtiment. Je repris ma voiture pour parcourir le long trajet jusqu'à mon travail – le Jour de la connaissance fait partie des plus embouteillés de l'année. J'allumai la radio et appris la nouvelle : un groupe d'hommes armés avait pris en otages plusieurs centaines d'enfants et leurs parents dans une école d'Ossétie du Nord.

Même si je coordonnais la couverture médiatique depuis Moscou – j'étais alors rédactrice en chef adjointe d'un nouvel hebdomadaire –, je dus accomplir au cours des trois jours qui suivirent le travail le plus difficile de ma vie. Trois jours pendant lesquels la situation resta bloquée dans la ville de Beslan, la peur alternant avec la confusion et plusieurs moments d'espoir intense, qui culminèrent lors de l'irruption des troupes fédérales dans le bâtiment scolaire ; plus de trois cents personnes trouvèrent la mort pendant l'opération. L'après-midi du 1er septembre, en arrivant au bureau, j'avais prévenu mes collègues, tous plus jeunes que moi et moins expérimentés dans la couverture de ce genre d'événement : « Ils vont donner l'assaut contre le bâtiment. Ça se finit toujours comme ça. » Pourtant, quand cela se produisit, je me mis à pleurer, assise à ma table de travail, le visage enfoui dans mes mains. Quand je levai enfin les yeux, je découvris qu'un de mes jeunes collègues avait placé devant moi une canette de Coca-Cola pour tenter de me consoler.

Le week-end suivant, je restai cloîtrée dans ma datcha avec ma famille et celle de ma plus proche amie. Lorsque sa fille de huit ans sortit un court instant dans le jardin, les quatre adultes que nous étions furent pris de panique. J'eus le net sentiment que le pays tout entier subissait le même traumatisme.

C'est à ce pays frappé de commotion que Poutine s'adressa, avec un retard qui était devenu la norme, le 13 septembre 2004. Il réunit ses ministres, son cabinet personnel et les quatre-vingt-neuf gouverneurs, et s'entretint avec eux à huis clos pendant deux heures. Puis on distribua le texte de son allocution aux journalistes.

« On ne peut que pleurer en parlant de ce qui vient de se passer à Beslan, disait le texte. On ne peut que pleurer simplement en y pensant. Mais la compassion, les larmes et les mots du gouvernement ne suffisent pas, ne peuvent pas suffire. Nous devons agir, nous devons accroître l'efficacité du gouvernement en combattant l'ensemble des problèmes auxquels le pays fait face… Je suis convaincu que l'unité du pays est la condition principale du succès de la lutte contre le terrorisme[14]. »

À dater de ce jour, annonçait Poutine, les gouverneurs ne seraient plus élus ; c'est lui-même qui les nommerait, ainsi que le maire de Moscou. Les membres de la chambre basse du Parlement cesseraient d'être élus au suffrage direct, comme ils l'avaient été pour moitié jusqu'à présent. Désormais, les citoyens russes se prononceraient pour des partis politiques, lesquels feraient ensuite siéger de hauts responsables. Comparée à la nouvelle procédure d'enregistrement des partis, celle des candidats à la présidence faisait figure d'aimable bagatelle. Tous les partis politiques devaient à présent procéder à un nouvel enregistrement – autant dire que la plupart seraient éliminés. Le seuil pour obtenir une part des sièges au Parlement serait relevé de 5 à 7 % des voix. Enfin, les propositions de loi seraient filtrées avant d'être présentées à la chambre basse : le président nommerait personnellement une chambre prétendument « publique » pour examiner tous les projets législatifs.

Une fois ces changements concrétisés par une loi, comme ils le furent à la fin de 2004, un seul fonctionnaire à l'échelon fédéral continuait d'être élu officiellement : le président lui-même.

Au printemps de 2005, l'un des Russes les plus célèbres dans le monde déclara la guerre à Poutine. Garry Kasparov, le plus grand champion d'échecs de tous les temps, mais aussi un militant politique discret de longue date, annonça au cours d'une conférence de presse qu'il abandonnait les tournois pour s'atteler à la reconstruction de la démocratie russe. Il semblait disposer des atouts nécessaires : réputation, argent, un esprit logique toujours en mouvement allié à des capacités d'orateur grâce auxquelles il parvenait à faire comprendre la politique à des auditoires très variés, et une endurance qui lui permettait d'être toujours sur la brèche. Il consacra l'été 2005 à mener une campagne officieuse, et je me joignis à lui dans une partie de son périple.

À Beslan, où s'était déroulée la crise des otages l'année précédente, Kasparov passa une heure et demie dans le cimetière. Le Nouveau Cimetière, comme l'appelaient les habitants, consistait en un champ divisé en trois cent trente parcelles rectangulaires qu'on s'était appliqué à rendre identiques, même si les ouvriers travaillaient encore tous les jours à découper les encadrements de granit délimitant chacune des tombes, à recouvrir celles-ci de gravier et à dresser les stèles de granit rose. Les parcelles situées du côté de l'entrée étaient déjà achevées, et les parents ou d'autres membres de la famille avaient apposé sur les stèles des photographies en couleurs des enfants morts. Hormis cela, les emplacements ne différaient que par leurs dimensions : il y en avait des simples, des doubles et des triples, et plusieurs tombes familiales, par exemple une mère avec trois ou quatre enfants, ou deux sœurs avec leurs cinq enfants. Sur toutes on trouvait des bouteilles d'eau, des canettes de soda ou de jus de fruits : c'était devenu une tradition, pour les habitants de Beslan, d'apporter des bouteilles entamées aux membres de leur famille qui avaient été torturés par la soif pendant leurs dernières heures. Kasparov s'arrêta devant toutes les tombes, lisant les noms et les dates de naissance et de mort (même si toutes les personnes inhumées là, sans exception, avaient été tuées le 3 septembre 2004), et sur chacune il se pencha pour déposer un œillet rouge qu'il prélevait dans un carton porté par l'un de ses gardes du corps. Le rythme de la visite était celui d'un homme politique venant au contact des électeurs, à ceci près qu'il n'y avait aucune chair à toucher.

Puis Kasparov se dirigea vers une maison de la culture – un de ces bâtiments polyvalents qui existent dans toutes les villes russes – où il devait s'exprimer. Elle était fermée, mais une cinquantaine de personnes se pressaient sous le porche de béton. Il y avait là de nombreuses femmes en robe et foulard noirs – des femmes en deuil ou, comme on les désignait maintenant dans toute la Russie, les « mères de Beslan ». Elles avaient constitué l'élément moteur dans l'action entreprise pour faire du procès – toujours en cours – de l'unique preneur d'otages une enquête digne de ce nom sur ce qui s'était passé dans l'école. Les mères étaient de plus en plus convaincues que les troupes fédérales portaient la responsabilité de la mort de leurs enfants, car l'opération avait été concentrée sur l'élimination des preneurs d'otages et non sur la libération des otages eux-mêmes – et elle avait tué tout le monde sans discrimination.

« Ce sont les mensonges qui ont tué vos enfants », dit Kasparov aux femmes en noir. Pendant la crise, les autorités avaient affirmé que trois cent cinquante-quatre otages se trouvaient à l'intérieur de l'école. En réalité, il y en avait plus de un millier. Des rescapés avaient témoigné sous serment que leurs ravisseurs, qui regardaient la télévision dans la salle des professeurs, avaient conclu, en entendant le gouvernement évoquer le nombre de trois cent cinquante-quatre, qu'il préparait l'opinion à l'assaut contre le bâtiment en minimisant le nombre de victimes potentielles. C'est à ce moment-là, avaient dit les otages, qu'on avait cessé de leur donner de l'eau. D'autres contestèrent les déclarations officielles selon lesquelles les preneurs d'otages n'avaient jamais formulé la moindre exigence – alors que des témoins affirmaient qu'il existait au moins une bande vidéo et une lettre comportant des demandes qui auraient pu conduire à une négociation. « Ce régime est fondé sur des mensonges, continua Kasparov. Si les poursuites devant les tribunaux sont étouffées, si vous laissez l'enquête faire long feu, alors il se produira partout de nouveaux Beslan. Je ne brigue pas le pouvoir, mais je veux que ceux qui le détiennent me disent la vérité. J'obligerai ces criminels à venir ici et à faire le tour de toutes les tombes. » Les larmes lui étaient montées aux yeux. « Je veux qu'ils voient à quoi leurs mensonges ont abouti. Des mensonges ! »

À ce moment précis, on entendit une petite détonation sourde, très voisine du bruit d'un coup de feu, et les femmes se mirent à hurler : « Garry ! Garry ! » La foule s'éparpilla et les gardes du corps de Kasparov tentèrent tant bien que mal de le protéger, tout en empêchant les gens de se piétiner les uns les autres dans leur fuite. Un jeune homme qui se tenait devant le bâtiment avec un flacon souple de ketchup à la main le secoua avec violence et le dirigea vers Kasparov en le pressant de toutes ses forces. Celui-ci se retrouva avec la tête, la poitrine et l'épaule droite de sa veste poissées de rouge. Le porche était désert à présent ; seul subsistait un sac en plastique transparent contenant plusieurs œufs cassés et qui avait ricoché sur le toit de l'entrée avant d'atterrir sur le béton, faisant croire à une explosion.

Une vieille femme qui nous avait rejoints sous le porche tenta de nettoyer le visage de Kasparov à l'aide d'un mouchoir. « Pardonnez-moi, pardonnez-moi », ne cessait-il de répéter à voix basse, s'excusant d'avoir déclenché cet incident dans une ville déjà ravagée par le chagrin. Une autre femme, corpulente, la quarantaine, suggéra : « Allons à l'école – on y sera en sûreté. » Alors Kasparov descendit la rue, entouré des femmes, en direction du bâtiment presque entièrement détruit par l'assaut qui avait mis fin à la crise des otages. Pendant les quelque dix minutes que dura le trajet, Kasparov parla de la survenue inévitable d'une crise politique, de l'importance de la contestation et de la nécessité d'oublier les divergences politiques si l'on voulait démanteler le régime. La petite foule se mit à grossir, les gens sortant de leurs maisons et de leurs immeubles pour se joindre aux marcheurs.

Ils pénétrèrent dans l'école par ce qui était autrefois la salle de gymnastique, passant à travers les trous béants des murs. À la fin du siège, cet espace était rempli d'enfants ; c'était là que la plupart d'entre eux étaient morts. Des preuves matérielles attestaient que le gymnase avait été endommagé par des chars tirant à bout portant : à la place des fenêtres à grillage métallique, des trous gigantesques s'ouvraient dans l'épais mur en brique. À l'intérieur, la salle était carbonisée – selon les mères de Beslan, à cause de l'incendie qu'avait déclenché un lance-flammes utilisé par les troupes russes (l'État avait reconnu avoir eu recours à des lance-flammes, mais nié qu'ils aient pu causer un sinistre).

Kasparov eut le souffle coupé quand il pénétra dans le gymnase. « Oh ! mon Dieu, mon Dieu... », laissa-t-il échapper dans un murmure. Les femmes se dispersèrent et se mirent à gémir ; une plainte réprimée, aiguë, emplit bientôt la salle. Les yeux rouges, la bouche entrouverte, la tête branlante, Kasparov semblait paralysé par l'horreur. De toute évidence, il serait incapable de prendre la parole dans ce lieu saturé par un trop-plein de douleur. Il demanda à visiter l'école, et c'est en la parcourant avec la petite foule, forte d'une centaine de personnes à présent, qu'il parla : « Je marche dans cette école et je pense : Comment les gens de Moscou peuvent-ils continuer à vaquer à leurs affaires, à s'exprimer, à mentir encore et toujours ? Parmi eux se trouve quelqu'un qui a donné l'ordre d'ouvrir le feu. Si l'on n'oblige pas cette personne à rendre des comptes, ce sera notre faute à tous ! »

Le reste de la journée de Kasparov fut étrange. Il se rendit d'abord à Vladikavkaz, capitale de l'Ossétie du Nord, à une demi-heure de voiture. Il devait y prendre la parole, mais son directeur de campagne apprit que le rideau de la salle s'était effondré sur la scène, rendant l'espace indisponible. Après quatre semaines de campagne, cela ne surprenait plus personne : tous les endroits loués par Kasparov, où que ce fût en Russie, posaient un problème. Ici, non seulement on ne pouvait pas utiliser la salle, mais on s'était empressé d'organiser une fête pour les enfants devant l'immeuble, en diffusant une musique assourdissante. Kasparov ne baissa pas les bras et hurla ce qu'il avait à dire devant une soixantaine de personnes, évoquant les dépenses sociales, qui représentaient environ 15 % du budget de la Russie – infiniment moins qu'aux États-Unis même. Plusieurs adolescents gravitaient autour du groupe d'auditeurs. L'un d'eux lança une pierre dans la direction de Kasparov et le rata. Kasparov continua de parler. S'ensuivit une avalanche d'œufs, dont deux l'atteignirent à la tête. Les jeunes s'enfuirent en direction des véhicules de police et disparurent en un rien de temps : on ne prit pas la peine de cacher qu'ils avaient été amenés sur place par les forces de l'ordre et avaient agi sous leur protection. Lorsqu'un journaliste allemand qui avait aussi reçu un œuf voulut poursuivre son agresseur, un policier – qui se révéla plus tard être le porte-parole local du ministère de l'Intérieur – le saisit par le bras et lui signifia grossièrement de s'occuper de ses oignons. « Leur régime a peur des mots ! » hurla Kasparov.

Deux de ses gardes du corps, visiblement secoués, discutaient à voix basse : « C'était juste un môme – je ne l'ai pas vu venir », disait l'un. « Je n'étais pas bien placé », reconnaissait l'autre, qui avait essayé en vain de s'interposer pour protéger la tête de Kasparov. Les œufs ne sont pas dangereux, mais ils avaient servi à montrer que le champion d'échecs restait vulnérable malgré son escouade de huit gardes du corps.

« Nous avons prévu tout ce qui pouvait l'être, me dit Kasparov. Mais si je commençais vraiment à réfléchir, je serais incapable de continuer. » Un de ses gardes du corps surveillait en permanence la préparation des repas, et Kasparov ne buvait que l'eau qu'il emportait avec lui et ne mangeait que ce qu'il commandait pour la table entière.

Lors d'un dîner à la fin de son voyage en Ossétie du Nord – un dîner qui avait duré cinq bonnes heures et au cours duquel Kasparov avait joué trois parties d'échecs, dont deux avec un jeune prodige local âgé de sept ans –, Alan Tchotchiev, un militant ossète qui venait de purger une peine de onze mois de prison pour avoir distribué des tracts hostiles au gouvernement, porta un toast : « Personne n'a jamais tenté de faire ce que vous faites en ce moment. Vous ne vous adressez pas à quatre cent mille individus dans toutes les villes, ni même à quatre cents à la fois dans une salle quelconque, mais à cinquante ou soixante personnes, dans un pays de cent quarante-cinq millions d'habitants. C'est une tâche démente. Je porte donc un toast à l'homme qui a choisi de faire l'impossible. Puisse l'impossible devenir maintenant possible ! »

Mais ce n'était là que la moitié de la mission impossible de Kasparov. Il ne ralliait pas seulement les esprits à son point de vue ; il s'efforçait aussi de collecter l'information et de la diffuser, sa voix se substituant à celle des médias victimes de détournements. Il criblait les sympathisants locaux de questions sur la situation dans leur région, puis transmettait ce qu'il apprenait. Sa mémoire de joueur d'échecs lui rendait de précieux services : d'après l'un de ses assistants, il n'avait jamais possédé de répertoire téléphonique, car il ne pouvait s'empêcher de mémoriser tous les numéros qu'il entendait. Désormais, il ne cessait de collationner des chiffres et de calculer des moyennes dans sa tête. Il tenait le compte du pourcentage des impôts locaux que chaque région se voyait autorisée à conserver, des problèmes auxquels se heurtaient les militants de l'opposition, des détails des propos et des comportements qu'on lui rapportait. Maintenant que les médias nationaux et locaux n'existaient que pour porter la bonne parole du gouvernement, l'information devait être glanée par bribes.

À Rostov, où Kasparov prit la parole devant la bibliothèque publique – il avait prévu de s'exprimer dans les locaux mêmes, mais ils se trouvaient momentanément fermés en raison d'une prétendue rupture de canalisation –, un jeune homme s'approcha de son assistante, lui remit sa carte de visite et affirma qu'il souhaitait participer à la campagne en tant qu'organisateur local. Je lui demandai son nom. « Impossible de vous le donner, me dit-il. Je serais viré séance tenante. » L'assistante m'apprit plus tard qu'il était instructeur dans un collège d'État.

Kasparov avait loué un avion charter pour gagner le sud de la Russie, avec l'idée de l'utiliser ensuite pour aller d'une ville à l'autre. L'appareil étant resté cloué au sol pendant presque une journée parce que aucun aéroport de la région ne lui donnait l'autorisation d'atterrir, notre groupe de treize personnes – Kasparov, son équipe et deux journalistes – dut se rabattre sur des voitures. Lorsque nous arrivâmes à Stravropol, ce fut pour découvrir que nos réservations avaient été annulées. Campé dans l'entrée de l'hôtel, le directeur de campagne de Kasparov téléphona à tous les autres hôtels de la ville assoupie, un à un ; tous prétendirent être complets. C'est alors que le gérant de l'établissement fit son apparition.

« Je suis désolé, dit-il, visiblement ébloui de se trouver face à un visiteur si célèbre. Vous devez comprendre dans quelle situation je me trouve. Mais puis-je prendre une photo de nous deux ?

— Je suis désolé, lui renvoya Kasparov, mais vous devez comprendre dans quelle situation je me trouve, *moi*. »

Le gérant vira au rouge betterave. Maintenant, il était aussi honteux qu'il s'était montré timoré.

« Qu'ils aillent au diable ! lança-t-il. Nous allons vous donner des chambres. »

Ce soir-là, sur les dizaines d'invités qui avaient répondu qu'ils viendraient au dîner, un seul se montra. L'organisateur local, entrepreneur de profession, affirma que tous avaient reçu des menaces par téléphone les dissuadant d'assister au repas.

Au Daguestan, Kasparov devait remettre des coupes aux vainqueurs d'un tournoi d'échecs opposant de jeunes compétiteurs. Mais quand notre groupe arriva, la seule personne qui nous attendait était un journaliste local d'opposition. Le directeur de la Fédération d'échecs du Daguestan, nous expliqua-t-il, avait reçu un appel téléphonique du gouvernement régional lui disant qu'il serait renvoyé si Kasparov assistait à l'événement, si bien que les chauffeurs – tous des policiers locaux, comme nous le découvrîmes – nous avaient déposés à la mauvaise adresse.

Partout où il allait, Kasparov était pris en filature. La plupart du temps, elle était menée par au moins deux agents de la police secrète, aisément reconnaissables à leur allure, leurs vêtements et leurs caméras vidéo bas de gamme. Certains d'entre eux filmaient Kasparov, d'autres se faisaient passer pour des journalistes – ils posaient toujours les mêmes questions et refusaient de donner leur nom –, d'autres encore se contentaient de le suivre. Il était impossible de dire si des mesures de sécurité et de surveillance si extrêmes, et les efforts d'obstruction en général, résultaient d'ordres de Moscou ou d'une initiative locale. En tout cas, ils ne faisaient que stimuler davantage Kasparov en lui montrant que le régime le craignait, et ils ajoutaient ainsi du poids à ses paroles. En même temps, ils le marginalisaient : même le génie le plus célèbre au monde commence à paraître légèrement ridicule quand on le réduit à porter des vêtements tachés de ketchup, à rouler dans une camionnette de location décrépite et à s'adresser encore et toujours à des sympathisants factices dans la rue.

Kasparov menait campagne avec autant d'entêtement et de persévérance qu'il en avait mis naguère à disputer les tournois d'échecs : il comptait à son actif plusieurs des plus longs matches de l'histoire du jeu et, n'ayant jamais appartenu au sérail de l'establishment sportif soviétique, il avait l'habitude des parties truquées. Mais son groupe politique ne parvint pas à décoller : en raison du black-out total de la télévision, sa voix devint de plus en plus marginale au fil des années. En définitive, son argent, sa renommée et ses capacités mentales se révélèrent impuissants contre le régime, même si celui-ci le craignait. Une fois que les institutions de la démocratie eurent été démantelées, il devint impossible de s'organiser afin de les défendre – il était trop tard.

## CHAPITRE 9

# Le règne de la terreur

Le 23 novembre 2006, un homme appelé Alexandre Litvinenko est mort dans un hôpital londonien. Il avait quarante et un ans. C'était un officier du FSB, et ses derniers jours avaient été suivis pratiquement en direct par tous les médias britanniques et quelques russes. « Il y a encore trois semaines, c'était un homme heureux et bien portant qui avait encore tous ses cheveux et courait régulièrement huit kilomètres par jour », rapporta le *Daily Mail* le 21 novembre. Une photo le montrait à présent maigre et chauve, une chemise d'hôpital ouverte sur son torse couvert d'électrodes. « M. Litvinenko peut à peine soulever la tête, car les muscles de son cou sont trop faibles. Il a des difficultés pour parler et ne s'exprime que par de brèves saccades douloureuses[1]. » Le lendemain de la parution de cet article, Alexandre Litvinenko tomba dans le coma. Le jour suivant, des traces de la substance qui l'empoisonnait finirent par être détectées dans ses urines : c'était du polonium, une matière très rare et hautement radioactive. Quelques heures plus tard, son cœur cessa de battre pour la seconde fois en deux jours : il était mort[2].

Alexandre Litvinenko a joué le rôle classique du lanceur d'alerte. En 1998, il était apparu dans une conférence de presse télévisée en compagnie de quatre collègues de la police secrète. Ils avaient déclaré avoir reçu des missions illégales du FSB, notamment l'ordre de tuer Boris Bérézovski. La conférence de presse était justement organisée par l'oligarque, que Litvinenko avait rencontré en 1994 lorsqu'il avait enquêté sur une autre tentative d'assassinat, sans lien avec la présente affaire. Les deux hommes étaient ravis de se connaître, chacun semblant placer en l'autre des espoirs démesurés. Bérézovski s'imaginait que le fait de compter parmi ses relations une personne honnête appartenant au FSB était un gage de protection ; Litvinenko osait croire que le milliardaire influent l'aiderait à changer ce qui n'allait pas dans le système. Entré dans les services secrets à l'âge de dix-huit ans, il était l'un des plus jeunes lieutenants-colonels que la police secrète eût jamais comptés. Il était, de fait, entièrement dévoué à l'institution qui l'avait formé, mais il appartenait à cette espèce rare d'individus qui sont incapables d'accepter les imperfections du système – quel qu'il soit – et qui restent sourds aux arguments de ceux qui s'accommodent des choses telles qu'elles sont.

Vladimir Poutine avait été nommé directeur du FSB en août 1998, alors que son prédécesseur essuyait des allégations de corruption. « Lorsqu'il a été nommé, j'ai demandé à Sacha qui il était, m'a raconté la veuve de Litvinenko, Marina, des années plus tard. Il m'a répondu qu'au dire de certains ce n'était pas un officier de terrain. Ce qui signifiait qu'ils le méprisaient ; il n'était pas monté en grade dans l'institution. » Cependant, Bérézovski arrangea un rendez-vous entre son protégé à la tête de la police secrète et son ami le lanceur d'alerte. C'était l'époque où Poutine s'entretenait avec Bérézovski dans la cage d'ascenseur désaffectée du siège du FSB tant il percevait d'hostilité dans son environnement de travail. L'oligarque souhaitait que les deux hommes se considèrent comme des alliés. Litvinenko se présenta avec des schémas qui, selon lui, mettaient en évidence certaines liaisons malhonnêtes au sein des départements du FSB ainsi que les voies qu'empruntaient les instructions illégales, mais aussi l'argent. Il fit également part à Poutine de l'ordre qui avait été donné de tuer Bérézovski ; Litvinenko comme l'homme d'affaires avaient la conviction que Poutine n'était pas au courant. L'information l'avait pourtant laissé indifférent, expliquerait plus tard Litvinenko à sa femme et à Bérézovski. L'entretien n'avait pas duré plus de dix minutes. Litvinenko était rentré chez lui découragé et inquiet pour l'avenir, mais, comme il arrive aux hommes de cette trempe, résolu à agir.

Il commença par organiser la conférence de presse sur les activités illégales du FSB. Outre la consigne d'éliminer Bérézovski, il affirma avoir reçu l'instruction de kidnapper et passer à tabac plusieurs hommes d'affaires importants. Poutine réagit par une déclaration diffusée à la télévision, dans laquelle il portait atteinte à la réputation de Litvinenko, l'accusant de ne pas verser sa pension alimentaire à sa première femme (sa seconde épouse nia les faits et assura qu'elle procédait elle-même au paiement tous les mois ; elle avait les reçus pour le prouver).

Trois mois plus tard, Litvinenko fut arrêté au motif qu'il avait usé de la force envers un suspect trois ans auparavant. L'affaire fut démontée, et en novembre 1999 un tribunal militaire l'acquitta. Il ne fut pas autorisé, toutefois, à quitter la salle d'audience : des officiers du FSB firent irruption et l'arrêtèrent pour de nouveaux chefs d'accusation. Cette deuxième affaire fut classée sans suite, mais une troisième prit aussitôt le relais. Un juge militaire le relâcha, cependant, en échange d'une caution personnelle et en attendant un nouveau procès. Mais lorsque Litvinenko apprit que celui-ci se tiendrait dans une petite ville éloignée de Moscou d'une centaine de kilomètres, où peu de journalistes et d'observateurs extérieurs s'aventureraient, il décida de fuir la Russie.

En septembre 2000, il annonça à Marina qu'il allait rendre visite à ses vieux parents dans une ville du sud du pays. Il l'appela près de un mois plus tard, lui enjoignant de partir en vacances. « J'ai dit : "Ce n'est pas vraiment le moment", m'expliquerait plus tard Marina. Tolia, notre fils, venait de commencer des cours de musique. Pourquoi prendre des vacances ? Il m'a répondu : "Mais tu as toujours voulu partir en vacances. Tu devrais en profiter maintenant." Et j'ai compris. Parfois, au ton de sa voix, je sentais que je ne devais pas réfléchir et qu'il fallait faire comme il disait. » Elle réserva un voyage de deux semaines en Espagne puis partit avec leur fils de six ans. À la fin du séjour, Litvinenko lui demanda de se rendre à l'aéroport de Malaga le soir même, à minuit. Arrivée sur place, terrifiée et désemparée, elle retrouva une connaissance qui les transporta, elle et son fils, jusqu'en Turquie à bord d'un jet privé qui appartenait sans doute à Bérézovski. Alexandre l'attendait à Antalya, une station balnéaire turque.

« C'était comme dans les films, se souviendrait Marina. On n'y croyait pas. » Si ce n'est que personne n'avait écrit le scénario. L'employé de Bérézovski qui avait accompagné Marina depuis Malaga avait dû repartir. Après deux jours passés à célébrer leurs retrouvailles dans un hôtel d'Antalya, Alexandre et sa femme commencèrent à comprendre qu'ils étaient des fugitifs n'ayant nulle part où aller. Bérézovski, qui leur avait promis son soutien financier, ne savait pas comment les aider d'un point de vue logistique, si bien qu'il appela son ami Alex Goldfarb à New York et lui demanda de se déplacer en Turquie pour résoudre la situation. Celui-ci accepta, même si son implication dans la fuite de Litvinenko allait lui coûter son emploi auprès de George Soros. Il conduisit l'ex-agent secret à l'ambassade américaine d'Ankara, où ce dernier fut interrogé avant d'être poliment renvoyé : il avait travaillé pour la police secrète, mais pas en tant qu'espion ; ses informations n'intéressaient pas les États-Unis. En se rendant à l'ambassade, Litvinenko avait néanmoins signalé sa présence aux agents russes, qui, il le savait, surveillaient les lieux. Paniqué, il sentait qu'il lui fallait trouver une solution de toute urgence.

Goldfarb finit par concevoir un plan ingénieux : ils se procureraient tous les quatre des billets d'avion avec une escale à Londres, où les Litvinenko se livreraient aux autorités. C'est ce qu'ils firent, et ils se retrouvèrent donc dans la capitale britannique, le loyer et les frais de scolarité de Tolia payés par Bérézovski.

Après quelques mois de désœuvrement, Litvinenko commença à écrire. Il s'associa à l'historien russo-américain Iouri Felchtinski, qu'il avait rencontré au moment où celui-ci avait brièvement travaillé au sein du groupe médiatique de Bérézovski, et ensemble ils rédigèrent un ouvrage sur la série d'explosions de 1999. Litvinenko se servait de son expérience professionnelle pour analyser les preuves qui avaient déjà été examinées à la télévision russe, attirant l'attention sur les nombreuses incohérences de la version officielle à propos de l'attentat déjoué de Riazan. Les deux hommes se penchaient également sur les témoignages révélés par des reporters de la *Novaïa gazéta*, un hebdomadaire russe spécialisé dans le journalisme d'investigation. Les journalistes avaient découvert deux conscrits qui, à l'automne 1999, s'étaient introduits dans un entrepôt de l'armée de l'air à Riazan à la recherche de sucre pour leur thé. Ils avaient bien trouvé ce qu'ils cherchaient : des dizaines de sacs de cinquante kilos portant l'étiquette « SUCRE ». Mais la matière qu'ils en avaient extraite avait donné à leur thé un goût si étrange qu'ils avaient rapporté l'incident, effraction et larcin inclus, à leur officier supérieur. Celui-ci, après avoir fait analyser la substance, avait appris qu'il s'agissait d'hexogène. Litvinenko et Felchtinski avaient aussi la preuve que l'entrepôt était utilisé par le FSB, lequel, selon eux, y avait stocké les explosifs[3].

Bientôt, d'autres indices apparurent[4]. Un député de l'opposition, Iouli Rybakov – l'un des deux hommes qui avaient refusé de se lever pour chanter l'hymne soviético-russe –, remit à Litvinenko la transcription de la séance de la Douma du 13 septembre. Son président avait interrompu les débats par ces mots : « Nous venons tout juste d'apprendre qu'un immeuble résidentiel a explosé cette nuit à Volgodonsk. » En réalité, l'immeuble ne sauterait que trois jours plus tard ; apparemment, l'informateur du FSB présent dans le bureau du président de la Douma – et que Litvinenko parviendrait plus tard à identifier – avait fait passer la mauvaise annonce, mais il avait eu connaissance de l'explosion prévue de Volgodonsk.

Un autre lanceur d'alerte, Mikhaïl Trépachkine, ancien agent du FSB présent aux côtés de Litvinenko lors de la conférence de presse de 1998, se joignit à l'investigation. Il réussit à retracer la piste qui reliait le FSB aux immeubles d'habitation de Moscou, identifiant un homme d'affaires dont le nom avait été utilisé pour louer un local dans les deux immeubles, mais aussi l'agent du FSB qui l'avait dupé, et même deux des hommes qui avaient été embauchés pour organiser les explosions. Trépachkine avait découvert aussi, et c'était plus choquant encore, que le portrait composite d'un suspect avait été échangé contre un autre. Deux hommes avaient été arrêtés, et Trépachkine, juriste de formation, avait l'intention de représenter deux survivants au procès à venir, se servant de cette tribune pour exposer ses preuves. Une semaine avant le début des audiences, cependant, il fut arrêté pour port illégal d'arme à feu ; il allait passer cinq ans en prison. Le procès se déroula à huis clos ; les suspects furent condamnés à des peines de réclusion à vie, mais on ne sut jamais qui ils étaient ni pourquoi ils avaient commis ces crimes.

Le soir du 23 octobre 2002, deux amies sont passées chez moi pour boire un verre ; avec mes deux enfants de trois ans et un an, je sortais assez peu. Mes amies, dont l'une était productrice de télévision, ont suggéré d'allumer le poste pour regarder un programme lancé récemment et que je n'avais encore jamais vu. Cela venait tout juste de commencer quand est survenu un flash d'information. Une prise d'otages était en cours dans un théâtre de Moscou. À cette époque, je dirigeais un petit site Internet indépendant consacré à l'analyse politique, polit.ru. Au cours des trois jours suivants, je ne dormirais pas plus de trois heures en tout : mes reporters se relayaient devant le théâtre, et je postais leurs nouvelles au fur et à mesure sur le site.

C'est un peu après 21 heures que le siège a débuté. La comédie musicale présentée ce jour-là comportait une scène dans laquelle un authentique avion de la Seconde Guerre mondiale apparaissait sur le plateau. Des hommes masqués et armés de mitrailleuses se sont alors déployés sur la scène ainsi que tout autour de la salle ; l'espace d'un instant, de nombreux spectateurs ont cru que cela faisait partie du spectacle. Il y avait environ huit cents personnes dans le public ce soir-là. À l'exception de quelques dizaines de jeunes enfants et de citoyens étrangers, que les preneurs d'otages ont rapidement libérés – ainsi que de certains acteurs, dont la plupart étaient également des enfants et qui ont réussi à s'échapper par la fenêtre d'une loge –, cette assemblée a passé cinquante-huit heures dans la salle, en proie à l'épuisement, à la déshydratation, à la terreur et, vers la fin, au désespoir. Malgré l'ordre reçu de remettre les téléphones mobiles aux terroristes, plusieurs personnes ont réussi à appeler à diverses reprises la principale radio d'information, si bien que, tout au long du siège, la ville, paralysée par la peur et l'angoisse, a pu entendre des voix s'exprimer depuis le théâtre.

Le troisième jour du siège, vers 7 heures, plusieurs porte-parole du gouvernement se sont présentés dans la salle de réunion d'un institut universitaire proche où les familles des otages avaient passé l'essentiel de ces trois jours. « Ils étaient très gais et tout excités, se rappellerait plus tard une des personnes présentes. Ils se sont dirigés vers le micro. L'assemblée s'est figée dans le silence. Et ils ont prononcé ces paroles si douces : "L'opération s'est déroulée sans anicroche." Tous les terroristes avaient été tués, et il n'y avait aucune victime parmi les otages. La nouvelle a provoqué des applaudissements et des cris de joie dans la salle. Tout le monde a remercié les autorités d'avoir pu sauver leurs proches[5]. » Mais cette déclaration triomphante n'était qu'un tissu de mensonges.

L'histoire du théâtre de Moscou est à la fois une opération des plus réussies dans son exécution et l'un des ratages les plus lamentables et les plus absurdes de l'histoire. Tout au long du siège, les terroristes, qui donnaient l'impression d'être désorganisés et désorientés, avaient mené des négociations avec l'ensemble des intervenants, libérant même progressivement certains otages. Une équipe hétéroclite composée de médecins, d'hommes politiques et de journalistes fut autorisée à entrer et sortir du bâtiment afin de négocier de meilleures conditions pour les otages. Le deuxième jour, leurs proches, souhaitant à tout prix une issue pacifique, organisèrent un rassemblement et mirent au point une pétition qui reçut plus de deux cent cinquante signatures :

> À notre estimé Président,
>
> Nous sommes les enfants, les parents et les amis des otages. Nous en appelons à votre raison et à votre pitié. Nous savons que l'édifice est miné et que l'usage de la force fera exploser le théâtre. Nous sommes sûrs qu'aucune concession ne serait trop grande pour sauver la vie de sept cents personnes. Nous vous implorons de ne pas permettre qu'elles meurent. Poursuivez les négociations ! Acceptez certaines de leurs conditions ! Si nos êtres chers disparaissent, nous ne

pourrons plus jamais croire que l'État est fort et son gouvernement réel. Ne faites pas de nous des orphelins[6] !

Quelques heures plus tard, l'un de nos journalistes appela pour dire qu'un hôpital tout proche du théâtre avait été évacué. J'en conclus que les militaires s'apprêtaient à prendre le bâtiment d'assaut et réservaient de la place pour de possibles victimes.

À 5 h 30 le samedi matin, troisième jour du siège, deux des otages appelèrent Écho de Moscou, la principale radio d'informations et de débat. « Je ne sais pas ce qui se passe, sanglotait l'une d'elles au téléphone. Il y a une odeur de gaz. Tout le monde est assis dans la salle. Nous vous demandons... s'il vous plaît... nous espérons seulement ne pas être un nouveau *Koursk*. » Incapable d'en dire plus, elle passa l'appareil à son amie, qui poursuivit : « On dirait qu'ils commencent à avoir recours à la force. S'il vous plaît, ne nous abandonnez pas s'il existe la plus petite chance, nous vous supplions. » Cela fend le cœur de constater qu'aucun des otages ni aucun de leurs proches à l'extérieur ne se fiait aux forces armées russes pour les sauver. La référence au *Koursk* est très explicite : ils doutaient que le gouvernement eût la moindre considération pour des vies humaines.

Le plan de sauvetage était parfait : les forces spéciales devaient emplir le théâtre de gaz par le biais des passages souterrains afin d'endormir toutes les personnes présentes et d'empêcher que les terroristes ne fassent sauter les explosifs (des femmes vêtues de noir et portant des gilets apparemment bourrés d'explosifs étaient postées tout autour de la salle). Les terroristes endormis pourraient alors être arrêtés, et les otages libérés par les troupes qui feraient irruption par ces mêmes passages souterrains ou par les portes d'entrée.

Mais rien ne se déroula comme prévu. Plusieurs minutes s'écoulèrent avant que les terroristes ne s'endorment. La raison pour laquelle ils ne déclenchèrent pas les explosifs demeura un mystère, ce qui fit penser qu'en réalité il n'y avait pas d'explosifs. Les otages, privés de sommeil et gravement déshydratés – en partie parce que les deux unités des forces spéciales en faction autour du théâtre n'avaient pas pu s'accorder pour laisser passer une livraison d'eau et de jus de fruits à laquelle les terroristes avaient consenti –, s'étaient endormis très vite, et une aide médicale était nécessaire pour les faire revenir à eux. Au lieu de recevoir des soins immédiats, ils furent transportés à l'extérieur du bâtiment et déposés sur les marches, la plupart d'entre eux sur le dos et non sur le côté, comme il aurait fallu. De nombreuses personnes sont ainsi mortes étouffées par leur propre vomi, sans jamais avoir repris connaissance, sur le perron même du théâtre. Puis les personnes décédées ainsi que celles qui étaient inconscientes furent chargées à bord de plusieurs bus où, de nouveau, elles furent placées en position assise ; un nombre encore plus élevé d'entre elles moururent étouffées durant le trajet lorsque leur tête se renversa en arrière. Au lieu d'être conduits à l'hôpital le plus proche, les otages furent transportés, en bus pour la plupart, dans des hôpitaux du centre de Moscou où les docteurs furent incapables de leur venir en aide, parce que les autorités militaires et policières refusaient d'indiquer quel genre de produit chimique avait été utilisé dans le théâtre. Plusieurs d'entre eux tombèrent dans le coma à l'hôpital et y moururent, certains une semaine après la fin du siège. En tout, cent vingt-neuf personnes périrent.

Le gouvernement cria victoire. Des photos des terroristes, exécutés sommairement par les troupes russes alors qu'ils dormaient, furent diffusées à maintes reprises à la télévision : des hommes et des femmes affalés dans les fauteuils du théâtre ou sur des tables, la tête trouée de balles. Quand je rédigeai un article sur le mépris de la vie humaine que le gouvernement avait affiché en se déclarant victorieux alors qu'on dénombrait cent vingt-neuf morts inutiles, je reçus moi-même plusieurs menaces de mort : le triomphe sur le terrorisme ne pouvait être mis en question. Plusieurs mois s'écoulèrent avant que des défenseurs des droits de l'homme n'osent signaler que la Russie avait violé une série de conventions internationales ainsi que ses propres lois en utilisant du gaz et en ayant recours à la force alors que les terroristes étaient encore disposés à négocier. Très peu de Russes surent que les terroristes, menés par un jeune homme de vingt-cinq ans qui n'était encore jamais sorti de Tchétchénie, avaient posé des conditions qui auraient été ridiculement faciles à satisfaire, assurant sans doute la libération de tous les otages. Ils souhaitaient que le président Poutine déclare publiquement vouloir mettre un terme à la guerre en Tchétchénie et prouve sa bonne foi en ordonnant le retrait des troupes dans un seul des districts de la république dissidente.

Ces revendications étaient simples, mais les terroristes demandaient là à Poutine d'agir contre sa nature. Le garçon qui ne mettait jamais fin à une bagarre – qui donnait l'impression de se calmer avant de s'emporter à nouveau et de revenir à l'attaque –, devenu le président qui avait promis de « les buter jusque dans les chiottes », préférait certainement sacrifier cent vingt-neuf de ses concitoyens plutôt que d'admettre publiquement qu'il désirait la paix. Il s'est donc tu.

Deux semaines seulement après le siège du théâtre, Poutine se trouvait à Bruxelles pour un sommet entre l'Union européenne et la Russie essentiellement consacré à la menace terroriste islamique au niveau international. Lors d'une conférence de presse, un reporter français du *Monde* posa une question sur le recours à l'artillerie lourde contre des civils en Tchétchénie. Poutine, l'air très calme et un léger sourire au coin des lèvres, lui répondit : « Si vous êtes prêt à devenir un adepte radical de l'islam et à vous faire circoncire, je vous invite à venir à Moscou. Nous sommes un pays aux confessions multiples. Nous avons des spécialistes dans ce domaine. Je veillerai à ce que l'opération soit menée de telle façon que plus rien ne pousse à cet endroit. » L'interprète n'osa pas traduire l'intégralité de la réponse, et celle-ci ne figura même pas dans l'édition du *New York Times* du lendemain – le journal traduisit sagement la dernière phrase par : « Vous êtes le bienvenu ; à Moscou, on tolère tout et tout le monde[7]. » Mais la vidéo de Poutine se déchaînant contre le journaliste circulait toujours sur RuTube neuf ans après qu'il avait proféré ces menaces, montrant son incapacité, dût-il simuler, à envisager une résolution pacifique du conflit en Tchétchénie[8].

Alexandre Litvinenko vivait maintenant dans une de ces maisons mitoyennes du nord de Londres, dans la même rue qu'Akhmed Zakaïev, un ancien acteur originaire de Grozny et qui, à la fin des années 1990, était devenu le visage intelligent et charmant d'une Tchétchénie indépendante. Il avait été l'un des principaux membres du gouvernement tchétchène mis en place après le cessez-le-feu et le représentant de la Tchétchénie en Occident. En 2000, blessé, il partit à l'étranger pour être soigné, avant de finalement demander l'asile politique en Grande-Bretagne. À Londres, il vivait désormais des revenus que lui versait son ancien partenaire de négociations, Boris Bérézovski, tout comme Litvinenko, qui avait passé presque toute la seconde moitié des années 1990 en Tchétchénie, du côté des troupes russes. Les camarades encore en vie de Zakaïev le considéraient comme leur Premier ministre en exil.

Ensemble, Litvinenko et Zakaïev se plongèrent dans les documents et les enregistrements vidéo du siège du théâtre et firent une découverte surprenante : l'un des terroristes n'avait pas été tué. Il semblait même avoir quitté les lieux peu de temps avant que les troupes russes ne donnent l'assaut. Ils identifièrent l'homme comme étant Khanpach Terkibaïev, un ancien journaliste qui, selon eux, travaillait depuis longtemps pour la police secrète russe[9]. Le 31 mars 2003, Zakaïev rencontra Terkibaïev à Strasbourg, où tous deux s'étaient rendus pour assister à une réunion de l'Assemblée parlementaire du Conseil de l'Europe en tant que représentants du peuple tchétchène – Terkibaïev avec l'assentiment de Moscou, à la différence de Zakaïev. Début avril, Litvinenko chercha à joindre Sergueï Iouchenkov – le colonel libéral avec qui Marina Salié avait milité avant de fuir Moscou –, lequel venait d'entreprendre une enquête parlementaire sur le siège du théâtre, et il lui transmit tous les renseignements en sa possession sur Terkibaïev[10]. C'est deux semaines plus tard que Iouchenkov fut abattu à Moscou en plein jour. Litvinenko était convaincu que sa mort était directement liée à cette investigation.

Mais Iouchenkov avait déjà confié le dossier de Litvinenko à quelqu'un d'autre. Anna Politkovskaïa était une journaliste d'environ quarante-cinq ans qui avait passé l'essentiel de sa vie professionnelle dans un relatif anonymat à écrire des articles extrêmement documentés et assez déroutants sur toutes sortes de maux sociaux. Au cours de la deuxième guerre en Tchétchénie, elle se révéla être un intrépide reporter, passant des semaines entières sur place, faisant fi des restrictions militaires russes, enquêtant sur les allégations de mauvais traitements et de crimes de guerre. En deux ans à peine, elle était devenue la Russe la plus estimée des Tchétchènes. Avec ses cheveux gris et ses petites lunettes, cette mère de deux grands enfants avait l'air de tout sauf d'une fouineuse ou d'une correspondante de guerre, ce qui la sauva probablement en plus d'une occasion. Au cours du siège du théâtre, on lui permit d'entrer pour négocier avec les terroristes, et elle semble avoir contribué à faire accepter à ceux-ci une distribution d'eau et de jus de fruits.

Anna Politkovskaïa retrouva la piste de Terkibaïev, qu'elle avait vu lors de ses pourparlers dans le théâtre, et elle l'interviewa. Il se révéla presque risiblement prétentieux : elle n'eut aucune difficulté à l'amener à se vanter d'avoir été présent durant le siège. Il affirma que c'était lui qui avait conduit les terroristes sur les lieux après les avoir fait voyager à bord de plusieurs camionnettes remplies d'armes, assurant leur passage aux différents postes de contrôle en Tchétchénie, puis aux avant-postes policiers à l'approche de Moscou. Il dit également avoir été en possession d'un plan détaillé du théâtre, contrairement aux terroristes et aux troupes fédérales. Pour qui travaillait-il ? Pour Moscou, répondit-il[11].

Politkovskaïa tira ses conclusions avec prudence. Terkibaïev mentait beaucoup, c'était évident. Elle s'appuya sur les faits : il avait compté parmi les preneurs d'otages ; il était toujours en vie ; et il allait et venait en toute liberté, y compris en tant que membre de délégations officielles à l'étranger. Il devait donc bel et bien travailler pour l'un des services secrets, comme il le prétendait. Terkibaïev donna un autre renseignement important à la journaliste : si les terroristes n'avaient pas déclenché les explosifs, même lorsqu'ils avaient senti le gaz envahir la salle – une indication claire de l'imminence de l'assaut –, c'est parce qu'il *n'y avait pas* d'explosifs. Les femmes postées à l'extrémité des rangées de sièges, qui gardaient un œil sur les otages et un doigt sur le bouton, portaient de faux gilets de dynamite. Si ce point était vrai – et tout portait à croire qu'il l'était –, alors toutes les personnes qui avaient péri durant le siège étaient mortes inutilement. Et, étant donné que Khanpach Terkibaïev avait quitté le bâtiment avant que les forces spéciales ne fassent irruption, le Kremlin devait être au courant.

Le 3 juillet 2003, un deuxième membre du comité indépendant qui enquêtait sur les explosions de 1999, Iouri Chtchékotchikhine, décéda. Cet homme politique libéral réputé pour son franc-parler, par ailleurs journaliste considéré comme un fouineur – c'était le rédacteur en chef adjoint de la *Novaïa gazéta* et, en tant que responsable de l'équipe d'investigation, le supérieur immédiat d'Anna Politkovskaïa –, avait été hospitalisé deux semaines auparavant avec d'étranges symptômes : il se plaignait d'une sensation de brûlure sur tout le corps et de vomissements. Moins de une semaine plus tard, il était dans le coma ; sa peau s'était entièrement détachée, et il n'avait plus de cheveux. Il mourut à la suite de la défaillance de plusieurs organes causée par une toxine inconnue[12]. Les docteurs qui le soignaient dans l'hôpital le mieux équipé de Moscou avaient diagnostiqué un « syndrome allergique » mais avaient été incapables de ralentir son déclin ou de réduire de façon sensible sa souffrance.

Chtchékotchikhine avait travaillé sur de si nombreuses enquêtes que ses amis et collègues, convaincus pour la plupart qu'il avait été assassiné, ne savaient dire laquelle de ses missions suicide avait pu conduire à sa mort. Zakaïev, lui, était certain qu'on avait voulu l'empêcher de publier l'information qu'il détenait sur le siège du théâtre, à savoir la preuve que certaines des femmes terroristes étaient des repris de justice qui, officiellement, étaient encore en train de purger leur peine dans des prisons russes au moment du siège. En d'autres mots, leur libération avait sans doute été obtenue par quelqu'un qui détenait des pouvoirs extralégaux, ce qui, là encore, semblait indiquer l'implication de la police secrète dans l'organisation de cet acte criminel[13].

Le 1er septembre 2004, à l'annonce de la prise d'otages dans l'école de Beslan, Anna Politkovskaïa se précipita naturellement à l'aéroport pour se rendre en Ossétie du Nord, tout comme de nombreux autres journalistes, parmi lesquels figurait l'autre reporter célèbre en Tchétchénie, Andreï Babitski – l'homme qui avait été kidnappé par les troupes russes juste après l'accession au pouvoir de Poutine. Babitski fut arrêté à l'aéroport de Moscou, prétendument parce qu'il était soupçonné de transporter des explosifs ; rien n'ayant été découvert, il fut libéré, mais il ne parvint jamais à Beslan. Politkovskaïa, quant à elle, se fit enregistrer sur trois vols consécutifs qui tous furent annulés avant l'embarquement, et finit par obtenir une place dans un avion à destination de Rostov, la plus grande ville du sud de la Russie, à environ quatre cents kilomètres de Beslan ; elle prévoyait de faire le reste du trajet en louant une voiture. Son intention était d'agir non seulement en tant que reporter, mais aussi, dans la mesure du possible, en tant que négociatrice, comme elle l'avait fait deux ans auparavant lors du siège du théâtre[14]. Avant de quitter Moscou, elle s'était longuement entretenue avec Zakaïev par téléphone, l'exhortant à mobiliser les responsables tchétchènes afin qu'ils contactent les terroristes et négocient la libération des enfants. Elle avait suggéré que les chefs des rebelles sortent de la clandestinité pour cette mission, sans poser aucune condition eux-mêmes. Zakaïev avait approuvé.

Très prudente – elle était désormais la cible de menaces de mort constantes, et elle avait vu son chef, Iouri Chtchékotchikhine, mourir empoisonné –, Politkovskaïa avait apporté sa propre nourriture à bord de l'avion, et elle se contenta de commander une tasse de thé. Dix minutes plus tard, elle perdit connaissance. Le temps que l'avion atterrisse, elle était dans le coma. Le fait qu'elle ait pu en sortir tint du miracle, selon les docteurs de l'hôpital de Rostov. Leurs collègues de Moscou, où elle fut transportée deux jours plus tard, conclurent qu'elle avait été empoisonnée par une toxine indéterminée qui avait gravement atteint ses reins, son foie et son système endocrinien.

Politkovskaïa, qui mit plusieurs mois à se rétablir sans jamais recouvrer la pleine santé, fut purement et simplement empêchée de couvrir la tragédie de Beslan et d'enquêter sur le sujet. D'autres personnes relevèrent le défi, néanmoins. Parmi ces enquêteurs se trouvait Marina Litvinovitch, l'ancienne créatrice d'image de Poutine. Elle avait quitté son poste de consultante politique au Kremlin à la suite de la prise d'otages du théâtre, non pas tant parce qu'elle contestait la gestion des événements par le FSB que parce qu'elle avait été écartée de la cellule de crise. Elle se rapprocha de la politique d'opposition, alors même que l'opposition cessait d'exister dans les faits, partit travailler pour l'oligarque Mikhaïl Khodorkovski, qui ne tarda pas à être arrêté, puis finit par se rendre à Beslan, où elle espérait mettre à profit ses compétences et son vaste réseau de relations.

« J'avais peur d'y aller, m'a-t-elle raconté. Je n'avais jamais été dans le Caucase. » Elle était trop gênée pour me décrire exactement ce à quoi elle s'attendait, mais il ne fallait voir là que le produit de dix années de propagande de guerre, qu'elle avait elle-même, du reste, contribué à élaborer. La dernière chose qu'elle pensait trouver si près de la Tchétchénie, c'était des personnes comme elle. « Nous sommes allés de famille en famille, de foyer en foyer, visiter les gens qui avaient perdu des enfants, et partout on nous versait un petit verre de vodka en commémoration. Et tout le monde pleurait, et moi aussi je pleurais, j'ai pleuré comme une fontaine à Beslan. Ils me racontaient leur histoire, et ils pleuraient, et ils demandaient de l'aide. À ce moment-là, tout le monde en Russie semblait avoir oublié Beslan, si bien que la moindre personne qui venait les voir était très sollicitée. Ils ignoraient quel genre d'aide ils cherchaient, et au début je l'ignorais aussi. Je leur disais des choses banales, je leur conseillais de s'organiser. C'était une drôle de chose à dire à des femmes qui avaient passé leur vie à créer un foyer – ou qui éventuellement, si elles avaient un emploi en dehors de la maison, travaillaient dans un magasin familial. Mais petit à petit j'ai commencé à passer du temps là-bas et à approfondir certains sujets. On a créé une organisation. Et puis on a commencé à réunir des récits de témoins directs. Et là, le procès a commencé. »

Comme dans le théâtre de Moscou, la plupart des preneurs d'otages avaient été exécutés sommairement par les troupes russes. Selon les autorités, il restait un seul survivant, et lui au moins fut traduit en justice. Lors des audiences, qui ont duré deux ans, le témoignage de l'homme inculpé et, plus important encore, les récits des témoins oculaires ont brossé un nouveau portrait accablant du gouvernement russe, dénonçant sa gestion de la crise et sa possible implication dans la prise d'otages. Le procès, qui se déroulait dans la minuscule ville de Beslan en présence des seuls habitants, accablés de chagrin, serait passé totalement inaperçu si Litvinovitch n'avait pris soin de faire une chose toute simple : elle s'est assurée que chaque session soit enregistrée sur cassette audio, et la transcription a été postée sur un site Internet qu'elle a intitulé « La vérité sur Beslan ».

À l'aide des témoignages entendus au tribunal, Litvinovitch est parvenue à reconstruire ce qui s'était passé dans l'école heure par heure et, le dernier jour, pratiquement minute par minute. Elle a découvert que deux équipes de sauvetage distinctes avaient opéré sans se concerter : un groupe local dirigé par le gouverneur – ou, selon son titre officiel, le président – de l'Ossétie du Nord, Alexandre Dzassokhov, et un autre dirigé depuis Moscou par le FSB. Au cours des toutes premières heures du siège, les preneurs d'otages avaient transmis un message qui contenait leur numéro de téléphone portable et posait certaines conditions : ils désignaient cinq personnes, dont Dzassokhov, pour venir négocier avec eux. Le gouverneur essaya d'entrer dans l'école, mais il en fut empêché par les troupes placées sous le commandement du FSB. Il s'arrangea, néanmoins, pour que l'ancien président de l'Ingouchie voisine, Rouslan Aouchev, le remplace. Aouchev parvint à libérer vingt-six otages – exclusivement des femmes avec des bébés. Il rapporta également une liste de revendications adressée à Vladimir Poutine : l'indépendance pour la Tchétchénie, le retrait des troupes russes et la fin de l'action militaire. Le deuxième jour du siège, Dzassokhov entra en contact avec Zakaïev à Londres, et ce dernier réussit à convaincre le président de la république tchétchène autoproclamée, Aslan Maskhadov, de se rendre à Beslan pour négocier avec les terroristes – un accord que Politkovskaïa avait déjà tenté de conclure mais que Dzassokhov a dû passer à nouveau.

Tout indiquait que les terroristes étaient prêts à négocier. Dans la plupart des pays, l'épreuve de force se serait prolongée tant que la moindre chance de sauver ne serait-ce qu'un seul des otages aurait subsisté. Mais, comme pour l'épisode de Moscou, le Kremlin n'a pas attendu que les possibilités de négociations soient épuisées ; de fait, le début de l'action militaire semble avoir été programmé précisément pour empêcher la tenue d'une réunion entre les terroristes et Maskhadov qui avait de fortes chances de ménager une solution pacifique.

À 13 heures le 3 septembre, quelques minutes à peine après que des employés du ministère des Situations d'urgence furent venus enlever les corps de plusieurs hommes tués par les terroristes au tout début du siège – une intervention qui avait été négociée par Aouchev –, deux explosions secouèrent le bâtiment. Cela faisait alors plus de deux jours que la plupart des otages étaient entassés dans le gymnase de l'école. Ils étaient déshydratés – nombre d'entre eux avaient commencé à boire leur propre urine – et terrifiés. Ils savaient que le gymnase était miné – les explosifs avaient été assemblés à la vue de tous – et deux des terroristes montaient la garde avec un pied sur le détonateur.

Mais les deux explosions, espacées de quelques secondes, venaient de l'extérieur. Litvinovitch a pu déterminer que toutes deux avaient été causées par les troupes russes, qui déchargeaient des lance-grenades directement sur le gymnase surpeuplé. « On aurait dit qu'un engin volant était entré, une boule de feu géante », rapporta une ancienne otage, une mère accompagnée de son enfant, comme la plupart des adultes présents dans le gymnase. « J'ai regardé, poursuivit une autre, et j'ai vu que, à l'endroit où se trouvait la porte donnant sur la cour de l'école, il y avait un trou énorme dans le plafond, et ça brûlait à toute vitesse. »

« Quand j'ai repris connaissance, il y avait plusieurs corps sur moi », raconta une ancienne otage. « Tout brûlait, dit une autre. J'étais étendue sur des cadavres. Plusieurs étaient assis sur les bancs aussi. » Une troisième témoigna : « Je me suis tournée et j'ai vu que ma petite fille avait la tête et un bras arrachés, et un de ses pieds avait été complètement broyé. »

Les otages avaient déjà passé deux jours en enfer, et maintenant cet enfer sombrait dans le chaos. Les terroristes avaient l'air paniqués ; à présent, ils faisaient tout pour sauver leurs otages. Ils conduisirent ceux qui pouvaient se déplacer jusqu'à la cafétéria de l'école, qui était plus éloignée des flammes. Ils pressèrent ceux qui restaient dans le gymnase de se montrer aux fenêtres pour signifier aux troupes russes que la pièce était remplie d'otages et qu'elles étaient en train de tirer sur des femmes et des enfants. Les forces russes continuèrent à utiliser des tanks, des lance-grenades et des lance-flammes, visant d'abord le gymnase, puis également la cafétéria, à bout portant. Les terroristes cherchèrent à plusieurs reprises à transférer les femmes et les enfants dans des pièces qui étaient protégées du feu. Dehors, la police locale tenta sans succès de convaincre les troupes russes de cesser de tirer. En tout, trois cent douze personnes furent tuées, parmi lesquelles dix officiers qui ne faisaient pas partie du FSB et qui ont péri dans les flammes en essayant de sauver les otages[15].

Pour le deuxième anniversaire de la tragédie de Beslan, en septembre 2006, Litvinovitch mit au point une brochure qui présentait le résultat de ses recherches. Politkovskaïa, rendue presque invalide, écrivit peu sur Beslan, mais sa contribution fut saisissante : elle s'était procuré un document officiel qui indiquait qu'un homme arrêté quatre heures avant la prise d'otages avait averti la police de l'action à venir. Aucun compte n'avait été tenu de cet avertissement ; en ce Jour de la connaissance, la sécurité de l'école n'avait même pas été renforcée[16].

Comment fallait-il interpréter tout cela ? Certains étaient convaincus que Beslan avait été programmé et exécuté par la police secrète du début à la fin, comme l'avaient été les explosions d'immeubles résidentiels. Le fait que Poutine ait pris l'initiative d'annuler les élections des gouverneurs à peine dix jours après la tragédie et qu'il ait présenté cette mesure comme une réponse au terrorisme ajoute foi à cette théorie. Zakaïev, par exemple, était certain que le FSB avait envoyé un groupe de Tchétchènes déloyaux pour s'emparer du bureau du gouverneur local – afin de fournir à Poutine une excuse pour instaurer le contrôle fédéral direct sur les administrations régionales –, mais que quelque chose avait mal tourné, si bien que les terroristes s'étaient rabattus sur l'école.

D'après moi, la réalité est plus sale que cela. Que les explosions de 1999 aient été l'œuvre de la police secrète, cela ne fait pratiquement plus de doute, malgré l'impossibilité d'examiner toutes les preuves, disponibles ou non. Le siège du théâtre et Beslan m'ont tout l'air d'être, plutôt que des opérations bien préparées, la conséquence d'une série de mauvaises manœuvres, d'alliances contre nature et de projets sabotés. Il est avéré qu'un certain nombre d'officiers du FSB ont entretenu des relations de longue durée avec des terroristes ou des terroristes potentiels de Tchétchénie. Dans plusieurs cas, ces relations ont impliqué l'échange de services contre de l'argent. Il est évident que des individus, sans doute issus des rangs de la police, mais peut-être aussi de la police secrète, devaient aider les terroristes à se déplacer en Russie. Enfin, tout semble indiquer que le gouvernement de Poutine ne s'est efforcé ni de prévenir les attaques terroristes ni de résoudre pacifiquement les crises lorsqu'elles se sont produites ; de plus, le président fondait obstinément sa réputation sur sa détermination à « buter » les terroristes quelles que soient les circonstances, et sur l'attitude impitoyable dont ceux-ci étaient censés faire montre.

Est-ce que tout cela a conduit à une série de plans soigneusement conçus pour renforcer la position de Poutine dans un pays qui réagissait surtout à la politique de la peur ? Pas nécessairement, ou pas exactement. Au début, selon moi, les organisateurs des prises d'otages du théâtre et de l'école ainsi que leurs complices avaient des motivations distinctes : certains des rebelles tchétchènes souhaitaient faire comprendre aux Russes par la terreur le cauchemar de leur guerre ; certains de ceux qui les aidèrent, du côté russe, à exécuter les attaques étaient, selon toute vraisemblance, poussés par le profit ; d'autres, dans les deux camps, cherchaient à régler des comptes personnels ; d'autres encore devaient en effet être impliqués dans une grande machination politique qui pouvait ou non remonter jusqu'au sommet de l'État. Une chose est certaine : une fois que les prises d'otages ont commencé, les forces spéciales du gouvernement agissant sous la supervision directe de Poutine ont tout fait pour que les crises se terminent de la façon la plus effroyable possible – afin de justifier la poursuite de la guerre en Tchétchénie ainsi que les mesures répressives à l'encontre des médias et de l'opposition en Russie, et aussi afin d'étouffer d'éventuelles critiques de la part de l'Occident, lequel, après le 11-Septembre, était bien obligé de voir en Poutine un allié dans la lutte contre le terrorisme islamique. Il y a une raison très simple pour laquelle les troupes russes, tant à Moscou qu'à Beslan, ont choisi une stratégie conduisant directement au carnage : leur but était de porter à leur maximum la peur et l'horreur. C'est le *modus operandi* des terroristes, et en ce sens on peut affirmer que Poutine et les terroristes agissaient de concert.

Le 20 mars 2006, Marina Litvinovitch quitta son bureau un peu après 21 heures. Elle travaillait désormais pour Garry Kasparov, le champion d'échecs entré en politique. Leur présence dans le centre de Moscou restait discrète ; aucun nom ne figurait sur la porte, derrière laquelle veillaient deux des huit gardes du corps permanents de Kasparov. Le soir, lui-même et ses gardes quittaient les lieux à bord de son 4 × 4 de luxe cependant que le reste de la petite équipe partait chacun de son côté, en voiture, à pied ou en métro. En général, Litvinovitch, qui habitait tout près, marchait.

Une heure environ après avoir quitté le travail, elle ouvrit les yeux et constata qu'elle était étendue de tout son long sur la trappe d'un sous-sol tandis qu'un passant essayait de s'assurer qu'elle allait bien, ce qui n'était pas le cas : elle avait apparemment perdu connaissance à la suite de un ou plusieurs coups à la tête. Elle avait été violemment frappée, était couverte de bleus et avait perdu deux dents de devant. Son sac était posé à côté d'elle ; son ordinateur et son téléphone portables ainsi que son porte-monnaie n'avaient pas bougé.

Elle passa trois ou quatre heures aux urgences cette nuit-là, puis de nouveau trois ou quatre heures au poste de police le lendemain. Les policiers affichaient une sollicitude inhabituelle, mais ils soutenaient qu'elle n'avait pas été frappée. La jeune femme de trente et un ans ne s'était-elle pas tout simplement évanouie dans la rue ? Elle avait pu tomber d'une drôle de façon et ainsi se blesser. Elle objecta qu'elle avait sur la jambe un énorme bleu qui, selon les médecins, avait dû être causé par une matraque. Avait-elle été renversée par une voiture, alors ? Litvinovitch précisa que cela ne pouvait avoir été le cas : ses vêtements étaient si propres qu'elle avait pu remettre le même pantalon et le même manteau le lendemain. En outre, elle voyait là le signe qu'elle avait été attaquée par des professionnels : on avait dû la soutenir pendant qu'on la frappait, avant de l'allonger avec précaution sur la trappe où elle était revenue à elle.

En d'autres termes, cette agression était un message. Son exécution parfaite tout comme le fait que les objets de valeur de Litvinovitch n'avaient pas été touchés le soulignaient. Un de ses anciens collègues, un autre jeune consultant en politique qui avait fait une brillante carrière au sein du gouvernement de Poutine, traduisit le message sur son blog : « Les femmes ne devraient pas travailler dans ce type d'activité [...]. Marina est entrée en guerre, mais personne n'a jamais dit que cette guerre serait menée selon des règles[17]. » Autrement dit, voilà ce qui pouvait arriver aux gens qui se battaient contre le Kremlin.

Le samedi 7 octobre 2006, Anna Politkovskaïa, qui regagnait son immeuble du centre de Moscou, fut abattue dans l'ascenseur.

Qui pouvait l'avoir tuée ? N'importe qui. Le reporter savait être extrêmement désagréable : en elle coexistaient une personnalité d'une extraordinaire empathie et une tendance à se répandre en invectives à la moindre provocation. C'était un trait de caractère dangereux pour une journaliste dont les sources incluaient un grand nombre d'hommes armés habitués à côtoyer tous les jours la violence mais certainement pas des femmes au parler franc et insolent. Elle pouvait se montrer mauvaise envers ses informateurs, comme ç'avait été le cas avec Khanpach Terkibaïev, qu'elle avait fait paraître prétentieux et idiot lorsqu'il avait cherché sincèrement à l'impressionner. Elle prenait souvent parti – une attitude risquée en pleine guerre de clans. Mais, surtout, c'était une contestataire du régime de Poutine. Alexandre Litvinenko était persuadé que c'était la raison de sa mort. « Anna Politkovskaïa a été tuée par Poutine » : tel est le titre de la nécrologie qu'il mit en ligne ce jour-là. « Nous étions parfois en désaccord et nous nous disputions, écrivit-il à propos de sa relation avec Politkovskaïa. Mais nous nous rejoignions parfaitement sur un point : pour nous, Poutine était un criminel de guerre, il était coupable du génocide du peuple tchétchène et il devait être jugé par un tribunal ouvert et indépendant. Anya savait que Poutine était capable de la tuer pour ses opinions, et elle le méprisait pour ça[18]. »

Le jour de la mort de Politkovskaïa, Poutine eut cinquante-quatre ans. Les journalistes virent aussitôt dans ce crime un cadeau d'anniversaire. Lui-même ne fit aucun commentaire sur le décès de la journaliste. Le lendemain, il envoya ses vœux à une patineuse artistique et à un acteur populaire qui fêtaient respectivement leurs soixante et soixante-dix ans, évitant toujours de se prononcer sur un meurtre qui avait secoué la capitale et le pays. Trois jours plus tard, il se trouvait à Dresde, en Allemagne, la ville où il avait autrefois vécu, pour une rencontre avec la chancelière Angela Merkel. Lorsqu'il sortit de sa voiture, il tomba sur un défilé d'une trentaine de personnes qui brandissaient des pancartes où on lisait « TUEUR » et « LES TUEURS NE SONT PLUS BIENVENUS ICI »[19]. Lors de la conférence de presse qui suivit son entretien avec Merkel, les journalistes – et, semble-t-il, la chancelière elle-même – l'obligèrent à faire une déclaration publique sur la mort de Politkovskaïa. Une fois de plus, il apparut que Poutine, lorsqu'il était pressé de s'exprimer en public sur un sujet comportant une certaine charge affective, ne pouvait se tenir. Il semblait bouillir intérieurement.

« Cette journaliste était en effet une sévère détractrice du gouvernement russe actuel, répondit-il. Mais les journalistes savent, je crois – les experts en tout cas en sont parfaitement conscients –, que son influence politique dans le pays était extrêmement insignifiante. Elle était connue dans les cercles des médias, parmi les défenseurs des droits de l'homme et en Occident, mais son influence sur la politique en Russie était dérisoire. Le meurtre d'une telle personne – le meurtre de sang-froid d'une femme, d'une mère – est en soi une attaque contre notre pays. Ce meurtre cause beaucoup plus de tort à la Russie et à son gouvernement, de même qu'au gouvernement en Tchétchénie, que n'importe lequel de ses articles[20]. »

Et il avait raison : Anna Politkovskaïa était plus connue dans les pays d'Europe occidentale, comme la France et l'Allemagne, où ses livres faisaient l'objet d'une ample promotion, qu'elle ne l'était en Russie, où elle avait depuis longtemps été mise à l'index par la télévision (elle avait été autrefois une intervenante régulière dans les débats télévisés, appréciée pour la clarté de son discours), où le journal pour lequel elle travaillait était perçu comme une publication marginale et où, plus important encore, ses enquêtes, qui auraient été de vraies bombes si la Russie était demeurée une démocratie plus ou moins digne de ce nom, passaient complètement inaperçues. Le gouvernement n'avait jamais réagi à son interview de Khanpach Terkibaïev, pas plus qu'à son rapport qui indiquait que la police n'avait pas tenu compte des avertissements pour Beslan. Aucun agent de police, pas même parmi les moins gradés, n'avait perdu son poste ; absolument rien ne s'était passé ; c'était comme si rien n'avait été dit ou comme si personne n'avait entendu. Et son meurtre causait certainement plus de tort à Poutine, placé dans la position de devoir prouver son innocence, qu'elle-même ne leur en avait causé, à lui et à son gouvernement, de son vivant.

C'était une déclaration tellement maladroite, si représentative par ailleurs de son opinion sur les journalistes, que je suis tentée de croire qu'il était sincère.

Le 1er novembre 2006, trois semaines précisément après le meurtre d'Anna Politkovskaïa, à Londres, Alexandre Litvinenko se sentit mal. Redoutant un empoisonnement, il absorba aussitôt quatre litres d'eau pour essayer d'évacuer l'éventuelle substance de son organisme. En vain : quelques heures plus tard, il était pris de vomissements violents accompagnés de douleurs insupportables. Il avait l'impression que sa gorge, son œsophage et son estomac avaient été brûlés ; il lui était impossible de manger ou de boire, et quand il vomissait il était au supplice. Au bout de trois jours sans aucune amélioration, il fut hospitalisé.

Litvinenko informa immédiatement les médecins qu'il pensait avoir été empoisonné par des agents du gouvernement russe. Comme ils réagirent en lui prescrivant une consultation psychiatrique, il décida de garder ses théories pour lui. Les docteurs expliquèrent à sa femme, Marina, qu'ils recherchaient une bactérie peu commune qui, selon eux, était à l'origine des graves symptômes qu'il présentait. Au début, elle les crut et attendit patiemment que son mari se rétablisse. Mais au bout de dix jours de cette épreuve elle remarqua que son état commençait nettement à empirer. Elle constata aussi que sa chemise était couverte de cheveux. Elle me raconterait plus tard : « Je lui caressais la tête. Je portais des gants en caoutchouc, et ses cheveux restaient collés au gant. Je lui ai dit : "Mais qu'est-ce qui se passe, Sacha ? — Je ne sais pas, m'a-t-il répondu. On dirait que je perds tous mes cheveux." Et là je me suis levée d'un bond et j'ai commencé à hurler : "Vous n'avez pas honte ?" J'avais essayé d'être patiente jusqu'à présent, mais là je me suis aperçue que je n'en pouvais plus. Le médecin de service est arrivé aussitôt, et je lui ai dit : "Vous vous rendez compte de ce qui se passe ? Vous pouvez m'expliquer ?" Alors ils ont appelé quelqu'un du service d'oncologie et un autre spécialiste, qui ont commencé à l'examiner. L'oncologue a dit : "Je vais le transférer dans mon service parce qu'il ressemble à quelqu'un qui aurait reçu des séances de radiothérapie." Ils l'ont donc changé d'étage, mais ils n'ont toujours rien trouvé. »

Une semaine s'écoula encore avant que les médecins, les journalistes britanniques et la police londonienne n'en viennent à penser que Litvinenko avait effectivement été empoisonné. Des traces de thallium, un métal lourd contenu traditionnellement dans la mort aux rats mais interdit depuis longtemps dans les pays occidentaux, avaient été décelées dans ses urines. La découverte lui redonna espoir, ainsi qu'à sa femme et à ses amis : il allait pouvoir recevoir un antidote et commencer à se remettre. « Je pensais qu'il serait peut-être handicapé, je m'étais préparée à ça, me confierait Marina. Mais je n'imaginais pas qu'il allait mourir. Je pensais aux traitements qui allaient être nécessaires. » La découverte offrit également aux médias britanniques un prétexte pour relater l'histoire de l'« espion russe », comme ils s'obstinaient à l'appeler, en train de mourir dans un hôpital londonien, et à Scotland Yard un motif pour commencer à l'interroger. L'ancien lanceur d'alerte, très affaibli, incapable de déglutir – pendant toute la durée de son hospitalisation, il fut alimenté par perfusion – et parlant avec d'énormes difficultés, subit près de vingt heures de témoignage dans les tout derniers jours de sa vie. Néanmoins, le diagnostic éveilla des doutes chez un toxicologue de renom que Goldfarb avait fait appeler : les symptômes de Litvinenko ne s'apparentaient pas vraiment à ceux produits par un empoisonnement au thallium.

Un jour ou deux avant de tomber dans le coma, Litvinenko dicta une déclaration dont il demanda qu'elle soit rendue publique dans l'éventualité de sa mort. Ce fut Alex Goldfarb qui la prit en note. Elle commençait par trois paragraphes exprimant sa gratitude envers les médecins, la Grande-Bretagne et Marina, et se poursuivait ainsi :

> Allongé là, j'entends distinctement battre les ailes de l'ange de la mort. Peut-être pourrai-je lui échapper, mais je dois dire que mes jambes ne courent pas aussi vite que je l'aimerais. Je pense donc qu'il est temps d'adresser quelques mots à l'homme responsable de mon état actuel.
>
> Vous pourrez réussir à me faire taire, mais ce silence aura un prix. Vous vous êtes montré aussi barbare et impitoyable que le prétendent vos détracteurs les plus hostiles.
>
> Vous avez prouvé que vous n'aviez aucun respect pour la vie, la liberté et les autres valeurs de la civilisation.

Vous vous êtes montré indigne de vos fonctions, de la confiance des femmes et des hommes civilisés.

Vous pourrez réussir à faire taire un homme, mais les cris de protestation du monde entier retentiront à vos oreilles jusqu'à la fin de vos jours, monsieur Poutine. Que Dieu vous pardonne ce que vous avez fait, à moi mais aussi à ma Russie bien-aimée et à son peuple.

Quelques heures avant qu'il ne meure, les médecins finirent par identifier la cause de l'empoisonnement de Litvinenko : c'était du polonium, une substance hautement radioactive qui existe en quantités infimes dans la nature mais qui peut être fabriquée. Sa famille et ses proches furent informés de cette découverte par la police peu de temps après son décès.

Cinq ans après avoir rencontré Litvinenko et l'avoir aidé à s'enfuir, Alex Goldfarb entreprit d'écrire un livre sur son ami, assisté par sa veuve Marina. Moins de un an plus tard, l'ouvrage parut dans plusieurs langues ; son titre français était *Meurtre d'un dissident. L'empoisonnement d'Alexandre Litvinenko et le retour du KGB*. Goldfarb, un scientifique engagé de longue date en politique, mais aussi un sceptique de nature, a pu reconstruire l'histoire du meurtre de l'ex-agent russe de façon d'autant plus convaincante que lui-même n'avait jamais adhéré à ce qu'il appelait les théories du complot de Litvinenko et de Politkovskaïa. Mais leurs théories n'étaient rien comparées à la sienne.

À l'époque des deux meurtres, la politique russe en Tchétchénie était en pleine mutation. Sans admettre aucunement la défaite ni même négocier ouvertement – Poutine aurait trouvé ces attitudes aussi humiliantes l'une que l'autre –, la Russie retirait ses troupes de la république sécessionniste tout en donnant carte blanche et en accordant des subventions extraordinaires à un jeune chef tchétchène soigneusement sélectionné, Ramzan Kadyrov, en échange de sa loyauté et d'une illusion de paix et de victoire. Pour les autres seigneurs de guerre tchétchènes, les plus puissants comme les plus faibles, cela signifiait la fin : Kadyrov était aussi impitoyable envers ses ennemis qu'envers ses rivaux. En se fondant sur plusieurs témoignages circonstanciés et d'importants entretiens confidentiels, Goldfarb conclut que l'un de ces chefs militaires avait fait tuer Politkovskaïa avec l'intention de faire porter le chapeau à Kadyrov – dans le dessein de le discréditer aux yeux du gouvernement russe. Politkovskaïa s'était montrée très critique, voire insultante, à l'égard de Kadyrov, mais Goldfarb estimait que les responsables du meurtre étaient des Tchétchènes d'un clan rival.

Selon lui, Poutine s'était donc retrouvé dans l'obligation de prouver qu'il n'était pas responsable, et s'était senti victime d'un coup monté. Sauf que, grâce en partie à ses conseillers, il n'avait pas songé à Kadyrov ; il pensait s'être fait piéger par le camp de Bérézovski à Londres. La personne de loin la plus virulente dans ce groupe était l'agent traître Litvinenko, qui l'accusait formellement du meurtre. Et, pour cela, Poutine l'avait fait éliminer[21].

La théorie de Goldfarb est impeccable sur le plan de la logique : chacun a un motif et des moyens pour agir. Mais je la trouve trop compliquée, ou peut-être trop précise. Le meurtre d'Alexandre Litvinenko, autorisé au plus haut niveau, est indiscutablement l'œuvre du gouvernement russe : le polonium 210 n'est produit qu'en Russie. Sa production et son exportation faisant l'objet d'un contrôle strict par les autorités nucléaires fédérales, l'extraction de la dose adéquate requérait l'intervention d'une personne très haut placée au début de la chaîne de fabrication. L'autorisation d'une telle intervention devait provenir du bureau du président. En d'autres mots, Vladimir Poutine a ordonné la mort d'Alexandre Litvinenko.

Une fois que le poison fut identifié, la police britannique réussit aisément à retrouver les suspects du meurtre : le polonium, inoffensif tant qu'il n'est pas ingéré, laisse néanmoins des traces radioactives sur tout ce qu'il touche. Cela permit aux enquêteurs de localiser les personnes qui avaient transporté cette substance à Londres et de déterminer l'endroit et le moment exacts auxquels l'empoisonnement avait eu lieu. Les deux hommes qu'ils identifièrent étaient Andreï Lougovoï, l'ancien chef de la sécurité de l'associé de Bérézovski, qui avait entre-temps monté une société privée de sécurité très lucrative à Moscou, et son partenaire, Dmitri

Kovtoun. Pour des raisons que la police britannique refuse de dévoiler, elle a désigné Lougovoï comme le meurtrier présumé et Kovtoun comme un simple témoin. La Russie a refusé les demandes d'extradition concernant Lougovoï ; en outre, celui-ci est devenu membre du Parlement, ce qui lui confère l'immunité dans le cas de poursuites judiciaires, y compris pour les demandes d'extradition. La Grande-Bretagne, quant à elle, a traité le cas comme une simple affaire criminelle et n'a pas engagé de démarches politiques en faveur d'une extradition.

Dans la longue liste des meurtres commis contre des journalistes et des hommes politiques, aucun autre assassinat ne présente une trame aussi claire. Il est en effet possible qu'Anna Politkovskaïa ait été victime de la lutte pour le pouvoir en Tchétchénie. Il est possible que Iouri Chtchékotchikhine ait été tué par un homme d'affaires ou un politicien dont il aurait divulgué certains secrets coupables. Il est également possible que Sergueï Iouchenkov ait été tué par un rival politique, comme l'a plus tard prétendu la police. Enfin, il est possible qu'Anatoli Sobtchak soit mort d'une crise cardiaque. Mais toutes ces possibilités, envisagées séparément, semblent peu probables, et, envisagées toutes ensemble, presque absurdes. La vérité toute simple, c'est que la Russie de Poutine est un pays où les adversaires et les détracteurs politiques sont souvent assassinés et où, au moins parfois, l'ordre provient directement du bureau du président.

## Chapitre 10

# Une avidité insatiable

Considérant avec le recul les premières années de Poutine en tant que président, je suis frappée de constater avec quelle rapidité et quelle résolution il a agi. Même à l'époque, lorsque je couvrais les faits, ils me semblaient se produire à une vitesse vertigineuse. Poutine a changé le pays en très peu de temps, les changements ont été profonds, et ils se sont imposés sans difficulté. Il a paru inverser d'emblée l'évolution historique du pays. Et, pendant une période interminablement longue, personne n'a semblé s'en apercevoir.

Personne, ou presque. À la suite des élections parlementaires de décembre 2003 – au cours desquelles le parti Russie unie de Poutine remporta près de la moitié des sièges tandis que se partageaient l'autre moitié le Parti communiste, le parti absurdiste-nationaliste, outrageusement dénommé Parti libéral-démocrate, et un nouveau parti ultranationaliste appelé Rodina (Patrie), tous les autres libéraux et démocrates perdant leurs sièges –, l'Organisation pour la sécurité et la coopération en Europe (OSCE) déclara : « Les [...] élections [...] n'ont pas été conformes à de nombreux engagements de l'OSCE et du Conseil de l'Europe, mettant en doute la volonté de la Russie d'adopter les critères européens pour des élections démocratiques[1]. » Le *New York Times* brossa un tableau complètement différent, publiant un éditorial approbateur, quoique condescendant, intitulé « Les Russes font un pas de plus vers la démocratie[2] ». Le journal de référence ne mentionna pas les critiques des observateurs internationaux le jour des élections, mais il y consacra le lendemain un article séparé. Le *Washington Post* et le *Boston Globe* les laissèrent entièrement de côté. Le *Los Angeles Times* alla encore plus loin : dans un énorme article, il réussit à minimiser les conclusions de l'OSCE de telle sorte qu'elles semblaient dire absolument le contraire. L'article citait un employé de l'organisation qui affirmait que le scrutin « était bien organisé et qu'aucune irrégularité majeure n'a[vait] été notée ». Le journaliste saluait également l'écrasante majorité obtenue par Poutine au sein du Parlement russe comme une chance pour le président « de faire passer des réformes supplémentaires, et de s'attaquer notamment à la corruption endémique[3] ».

Hors des États-Unis, les journaux furent plus critiques. La veille des élections, le *National Post*, au Canada, fit paraître un article dont le titre disait tout : « Racistes, tueurs et criminels briguent la Douma : les élections parlementaires. Vingt ans après l'ère décadente d'Eltsine, la corruption mine la Russie[4] ». Un mois avant les élections, *The Economist* annonçait dans un éditorial la mort de la démocratie en Russie, pour publier ensuite un dossier qui qualifiait le nouveau Parlement de « cauchemar de la démocratie[5] » et soulignait la puissante poussée des ultranationalistes.

Mais dans les médias les plus influents de la planète, dont les correspondants représentaient le gros des journalistes présents à Moscou, c'était le silence radio. Pourquoi ? En partie parce qu'à ce moment-là la politique des États-Unis prenait le dessus. À l'automne 2000, lorsque Poutine s'occupait de nationaliser la télévision, les médias américains ne s'intéressaient qu'aux résultats pendants de l'élection entre Bush et Gore. C'est à cette époque que j'ai rejoint l'équipe de *US News & World Report*, et les tout premiers mois je me suis presque tourné les pouces : le magazine n'avait pas de place pour la Russie.

Une fois que le chapitre de l'élection présidentielle a enfin été clos, les médias américains ont dû gérer les conséquences de la bulle Internet, laquelle a déclenché une vague de coupes budgétaires et de baisse des prix qui allait durer plus de dix ans. De nombreux organes d'information ont réduit leur couverture de l'actualité étrangère, y compris celle de la Russie, et parfois même à commencer par celle de la Russie. C'est devenu un cercle vicieux : ayant annoncé à leur public, avec la plus grande conviction, que la Russie entrait dans une période de stabilité politique et économique, les journalistes américains ont effectivement déclaré la fin des reportages dans ce pays, coupé les ressources qui les alimentaient, et ainsi éliminé la possibilité de traiter d'éventuels sujets. ABC, qui employait plusieurs dizaines de personnes de façon permanente et occupait un immeuble entier dans le centre de Moscou, est allée jusqu'à fermer son bureau. Pour d'autres, si les mesures n'ont pas été aussi dramatiques, elles ont été tout aussi radicales : des équipes entières ont été remplacées par des journalistes free-lance à temps partiel. Seuls quelques journaux – le *New York Times*, le *Wall Street Journal* et le *Los Angeles Times* – ont maintenu leur bureau au complet, avec des reporters à plein-temps et le reste du personnel.

En juin 2001, George W. Bush a rencontré Vladimir Poutine pour la première fois : comme on le sait, il l'a « regardé dans les yeux » et a « pris la mesure de son âme ». Les comptes rendus exubérants de la presse ont peu insisté sur le fait que Poutine non seulement se montrait beaucoup moins enthousiaste à l'égard de son nouvel ami, mais avait averti les États-Unis que la période d'hostilité amorcée avec les bombardements de la Yougoslavie par l'Otan en 1999 était loin d'être finie[6]. Puis il y a eu le 11-Septembre, et tout à coup la guerre en Tchétchénie a été réinterprétée comme un pan de la lutte du monde occidental contre le terrorisme fondamentaliste islamique – malgré tout ce qui venait prouver le contraire, notamment l'abrogation par Poutine d'un accord passé sous Eltsine[7] et en vertu duquel la Russie devait cesser de vendre des armes à l'Iran ainsi qu'aux pays arabes pour plusieurs milliards de dollars par an[8]. Par une sorte de hasard géographique, les grands médias américains ont commencé à voir Moscou non plus comme la capitale de la Russie, mais comme un camp de base pour les reporters qui se rendaient en Afghanistan et, plus tard, en Irak. L'appétit de récits de guerre était si insatiable que les sujets russes ont été limités aux reportages faits à la va-vite, entre deux missions vraiment importantes. Les articles que les journalistes envoyaient de Russie devaient seulement servir à confirmer le scénario existant, établi par ceux qui avaient inventé l'image de Poutine, le jeune et énergique réformateur libéral.

Qu'il n'y eût pas grand-chose à rapporter sur ce sujet en particulier ne semblait pas préoccuper la plupart des journalistes et des rédacteurs en chef américains. Ils glosaient sur la nationalisation des médias, voyaient dans la nomination d'envoyés fédéraux pour superviser les gouverneurs élus une volonté d'imposer l'ordre face au chaos, fermaient les yeux sur les reculs de la réforme judiciaire, et choisissaient de plus en plus de privilégier les thèmes économiques. Contrairement à Eltsine, qui semblait toujours faire deux pas en avant puis un pas en arrière en matière de réformes économiques, Poutine, dans le souci constant de pacifier l'opposition, a affecté des libéraux déclarés aux postes économiques de son cabinet et du gouvernement. Son Premier ministre était l'ancien ministre des Finances, un apparatchik imprégné de la tradition bureaucratique soviétique mais fermement décidé à poursuivre les réformes mises en œuvre dans les années 1990 – et, situation fort commode pour Poutine, se consacrant à cette tâche à l'exclusion de toute autre affaire gouvernementale. Même avant de devenir le président suppléant – lorsqu'il n'était encore que le successeur désigné –, Poutine avait formé un groupe de réflexion chargé d'élaborer un projet pour le développement économique de la Russie, et avait nommé à sa tête un économiste libéral ayant autrefois travaillé pour Sobtchak[9]. Après les élections, celui-ci devint le ministre pour le Développement économique, une fonction créée spécialement pour lui.

De façon plus remarquable encore, Poutine choisit Andreï Illarionov comme conseiller économique. S'agissant de la première nomination du président élu, il fallait y voir un geste symbolique. Les conceptions d'Illarionov étaient bien connues : membre du club des économistes de Saint-Pétersbourg dans les années 1980, il était devenu depuis un libertaire convaincu qui savait très bien s'exprimer. Aux États-Unis, il aurait été étiqueté ultraconservateur (et, en toute logique, il a fini par prendre un poste au Cato Institute, un groupe de réflexion libertaire basé à Washington D.C.), mais en Russie ses opinions le plaçaient dans la frange libérale du spectre politique. Illarionov ne croyait pas au réchauffement planétaire mais avait une foi totale dans le potentiel d'autorégulation des marchés libres. Il était également connu pour son brillant esprit analytique et son irascibilité, un trait qui l'avait tenu à l'écart de la plupart des événements clés des années 1990. Sa nomination fut une surprise pour tout le monde, y compris pour lui-même.

L'après-midi du 28 février 2000, Illarionov travaillait dans son bureau du minuscule groupe de réflexion qu'il dirigeait à Moscou. Situé sur la Staraïa Plochad (Vieille-Place), en face des bureaux de l'administration présidentielle et à moins de un kilomètre du Kremlin, l'Institut d'analyse économique était aussi éloigné du pouvoir qu'il pouvait l'être, sachant qu'Illarionov entretenait des relations cordiales avec la plupart des hommes qui élaboraient la politique économique depuis des années. On le sollicitait de temps en temps pour donner une conférence devant les responsables politiques – comme à la veille du défaut de paiement de 1998, lorsqu'il avait averti du désastre imminent –, mais ces consultations semblaient être perçues comme de simples exercices scolaires. La frustration était son lot depuis des années : respecté des puissants, il n'avait pourtant aucune influence sur eux.

Cependant, à 16 heures cet après-midi-là, moins de un mois avant l'élection présidentielle, son téléphone sonna et il s'entendit inviter à rencontrer Poutine le soir même. L'entretien dura trois heures. À un certain moment de la soirée, un assistant entra pour annoncer au futur président que les troupes fédérales venaient de prendre la ville de Chatoï en Tchétchénie. « Poutine était fou de joie, se rappellerait plus tard Illarionov. Il gesticulait sous le coup de l'émotion en disant : "Ça leur apprendra, on les a bousillés." Et comme je n'avais rien à perdre, je lui ai expliqué ce que je pensais exactement de la guerre en Tchétchénie. Je lui ai dit que, pour moi, les troupes russes commettaient un crime sous son commandement. Il ne cessait de répéter que c'étaient des bandits et qu'il allait tous les buter, qu'il était là pour s'assurer que la fédération de Russie demeure intacte. Les mots qu'il m'a adressés en privé étaient strictement les mêmes que ceux qu'il prononçait toujours en public sur le sujet : c'était sa position la plus sincère. Et ma position à moi était qu'il s'agissait d'un crime. » L'échange dura encore une vingtaine ou une trentaine de minutes, devenant de plus en plus animé. Illarionov, si peu diplomate par nature, savait très bien comment ce type de discussion se terminait : il n'était pas réinvité, et lui qui, habitué à défendre farouchement ses idées, n'entrait pas dans le moule voyait disparaître pour la énième fois la possibilité d'influer sur la sphère politique.

Mais là quelque chose d'incroyable se passa[10]. Poutine se tut un instant ; il recomposa son visage, effaçant toute expression de colère, et il dit : « C'est compris. Nous ne discuterons pas de la Tchétchénie ensemble. » Durant les deux heures suivantes, ils parlèrent d'économie, ou plutôt Poutine se laissa administrer un cours par Illarionov. Au moment de se quitter, Poutine lui proposa qu'ils se revoient le lendemain. Illarionov commit aussitôt deux nouveaux impairs ; il répondit non, et il donna la raison de son empêchement : il comptait célébrer l'anniversaire de l'arrivée de sa femme américaine en Russie, une fête qui ne pouvait avoir lieu qu'une fois tous les quatre ans parce qu'elle s'était installée à Moscou une année bissextile. Pourtant, plutôt que de s'offenser de ce refus, ou de son motif, Poutine suggéra simplement une autre date. Illarionov lui dispensa alors un nouveau cours sur l'économie, et, deux semaines après les élections, le 12 avril 2000, il se retrouva conseiller du président.

Illarionov était sous le charme. Pendant des années, il avait estimé que les réformes économiques menées en Russie étaient peu judicieuses, voire néfastes, mais il avait été impuissant à intervenir. À présent, il avait un accès direct au chef de l'État, qui semblait sincèrement intéressé par ce qu'il avait à dire, sans être rebuté par son style de communication. Comme beaucoup d'entre nous, lorsque Illarionov percevait chez les autres des traits de caractère qui lui faisaient personnellement défaut, il avait tendance à les interpréter comme les marques d'un talent exceptionnel. S'adressant à moi onze ans après son entretien avec Poutine, Illarionov soutenait que celui-ci était « une personne extraordinaire », la meilleure preuve en étant sa faculté à contrôler ses émotions. Bien des exemples du contraire s'étaient accumulés depuis, notamment plusieurs cas dans lesquels Poutine avait laissé exploser sa colère en public. Mais, étant lui-même incapable de garder ses opinions pour lui, Illarionov continuait d'être impressionné par la capacité qu'avait eue Poutine d'éluder simplement le thème de la Tchétchénie, et même, semblait-il, par sa réserve affective. Au fond, il avait du mal à imaginer qu'il puisse être systématiquement trompé par le personnage – ce qui explique justement comment il a pu l'être pendant si longtemps.

Illarionov et les autres économistes du premier cercle de Poutine adressaient un signal fort à la presse américaine par leur seule présence. Cependant, les journalistes américains semblaient ne pas saisir ce qui constituait le cœur du sujet Poutine, car certaines de leurs sources les plus importantes ne le saisissaient pas elles-mêmes, ou omettaient à dessein d'en parler. Les grandes entreprises prospéraient sous Poutine. L'économie était en expansion, après avoir atteint un point critique en 1998, lorsque le taux du rouble avait tellement chuté que la production intérieure, si inefficace fût-elle, était enfin devenue rentable. Au début des années 2000, le prix du pétrole se mit à augmenter, mais pas encore au point de rendre l'industrie nationale secondaire (cela arriverait plus tard). Toutes ces circonstances commençaient à apporter de jolis résultats aux investisseurs entrés sur le marché russe lorsqu'il était au plus bas.

Parmi ces investisseurs se détachait une figure importante : William Browder, le petit-fils d'un ancien dirigeant du Parti communiste américain, qui avait épousé une Russe. Authentique idéologue, Browder s'était installé en Russie afin d'y introduire le capitalisme. Il croyait au plus profond de lui qu'en produisant de l'argent pour ses investisseurs il contribuait à créer un brillant avenir pour un pays dont l'amour lui avait été transmis en héritage.

La stratégie d'investissement de Browder était simple et efficace. Elle consistait à prendre une participation modeste mais décisive dans une grande compagnie, telle que le monopole public sur le gaz ou un géant du pétrole, à mener ensuite une enquête qui mettrait inévitablement en évidence des malversations au sein de l'entreprise, puis à lancer une campagne destinée à réformer cette dernière. La corruption sévissait partout, et il était assez aisé de l'exposer au grand jour. La plupart des grandes sociétés étaient des conglomérats de compagnies qui avaient été privatisées au cours des trois ou cinq dernières années, avec des administrateurs adeptes du chacun pour soi et souvent ouvertement hostiles aux nouveaux propriétaires. Des directeurs soi-disant communistes avaient volé leurs employeurs sous l'ère soviétique et ne voyaient aucune raison de cesser de le faire ; certains des nouveaux propriétaires se comportaient en prédateurs de leur propre bien. Les révélations de Browder se heurtèrent à différents niveaux de résistance, mais il fut tout de même en mesure de procéder à un certain nombre de changements. En conséquence, la valeur des actions, qui avaient toutes été acquises à un prix dérisoire, grimpa de façon exponentielle.

La nouvelle administration témoigna un vif intérêt pour les enquêtes de Browder. Plus d'une fois, ses employés furent convoqués au Kremlin, où leurs présentations Powerpoint ne manquaient pas de produire une forte impression. Browder était certain d'avoir le vent en poupe. Chaque fois qu'il réussissait à obtenir que la décision d'un tribunal ou d'une agence de supervision oblige une compagnie à prêter un peu plus d'attention à la loi, des hourras retentissaient dans les bureaux de son organisme pompeusement dénommé Hermitage Fund. « L'esprit de corps ne ressemblait à rien de ce qu'on pouvait trouver dans d'autres fonctions, me dirait-il des années plus tard avec une certaine mélancolie. Parce que c'est très rare que l'on puisse faire de l'argent tout en faisant le bien[11]. » Le fonds, qui avait démarré avec l'équivalent de 25 millions de dollars en investissements, disposait, au sommet de sa réussite, de 4,5 milliards de dollars investis dans l'économie russe : il était ainsi le plus gros investisseur étranger. La foi de Browder dans sa propre stratégie et dans le pays était totale, à tel point que, même quand l'homme le plus riche de Russie fut arrêté – ou plutôt particulièrement ce jour-là –, Browder lança un cri de victoire ; à ses yeux, c'était le signe que le nouveau président ne reculerait devant rien pour établir la loi et l'ordre.

L'homme le plus riche de Russie était en tournée. Mikhaïl Khodorkovski, né en 1963, partageait avec Illarionov et Browder un trait de caractère, une particularité qui rendait les trois hommes très différents de Poutine et, de ce fait, vulnérables face à lui : leur conduite était dictée par des idées. Les parents de Khodorkovski, deux ingénieurs moscovites qui avaient travaillé toute leur vie au sein d'une usine d'instruments de mesure, avaient préféré ne pas transmettre leur scepticisme politique à leur fils unique. Leur dilemme était courant à l'époque : il fallait choisir entre exprimer librement sa pensée sur l'Union soviétique, en risquant de rendre son enfant malheureux à cause du recours constant au double langage, et chercher plutôt à élever un être conformiste bien dans sa peau. Le résultat de leurs efforts, cependant, dépassa de beaucoup leurs attentes : leur fils devint un communiste et un patriote soviétique fervent, membre d'une espèce qui paraissait en voie de disparition. Après avoir obtenu son diplôme en génie chimique, Mikhaïl Khodorkovski opta pour un poste au comité du Komsomol. Il n'avait aucune intention inavouée, mais dans la seconde moitié des années 1980 ce choix de carrière lui permit d'être bien placé pour profiter de certaines occasions plus ou moins officielles et souvent extralégales tout en s'initiant aux affaires. Bien avant d'atteindre la trentaine, Khodorkovski s'était essayé au commerce en important des ordinateurs, et de façon plus énergique encore à la finance en cherchant des moyens de soutirer des liquidités au colosse soviétique, qui normalement en était dépourvu[12]. Il officia en tant que conseiller économique au sein du premier gouvernement Eltsine, lorsque la Russie faisait encore partie de l'URSS. Durant le coup d'État avorté d'août 1991, il monta sur les barricades devant la Maison blanche russe, contribuant physiquement à défendre son gouvernement.

Au début des années 1990, en somme, l'ancien fonctionnaire du Komsomol avait complètement retourné sa veste. En compagnie de son ami et associé Léonid Nevzline, un ancien ingénieur logiciel, il rédigea un long manifeste capitaliste intitulé *L'Homme avec un rouble*. « Lénine a cherché à anéantir les riches et la richesse elle-même, écrivaient-ils en exposant l'idéologie à laquelle Khodorkovski avait auparavant adhéré ; il a créé un régime qui proscrivait la possibilité même de devenir riche. Ceux qui souhaitaient faire plus d'argent étaient assimilés à des criminels. Il est temps de cesser de vivre selon les préceptes de Lénine ! Notre guide est le Profit, acquis par des moyens strictement légaux. Notre seigneur est Sa Majesté l'Argent, car Lui seul peut nous conduire à la richesse, considérée comme la norme de l'existence. Il est temps de renoncer à l'Utopie et de se donner tout entier aux Affaires, qui feront de nous des personnes fortunées[13] ! » Lorsque le livre parut en 1992, Khodorkovski avait déjà sa propre banque et, comme d'autres nouveaux entrepreneurs, il achetait des bons de privatisation dans le dessein de prendre le contrôle de plusieurs entreprises autrefois possédées par l'État.

En 1995-1996, le gouvernement russe demanda aux hommes les plus riches du pays de lui octroyer des prêts, leur proposant en contrepartie de détenir des parts dans les plus grandes compagnies russes – qu'ils pourraient conserver, comme le stipulait l'accord, dans l'éventualité, fort probable, où le gouvernement manquerait à ses engagements d'emprunteur. C'est ainsi que Khodorkovski en vint à détenir Ioukos, un conglomérat pétrolier nouvellement formé dont les réserves comptaient parmi les plus vastes du monde.

Son deuxième revirement eut lieu en 1998. La crise financière cette année-là obligea sa banque à la fermeture. La compagnie pétrolière traversait une mauvaise passe : le prix du baril sur les marchés mondiaux était de 8 dollars, mais, en raison de l'équipement obsolète de Ioukos, le coût de production du baril s'élevait à 12 dollars. La société n'avait plus les fonds pour payer ses centaines de milliers d'employés. « Je visitais les tours de forage, écrirait Khodorkovski plus de dix ans plus tard, et les salariés ne s'en prenaient même pas à moi. Ils ne se mettaient pas en grève ; ils comprenaient. Mais la faim les faisait presque défaillir. En particulier les jeunes qui avaient des enfants en bas âge et ne possédaient pas leur propre jardin potager. Et les hôpitaux : avant, on achetait des médicaments, on envoyait les gens se faire soigner ailleurs si c'était nécessaire, mais à présent on n'avait plus l'argent. Mais le pire de tout, c'était ces visages compréhensifs. Les gens disaient : "On n'a jamais rien espéré de bon. On vous est reconnaissants d'être venu nous parler. On va être patients[14]." »

À l'âge de trente-sept ans, l'un des hommes les plus riches de Russie découvrit le concept de responsabilité sociale. De fait, il s'imaginait sans doute l'avoir inventé. Il s'apercevait que le capitalisme pouvait rendre les gens riches et heureux, mais aussi pauvres, affamés, malheureux et impuissants. Khodorkovski résolut donc d'édifier la société civile en Russie. « Jusqu'alors, écrirait-il, j'avais vu les affaires comme un jeu. Un jeu dans lequel on cherchait à gagner, mais où la possibilité de perdre existait aussi. Des centaines de milliers de gens venaient travailler le matin pour jouer avec moi. Et, le soir, ils retrouvaient leur propre existence, qui n'avait rien à voir avec moi[15]. » C'était un objectif extrêmement ambitieux, mais pour l'un de ces hommes qui pensaient avoir créé une économie de marché de A à Z, ce n'était pas une ambition irréalisable.

Khodorkovski mit en place une fondation qu'il appela Otkrytaïa Rossia (Russie ouverte). Il finança des cafés Internet dans les provinces afin d'inciter les gens à apprendre et à communiquer ensemble. Il finança des séances de formation pour les journalistes à travers le pays et parraina les journalistes de télévision les plus talentueux, leur permettant de venir étudier pendant un mois à Moscou. Il fonda un internat à l'intention des enfants défavorisés ; à la suite de la tragédie de Beslan, plusieurs dizaines d'écoliers survivants y furent accueillis. Très vite, il commença à intervenir partout où les organismes et les gouvernements occidentaux se retiraient ; la Russie, après tout, était désormais considérée comme une démocratie stable. Certains prétendaient qu'il finançait plus de la moitié de toutes les organisations non gouvernementales russes – d'aucuns disaient même que c'était 80 %. En 2003, Ioukos s'engagea à verser 100 millions de dollars sur dix ans à l'université d'État des sciences humaines de Russie, la meilleure du pays dans ce domaine : c'était la première fois qu'une entreprise privée en Russie attribuait une somme d'argent si importante à un centre d'enseignement.

Khodorkovski se donna également pour but de doter sa compagnie d'une gestion efficace et transparente. Il fit appel à McKinsey & Company, le géant international du conseil auprès des directions générales, pour réformer sa structure administrative, ainsi qu'à PricewaterhouseCoopers, un autre géant mondial, pour recréer intégralement le service comptable. « Avant que Pricewaterhouse n'intervienne, tout ce que les comptables de Ioukos savaient faire, c'était taper du pied et voler des petites sommes en douce, m'expliquerait l'ancien fiscaliste de l'homme d'affaires. Il fallait tout leur apprendre[16]. » Ses associés protestèrent – les efforts de Khodorkovski semblaient déplacés –, mais il était déterminé à faire de Ioukos la première entreprise multinationale russe. À cette fin, il engagea les services d'une compagnie de relations publiques basée à Washington D.C. « Nous organisions cinq rendez-vous à New York, puis nous passions la journée à aller d'un rendez-vous à l'autre, se souviendrait le consultant qui travaillait avec lui. Je ne connaissais pas beaucoup de chefs d'entreprise qui donnaient autant de leur temps. Nous avons obtenu la couverture de *Fortune*. Il représentait tout ce que l'on espérait voir se produire en Russie[17]. » La capitalisation de Ioukos augmenta de façon exponentielle, en partie grâce à la hausse du prix du pétrole, mais également grâce à la modernisation des systèmes de forage et de raffinage, qui permit de réduire considérablement le coût de production, et à la nouvelle transparence de la compagnie. Khodorkovski, l'homme le plus riche de Russie, était en passe de devenir l'homme le plus riche du monde.

Le 2 juillet 2003, Platon Lébédev, le président du conseil d'administration de la société mère de Ioukos, le groupe Menatep, fut arrêté. Quelques semaines plus tard, le chef de la sécurité de Ioukos, un ancien agent du KGB, se retrouvait également derrière les barreaux. Khodorkovski lui-même fut prévenu par certaines personnes bien informées – ou qui suivaient simplement la logique des événements – que lui aussi serait bientôt arrêté. Quelqu'un rédigea même une liste d'instructions à son intention afin de lui épargner l'arrestation ; cependant, ce document, commandé par un des membres de l'équipe de relations publiques, ne parvint jamais à son destinataire, car un autre publicitaire, indigné, le déchira. En tout cas, il n'y avait aucun doute sur ce que devait faire Khodorkovski : quitter le pays. C'est exactement ce que fit son associé, coauteur de *L'Homme avec un rouble*, Léonid Nevzline : il partit s'installer en Israël. Khodorkovski, lui, fit un court voyage aux États-Unis, mais il revint. Puis il partit en tournée.

À cette époque, cela faisait un peu plus de un an que, régulièrement, il donnait des conférences. Je l'avais entendu un jour : il s'adressait alors à un groupe de jeunes écrivains réuni à son initiative[18]. Son propos était de démontrer que la Russie devait rejoindre le monde moderne : cesser de diriger ses compagnies au mieux comme des fiefs médiévaux, au pis comme des prisons ; transformer son économie en un système centré sur l'exportation du savoir et de l'expertise plutôt que du pétrole et du gaz ; valoriser ses citoyens intelligents, cultivés – comme nous autres écrivains –, et bien les rémunérer. Khodorkovski n'était pas un grand orateur : il était un peu raide, et sa petite voix était étonnamment aiguë pour quelqu'un de sa taille, de sa physionomie et de son statut. Mais sa force de conviction et le poids de sa réputation jouaient en sa faveur ; en général, les gens voulaient savoir ce qu'il avait à leur dire.

Donc, au lieu de quitter le pays ou de s'incliner devant Poutine – car c'était précisément le conseil que donnait le document déchiré –, Khodorkovski décida d'organiser sa propre tournée de conférences. Il embaucha Marina Litvinovitch, l'ancienne créatrice d'image du président, afin qu'elle lui apprenne à s'exprimer en public. Elle lui expliqua que sa façon de s'appesantir sur une idée même lorsqu'on s'était déjà rangé à son avis lui faisait perdre le tempo. Commença pour Khodorkovski, accompagné de quelques assistants et de huit gardes du corps, une aventure de plusieurs mois à bord d'un jet. Il parcourut tout le pays, s'adressant aux étudiants, aux ouvriers et même, en une occasion, à des conscrits (sans doute à cause d'une erreur des organisateurs). Litvinovitch s'asseyait au premier rang munie d'une feuille de papier où était inscrit le mot « Tempo » ; chaque fois que l'homme le plus riche du pays insistait trop sur un point, elle levait l'écriteau à son intention.

Le week-end des 18-19 octobre 2003, l'équipe de Khodorkovski se trouvait à Saratov, une ville située sur la Volga. Il neigeait et, chose exceptionnelle à cette époque de l'année, la neige tenait au sol. Pour une raison que personne ne s'expliqua ou n'exprima clairement, le groupe au complet sortit se promener sur la vaste étendue blanche. Ils rentrèrent ensuite à l'hôtel ; aussitôt, Khodorkovski souhaita à tous une bonne nuit et disparut, tandis que le reste du groupe se lançait dans une sinistre beuverie. Le lendemain matin, Khodorkovski dit à Litvinovitch de rentrer à Moscou : cela faisait des semaines qu'elle n'avait pas vu son fils, âgé de trois ans, et lui pouvait se débrouiller sans elle pour la prochaine destination[19].

C'est un peu avant l'aube du 25 octobre que la nouvelle tomba par téléphone : Khodorkovski avait été arrêté à l'aéroport de Novossibirsk à 8 heures du matin – 5 heures à Moscou. *C'est donc pour ça qu'il m'a renvoyée à la maison*, a pensé Litvinovitch. Anton Drel, l'avocat personnel de l'homme d'affaires, reçut un message énigmatique de la part d'une tierce personne : « M. Khodorkovski a souhaité que vous soyez informé qu'il a été arrêté. Il a dit que vous sauriez quoi faire. » *C'est lui tout craché, ça*, a pensé Drel, qui ne savait absolument pas quoi faire. En fin de matinée, il reçut un autre appel : « C'est Mikhaïl Khodorkovski. Verriez-vous un inconvénient à vous rendre au bureau du procureur général maintenant ? » demanda-t-il avec sa solennité habituelle ; il avait déjà été transféré à Moscou. Quelques heures plus tard, six chefs d'accusation étaient retenus contre lui, parmi lesquels les délits de fraude et d'évasion fiscale.

Dix-huit mois plus tard, Khodorkovski serait reconnu coupable non pas de six, mais de sept chefs d'accusation, et condamné à neuf ans de prison dans une colonie pénitentiaire. Bien avant d'avoir fini de purger sa peine, il serait accusé d'une nouvelle série de délits et à nouveau condamné, cette fois à quatorze ans de prison. Lébédev, l'ancien président de son conseil d'administration, comparaîtrait les deux fois à ses côtés. D'autres membres de la compagnie, parmi lesquels l'ancien chef de la sécurité, des conseillers juridiques et divers administrateurs non seulement de Ioukos, mais aussi de plusieurs filiales, se verraient également accusés puis condamnés à de lourdes peines ; des dizaines d'autres fuiraient le pays. Même Amnesty International, peu disposé au début à défendre la cause d'un milliardaire, finirait par déclarer Khodorkovski (tout comme Lébédev) prisonnier d'opinion. Personne, pas même ses geôliers, semblait-il, ne doutait qu'il était injustement détenu ; pourtant, huit ans après son arrestation, on ignorait toujours ce qu'il avait fait exactement pour être ainsi privé de sa liberté et de sa fortune.

Khodorkovski lui-même et une grande partie de son personnel estimaient qu'on cherchait à le punir pour avoir parlé ouvertement de la corruption. En février 2003, Poutine avait réuni les hommes d'affaires les plus riches du pays pour un débat exceptionnel auquel étaient conviés les médias. Khodorkovski arriva avec une présentation Powerpoint consistant en huit diapositives très simples, qui communiquaient des données certainement connues de toute l'assistance mais que tous feignaient d'ignorer. La sixième était intitulée « La corruption coûte à l'économie russe plus de 30 milliards de dollars par an » : elle citait quatre études différentes qui parvenaient toutes plus ou moins à la même conclusion. La huitième avait pour titre « La formation d'une nouvelle génération » et présentait un schéma qui comparait trois institutions d'enseignement supérieur : l'une formait des dirigeants de l'industrie pétrolière, l'autre des inspecteurs des impôts et la troisième des fonctionnaires. La concurrence pour entrer dans cette dernière était telle que l'on comptait presque onze personnes par place ; les futurs inspecteurs des impôts, eux, devaient affronter quatre autres candidats, tandis que les futurs cadres du secteur pétrolier voyaient ce ratio se réduire à moins de deux pour un, bien que le salaire officiel en début de carrière dans cette branche fût de deux à trois fois plus élevé que dans l'administration gouvernementale[20]. Il s'agissait là des chiffres officiels, précisa Khodorkovski : les jeunes choisissaient leur voie professionnelle en fonction des revenus supplémentaires qu'ils pouvaient toucher grâce à la corruption.

Dans son discours, Khodorkovski mentionna également la fusion récente entre le géant du pétrole Rosneft, détenu par l'État, et une compagnie pétrolière privée plus modeste. « Tout le monde pense que l'opération avait, disons, une face cachée, déclara-t-il, faisant allusion au prix incontestablement élevé que Rosneft avait payé. Le président de Rosneft est présent[21] ; peut-être voudrait-il nous dire quelques mots ? » Celui-ci n'y tint pas, et son silence eut tout l'air d'un aveu de culpabilité des plus embarrassants.

La personne qui répondit à Khodorkovski fut Poutine lui-même. Il arborait le même petit sourire dédaigneux que quelques mois auparavant lorsque, au cours d'une conférence de presse, il avait suggéré au journaliste français de se faire castrer – une expression qui indiquait qu'il éprouvait des difficultés à contenir sa colère[22]. « Certaines compagnies, y compris Ioukos, possèdent des réserves extraordinaires. La question est : Comment les ont-elles obtenues ? » demanda-t-il, remuant sur sa chaise et haussant l'épaule droite en un mouvement qui le faisait paraître plus grand, tout en affichant un sourire de voyou, signe qu'il venait de formuler une menace et non une question. « Et votre compagnie a eu ses propres difficultés avec les impôts. Il faut être juste envers la direction de Ioukos : elle a trouvé le moyen de résoudre la situation et de régler ses problèmes avec l'État. Mais cela explique peut-être pourquoi la concurrence est si forte pour entrer dans l'école des impôts. » Autrement dit, Poutine accusait Khodorkovski d'avoir soudoyé les inspecteurs des impôts et menaçait sa compagnie de rachat.

Il y avait aussi ceux qui estimaient que les ennuis de Khodorkovski venaient de la politique : il s'immisçait trop. Il faisait des donations aux partis, y compris aux communistes. Aussitôt après l'arrestation de Lébédev en juillet, Khodorkovski avait demandé au Premier ministre Kassianov, avec qui il entretenait une relation distante mais cordiale, de se renseigner sur ce qui s'était passé. « J'ai dû m'y reprendre à trois ou quatre fois, m'expliquerait Kassianov. Poutine répondait toujours que le bureau du procureur savait ce qu'il faisait. Mais il a fini par me dire que Ioukos avait financé des partis politiques, pas seulement les [petits partis libéraux], pour lesquels Poutine avait donné sa permission, mais aussi les communistes, qu'il ne l'avait pas autorisé à soutenir[23]. » Huit ans plus tard, Nevzline – l'associé de Ioukos qui avait quitté le pays – maintenait que les donations de la compagnie au Parti communiste avaient « bien entendu » obtenu le feu vert du Kremlin[24]. Certaines personnes du cercle intime de Khodorkovski en vinrent à qualifier cette histoire de financement des partis de « double traîtrise », convaincues qu'il s'était fait piéger par quelqu'un qui était suffisamment proche de Poutine pour avoir pu assurer à l'homme d'affaires que sa donation aux communistes était autorisée – ce qui était faux. Toutes ces discussions avaient lieu juste avant les élections parlementaires de décembre 2003, celles qui inspirèrent au *New York Times* le titre « Les Russes font un pas de plus vers la démocratie ».

Un troisième groupe d'observateurs avançait la plus simple des explications concernant le sort de Khodorkovski. « Il n'a pas été emprisonné pour évasion fiscale ou pillage de pétrole, bon sang ! me dirait Illarionov sept ans et demi après l'arrestation. Il a été emprisonné parce qu'il était – et reste – un être humain indépendant. Parce qu'il a refusé de se soumettre. Parce qu'il est resté un homme libre. Cet État punit les individus qui revendiquent leur indépendance[25]. »

Mais, en octobre 2003, lorsque se répandit la nouvelle de son arrestation, la nature sombre et absurde de cette affaire était loin d'être évidente pour tous. William Browder fut le premier à applaudir. Dans une tribune libre du quotidien anglophone *The Moscow Times*, distribué aux investisseurs, il écrivit : « Nous devrions [...] pleinement soutenir [Poutine] dans sa tâche qui consiste à reprendre le contrôle du pays des mains des oligarques[26]. »

Le 13 novembre 2005, Browder regagnait Moscou après une visite à Londres. Cela faisait neuf ans qu'il vivait en Russie, et, même s'il ne parlait pas russe, il se sentait tout autant chez lui à Moscou que n'importe quel autre citoyen. Son argent lui offrait le niveau de confort que connaissent les très riches dans les pays producteurs de pétrole : dès l'instant où il atterrissait à Moscou, il empruntait la voie des privilégiés, se voyant libéré des formalités d'aéroport et conduit dans le centre par son chauffeur, un ancien officier de police qui avait conservé son badge et était donc le roi au milieu de la circulation anarchique. Mais, cette fois, Browder se retrouva bloqué dans le salon des VIP : son passeport avait apparemment été confisqué à la frontière. Deux heures plus tard, il fut transféré dans la zone de détention de l'aéroport, une pièce anonyme où, assises sur des chaises en plastique froides, attendaient plusieurs autres personnes, toutes prisonnières de leur destin inconnu. Quinze heures après son arrivée sur le sol russe, Browder monta finalement à bord d'un avion qui retournait à Londres : son visa avait été révoqué.

Il ne pouvait s'agir que d'un énorme malentendu. Browder contacta les ministres du cabinet et les employés du Kremlin, qui avaient tellement apprécié ses présentations Powerpoint. Ils se montrèrent très évasifs. Après plusieurs coups de téléphone, il comprit que ses problèmes de visa ne seraient pas résolus de sitôt. Malgré toute la foi qu'il avait en Poutine, Browder était sûr d'une chose : aucune entreprise ne devait être laissée sans surveillance en Russie. Il commença à transférer son activité à Londres. Les analystes se déplacèrent là-bas ; le fonds se dépouilla de l'équivalent de 4,5 milliards de dollars de titres rattachés à des sociétés russes, sans que personne semble s'en apercevoir. À la fin de l'été

2006, les compagnies russes de l'Hermitage Fund n'étaient plus que des coquilles vides dotées d'un petit bureau à Moscou, où se rendait occasionnellement la secrétaire du fonds.

Celle-ci se trouvait sur place, accompagnée d'un membre du personnel londonien de passage à Moscou, lorsque vingt-cinq officiers de la police fiscale firent irruption dans le bureau et le mirent sens dessus dessous. Bientôt, le même nombre d'officiers, menés par le colonel qui avait dirigé la première opération, débarqua dans les locaux du cabinet d'avocats de l'Hermitage Fund, à la recherche, semblait-il, de cachets, de sceaux et de certificats concernant les trois holdings qui avaient permis au fonds de gérer ses investissements. Lorsqu'un avocat objecta que les policiers n'avaient pas les mandats de perquisition adéquats, il fut conduit dans une salle de conférence et roué de coups.

Quatre mois plus tard, Browder reçut la notification des jugements qui avaient été rendus par un tribunal de Saint-Pétersbourg à l'encontre de ses compagnies : la sanction s'élevait à plusieurs millions de dollars. Mis en garde par l'abrogation de son visa, effrayé par les raids de la police fiscale, il était à présent franchement terrifié face à cette série d'événements pour laquelle il ne voyait aucune explication raisonnable. Pourquoi la police fiscale avait-elle besoin des certificats d'immatriculation, des sceaux et des cachets de compagnies fantômes ? Comment des jugements pouvaient-ils être prononcés à l'égard de ces compagnies alors que leurs représentants n'avaient même pas été informés de la tenue de procès ou d'audiences ? Browder demanda à ses avocats moscovites de mener l'enquête.

Ce n'est pas un homme de loi mais un jeune comptable, Sergueï Magnitski, qui, après plus de un an à fureter, finit par reconstruire un scénario absurde, à peine croyable, et pourtant logique. Les trois sociétés fantômes avaient été immatriculées au nom de nouvelles personnes, toutes des repris de justice. Puis elles avaient été poursuivies par d'autres sociétés sur la base de faux contrats qui indiquaient que les premières leur devaient de l'argent. Trois tribunaux distincts dans trois villes distinctes du pays tinrent des audiences éclairs et rendirent des jugements contre les anciennes compagnies de Browder pour un total de un milliard de dollars – qui se trouvait être exactement le montant des revenus qu'avaient déclaré les trois compagnies au cours de la précédente année fiscale. Leurs nouveaux propriétaires adressèrent alors des réclamations au fisc, demandant le remboursement des impôts qu'ils avaient payés : ils y avaient apparemment droit parce que, sur le papier, les compagnies ne faisaient plus de profits. Les remboursements, avoisinant les 230 millions de dollars, furent traités en un seul jour de décembre 2007 : ils furent transmis aux nouveaux propriétaires des compagnies, puis disparurent du système bancaire russe.

Magnitski semblait avoir découvert une vaste manœuvre de détournement de fonds qui impliquait le fisc ainsi que les tribunaux d'au moins trois villes russes : si les juges n'avaient pas été de connivence, ils n'auraient pu rendre les jugements avec une telle facilité ni une telle rapidité. Le fisc, quant à lui, n'aurait pas procédé aux remboursements si vite si le complot n'avait été orchestré au sommet de l'administration fiscale – il n'y aurait même pas procédé du tout, dans la mesure où les avocats de Browder avaient déjà déposé six plaintes alléguant le vol de ses compagnies.

Browder, idéologue invétéré, vit là une ouverture. Il avait fini par croire que son exil avait été ordonné en haut lieu : même s'il en ignorait la raison exacte, il imaginait que quelqu'un à qui il avait marché sur les pieds était parvenu à convaincre le président ou l'un de ses très proches conseillers qu'il était indésirable. Mais, à présent, il avait de nouveau l'occasion de sauver la Russie. « Il est impensable que le président permette que 230 millions de dollars appartenant au pays soient volés de la sorte, raisonnait-il. C'est vrai, la fraude fiscale est d'un tel cynisme. Si on décidait d'agir, les gens trouveraient ça vraiment tiré par les cheveux. On s'attendait qu'un groupe d'intervention armé et des hélicoptères descendent du ciel et viennent arrêter tous les méchants. »

Magnitski déposa quinze plaintes différentes visant à exposer l'affaire au grand jour et à lancer une investigation. Mais, au lieu de groupes d'intervention armés descendus du ciel, ce furent les enquêtes criminelles qui se mirent à pleuvoir sur les avocats engagés par Browder. Sept avocats dépendant de quatre cabinets différents se virent notifier qu'une enquête avait été ouverte contre eux pour divers chefs d'accusation. À ce stade, Browder était suffisamment avisé pour leur offrir à tous l'asile en Grande-Bretagne. « Vous savez, j'avais une formation d'analyste financier, me raconterait-il deux ans plus tard environ, cherchant à expliquer à la fois à quel point la procédure avait été difficile pour lui et pourquoi il avait mis tant de temps à saisir la gravité de la situation. Je n'étais pas un soldat. Je n'avais pas été formé pour affronter des circonstances où les gens mettaient leur vie en danger. J'ai donc contacté chacun des avocats et je leur ai dit : "Je suis sincèrement désolé de ce qui vous arrive. Ce n'était pas mon intention de vous placer dans une position de danger, et ce n'est pas mon intention de vous y laisser maintenant. Je veux que vous quittiez la Russie à mes frais, que vous veniez à Londres et que vous y restiez à mes frais." Ce n'était pas un discours facile à tenir face à ces hommes. Ils avaient tous la quarantaine, étaient au sommet de leur carrière ; certains ne parlaient pas un mot d'anglais. Et je leur demandais d'abandonner du jour au lendemain leur vie, leur profession, toute leur communauté, de s'exiler afin de se soustraire au danger. »

Six d'entre eux acceptèrent la proposition de Browder et s'installèrent à Londres. Celui qui refusa était Sergueï Magnitski, le comptable, qui, à trente-six ans, était le plus jeune de tous. Son âge, aux yeux de Browder, expliquait son refus : « Sergueï appartenait à une génération pour laquelle la Russie n'était plus la même. Il existait une nouvelle Russie, certes imparfaite, mais en voie de progrès. Les principes fondamentaux de la loi et de la justice étaient posés : telle était sa conviction. Il disait : "On n'est pas en 1937. Je n'ai rien fait de mal et je connais la loi. Il n'y a aucun moyen légal qui leur permettrait de venir m'arrêter." »

Le 24 novembre 2008, Sergueï Magnitski fut arrêté dans le cadre de l'affaire de détournement de fonds qu'il s'était lui-même employé à dénoncer. Comme son client trois ans plus tôt, il ne douta pas au début qu'il s'agissait d'un malentendu que ses avocats l'aideraient à dissiper bien vite. Lors de sa première audience, il déclara qu'il devait être libéré, entre autres raisons parce que son jeune fils était atteint de la grippe ; il était manifestement convaincu que cette épreuve ne durerait que quelques jours[27]. Non seulement il ne fut pas libéré, mais ses conditions de détention ne cessèrent de se détériorer tandis qu'on le faisait passer d'une prison moscovite à l'autre. Il n'était pas autorisé à voir sa femme ni sa mère. Il tomba malade et se vit refuser obstinément les soins médicaux qu'il réclamait. Le 16 novembre 2009, Sergueï Magnitski mourut en prison à l'âge de trente-sept ans.

Après son décès, l'administration pénitentiaire remit à sa famille les carnets dans lesquels il avait méticuleusement recopié chacune de ses plaintes, chacune de ses requêtes : ayant fini par comprendre que son arrestation n'était pas due à une méprise, il s'était lancé dans un combat féroce mais inégal, rédigeant en tout 450 documents durant ses 358 jours d'incarcération et créant ainsi une encyclopédie de l'outrage qu'il subissait. Il décrivait les cellules bondées dans lesquelles il était contraint de manger et d'écrire assis sur son lit de camp. Dans l'une de ces cellules, les fenêtres n'avaient plus de carreaux et la température intérieure avoisinait zéro degré. Dans une autre, les toilettes – ou plutôt le trou pratiqué dans le sol qui faisait office de toilettes – débordaient ; la pièce était inondée par les eaux d'égout. Magnitski rapportait qu'on lui refusait systématiquement tout repas chaud, et souvent même toute forme de nourriture pendant plusieurs jours d'affilée. Plus grave encore, on l'empêcha de recevoir une assistance médicale même lorsque ses douleurs abdominales chroniques devinrent si fortes qu'il ne pouvait plus dormir, même lorsqu'il écrivit des lettres détaillant ses symptômes et expliquant ses droits en matière de soins médicaux. Il mourut d'une péritonite.

Browder et son équipe du fonds d'investissement étaient finalement voués à être des soldats. Ils lancèrent une campagne extrêmement visible, bruyante et percutante qu'ils appelèrent Justice pour Sergueï Magnitski. Ils rassemblèrent d'abondants témoignages contre les individus qui étaient liés à l'emprisonnement et à la torture de leur collègue, de même que contre ceux qui étaient impliqués dans le détournement de fonds. Quelques mois plus tard, des projets de loi visant à abroger les visas et à geler les actifs de ces fonctionnaires étaient en instance au Congrès américain, au Parlement européen ainsi qu'auprès des Parlements de divers États membres de l'Union européenne.

À ce stade, le point de vue sur la situation en Russie avait fini par changer aux États-Unis. Il avait fallu l'essentiel du second mandat de Poutine pour renverser l'analyse : la « démocratie naissante » avait lentement cédé le pas aux « tendances autoritaires », qui à leur tour avaient débouché sur le portrait de ce qui était devenu pour ainsi dire une tyrannie criminelle. En 2003, lorsque Khodorkovski avait essayé de parler de corruption à Poutine, l'organisation mondiale Transparency International estimait que la Russie était plus corrompue que 64 % du reste du monde : dans son classement annuel, ce pays apparaissait comme légèrement plus corrompu que le Mozambique et à peine moins que l'Algérie. Dans son rapport de 2010, l'organisation jugeait que la Russie était plus corrompue que 86 % de la planète : elle se plaçait à présent entre la Papouasie-Nouvelle-Guinée et le Tadjikistan[28].

La Russie finit par perdre sa bonne réputation aux yeux des entreprises et des médias internationaux. Browder passait son temps à critiquer le régime russe non seulement devant différents Parlements du monde, mais également dans des forums tels que le rassemblement annuel des grandes entreprises à Davos, en Suisse. Andreï Illarionov avait démissionné de son poste. « Tout le monde a eu son propre déclic, m'expliquerait-il. Pour moi, le revirement s'est produit avec Beslan. C'est là que j'ai saisi qu'il s'agissait d'un *modus operandi*. Il y avait la possibilité indéniable de sauver des vies, et lui [Poutine] a opté pour le massacre de personnes innocentes, la mort des otages. J'étais au travail, et je pouvais observer et écouter à ma guise ; je voyais tout de très près. Je voyais bien que si l'épreuve de force se prolongeait encore, ne serait-ce que quelques heures, des vies seraient sauvées, toutes ou presque toutes. L'assaut deviendrait inutile, et les enfants, les parents et les instituteurs seraient sauvés. Et si c'était le cas, alors il ne pouvait y avoir qu'une seule explication au choix de ce moment précis pour lancer l'attaque. Tout est devenu clair pour moi ce jour-là, le 3 septembre 2004. »

Illarionov démissionna de sa responsabilité de sherpa – le représentant personnel de Poutine – au sein du G8 ; l'inclusion de la Russie dans ce groupe figurait parmi les principales réussites de l'économiste. « C'était une chose d'être conseiller, m'expliqua-t-il. Conseiller, c'est conseiller ; c'est un poste important, mais ce n'est pas la même chose que représenter quelqu'un en personne. J'ai dit à mon employeur qu'étant donné les circonstances je ne pouvais plus lui servir de représentant personnel[29]. »

Six mois plus tard, Illarionov démissionna également de ses fonctions de conseiller auprès du président. « C'était tout simplement ridicule. Personne ne tenait compte de mes conseils sur l'économie ou sur n'importe quel autre sujet. Le train de l'État russe était lancé à pleine vitesse sur des rails complètement différents. » Il entreprit de rédiger une série d'articles cinglants qui tentaient de définir la nature de ces « rails[30] ». La Russie, écrivait-il, était devenue le contraire d'une économie libérale : un État privé de liberté, belliciste, dirigé par des entrepreneurs. Comme Browder, Illarionov devint un bruyant et infatigable contestataire du régime de Poutine.

Mikhaïl Kassianov, le Premier ministre, était également parti. Son revirement avait eu lieu au moment de l'arrestation de Khodorkovski. « Il y avait eu des signes avant-coureurs, m'a-t-il dit. Il y avait eu la prise de contrôle de la télévision et la gestion de la crise des otages du théâtre de Moscou – c'étaient des signes –, mais je ne pensais pas que tout cela faisait partie d'un programme. Je voyais là simplement des erreurs qui pouvaient être corrigées. Et je n'ai cessé de penser ainsi jusqu'au moment où Lébédev et Khodorkovski ont été arrêtés. C'est là que j'ai compris qu'il ne s'agissait pas d'erreurs accidentelles ; c'était une ligne d'action, c'était sa vision de la vie. »

Kassianov s'était consciencieusement conformé à l'injonction de Poutine de « ne pas empiéter sur son territoire » – c'est-à-dire ne pas se mêler de politique –, si consciencieusement même qu'il s'était à dessein coupé de la vie politique du pays. C'est ainsi que, durant l'été 2003, lorsque Poutine lui dit que les poursuites judiciaires à l'encontre de Lébédev et de Khodorkovski étaient leur punition pour avoir versé des fonds au Parti communiste, il fut choqué. « Je ne parvenais pas à croire qu'une démarche qui était légale requérait une permission spéciale du Kremlin. » Le conflit entre Poutine et son Premier ministre devint rapidement public : Kassianov critiquait ouvertement ces arrestations, les qualifiant de mesures extrêmes et injustifiées. Il était évident que Poutine ne conserverait pas pour son second mandat ce Premier ministre bien trop franc, mais le président sembla perdre patience encore plus tôt que prévu : en février 2004, un mois avant les élections, il renvoya son cabinet[31].

Après avoir donné son congé à Kassianov, Poutine comptait lui confier une fonction moins publique. Il lui fit plusieurs offres, toutes plus pressantes les unes que les autres : il y eut l'option consistant à diriger le conseil de sécurité, puis celle consistant à administrer une nouvelle société bancaire affiliée à l'État – une proposition que Poutine émit à deux reprises. Lorsque Kassianov refusa, le ton de son ancien employeur, d'enjôleur, se fit menaçant. « J'étais sur le point de quitter la pièce quand il m'a dit : "Mikhaïl Mikhaïlovitch, si un jour vous avez des ennuis avec le fisc, vous pourrez demander de l'aide, mais tâchez de venir me voir personnellement." » Kassianov interpréta les paroles de Poutine à la fois comme une menace et comme une façon de laisser la porte ouverte. Et, en effet, les problèmes fiscaux ne tardèrent pas à arriver : le cabinet d'expert-conseil que l'ancien Premier ministre avait fondé juste après avoir perdu son travail fit l'objet d'un audit. Kassianov choisit de ne pas demander de l'aide, ce qui eut pour conséquences de faire traîner l'audit fiscal pendant deux ans (les deux parties en restèrent finalement à une violation extrêmement mineure, à savoir la consignation incorrecte dans le livre de comptes d'un bloc de papier à lettres), mais aussi de rendre Kassianov *persona non grata* dans la politique russe. Dans les années qui suivirent son renvoi, il souhaita se présenter aux élections et créer un parti politique – parvenant même, apparemment, à rassembler le nombre absurdement élevé de signatures requis –, mais son dossier se voyait immanquablement refuser par les autorités. Privé de tout accès à la télévision et aux journaux influents, Kassianov passa ainsi en un temps record du cercle politique dominant à une position marginale.

L'affaire Khodorkovski fut jugée au milieu de l'année 2004 et le procès s'étala sur dix mois, même si presque toutes les requêtes déposées par la défense furent rejetées, ce qui réduisit fortement le nombre de témoins et de contre-interrogatoires au tribunal Basmanny de Moscou. La date du verdict approchant, Igor Chouvalov, avocat et proche assistant de Poutine, déclara : « L'affaire Ioukos a été un procès-spectacle conçu pour servir d'exemple aux compagnies qui recourent à diverses manœuvres afin de diminuer leur charge fiscale. Si cela n'avait pas été Ioukos, cela aurait été une autre société. » Même la presse moscovite, habituée à côtoyer certains des politiciens les plus cyniques de la planète, fut choquée par l'usage délibéré d'un langage digne de l'ère stalinienne pour exprimer peu ou prou ce que Staline cherchait à signifier à l'époque : les tribunaux n'existaient que pour obéir aux ordres du chef de l'État et distribuer les peines qu'il considérait comme justes à tous ceux qu'il estimait devoir punir.

De fait, seulement deux des sept chefs d'accusation retenus contre Khodorkovski concernaient la fraude fiscale, et ce qui se passa au tribunal de Moscou ressembla bel et bien davantage à un spectacle qu'à un procès. La défense convoqua très peu de ses témoins – non seulement parce que la cour avait rejeté la plupart de ses requêtes, mais aussi parce que les accusations semblaient si fragiles qu'une défense solide était à peine justifiée, surtout dans la mesure où la comparution comme témoin paraissait induire des risques considérables. Dix membres de Ioukos, parmi lesquels deux conseillères juridiques, avaient déjà été arrêtés, et neuf autres échappèrent à l'arrestation en quittant le pays ; ce chiffre paraîtrait bientôt dérisoire comparé aux dizaines de personnes qui seraient incarcérées et aux centaines d'autres qui se retrouveraient en cavale.

Plongée dans un procès kafkaïen, la défense adopta ostensiblement un style discret. Dans sa plaidoirie finale, Guenrikh Padva, le principal avocat de Khodorkovski, et sans doute le plus célèbre du pays, ressemblait davantage à un maître d'école qu'au participant passionné d'une affaire judiciaire. Durant trois journées d'audience, Padva lut ses arguments, énumérant méthodiquement toutes les erreurs du ministère public, cherchant à démontrer que les procureurs n'avaient fourni aucun document prouvant que les personnes inculpées étaient liées d'une manière ou d'une autre aux sociétés citées dans les accusations, et encore moins qu'elles étaient coupables des délits présumés. « Et je ne mentionnerai même pas le fait que les accusations ont été portées conformément à des lois entrées en vigueur plusieurs années après que les faits présumés ont eu lieu » – c'était là un des apartés typiques de Padva. Son ton indiquait qu'il ne se faisait aucune illusion sur sa capacité à convaincre les juges, mais il tenait à ce que tous ces arguments soient consignés, dans un intérêt historique et dans l'éventualité de recours auprès d'organismes judiciaires internationaux. Les juges, trois femmes très corpulentes dans leur quarantaine, chacune arborant un casque de cheveux luisants, se tenaient immobiles, les lèvres pincées dans une identique manifestation de mécontentement. Leur attitude semblait signifier : la décision a été prise depuis longtemps, et votre obstination à suivre la procédure et le débat conventionnels est une injurieuse perte de temps pour tout le monde.

Khodorkovski et Lébédev furent tous deux condamnés à neuf ans d'emprisonnement ; trois mois plus tard, une cour d'appel réduisit leur peine de un an. Les deux hommes furent expédiés dans des colonies pénitentiaires différentes, chacune aussi éloignée et isolée qu'une colonie peut l'être. Pour rendre visite à leur client, les avocats de Khodorkovski devaient faire un voyage de neuf heures en avion puis un autre de quinze heures en train[32]. La loi russe exigeait que les détenus soient placés dans des prisons situées à une distance raisonnable de leur foyer, si bien que la loi dut être changée, rétroactivement, afin de s'adapter à cette situation.

Au cours des six premiers mois qui suivirent son arrestation, Khodorkovski essaya de diriger sa société depuis sa prison. S'apercevant finalement que c'était intenable, il transféra ses parts à Nevzline, son associé parti s'installer en Israël. Mais Ioukos, bombardée de procès et de créances privilégiées du fisc, et dont les avoirs en Russie avaient depuis longtemps été saisis par l'État, sombrait. Moins de un an après l'arrestation de Khodorkovski, la compagnie pétrolière la plus importante et la plus prospère du pays, qui payait auparavant 5 % de toutes les taxes collectées par le gouvernement fédéral, faisait face à une procédure de faillite. Son avoir le plus intéressant, une société dénommée Iougansknef-tegaz, détentrice de certaines des réserves de pétrole les plus vastes d'Europe, était sur le point d'être vendu aux enchères. Gazprom, la compagnie qui détenait le monopole d'État sur le gaz, à présent dirigée par l'ancien adjoint de Poutine à Saint-Pétersbourg, semblait sur le point de remporter les enchères[33]. Afin d'empêcher la transaction, les avocats de Ioukos enregistrèrent la faillite dans un tribunal du Texas, puis cherchèrent à suspendre la vente de la société depuis les États-Unis. Gazprom n'allait certainement pas s'incliner devant une cour américaine dans cette affaire, mais il se trouve qu'elle comptait acheter Iougansknneftegaz avec des fonds empruntés à des banques sises aux États-Unis et en Europe de l'Ouest. Le financement fut retiré et, pendant une brève période, il sembla que le rachat pourrait être évité, jusqu'à ce qu'une compagnie nouvellement immatriculée, dénommée Baïkalfinansgroup, surgisse de nulle part pour participer aux enchères. Les journalistes se rendirent immédiatement sur le lieu de sa domiciliation, à Tver, une ville perdue à environ trois heures de Moscou : il s'agissait d'un petit immeuble utilisé comme adresse légale par cent cinquante compagnies, dont aucune ne semblait détenir des avoirs physiques.

Or Baïkalfinansgroup n'avait pas non plus d'avoirs financiers. D'après ses certificats d'immatriculation, déposés deux semaines avant la vente aux enchères, sa capitalisation s'élevait à 10 000 roubles, soit environ 300 dollars. Mais, pour une raison mystérieuse, Rosneft, la compagnie pétrolière détenue par l'État – celle dont le président avait refusé de répondre aux allégations de corruption formulées par Khodorkovski un an auparavant –, prêta à cette société inconnue 9 milliards de dollars pour acquérir Iouganskneftegaz : à peine moins de la moitié de la valeur de la compagnie à l'époque. Les enchères, qui eurent lieu le 19 décembre 2004, ne durèrent pas plus de deux minutes[34].

S'exprimant le surlendemain en Allemagne, Poutine se hérissa quand il fut suggéré que les avoirs de Ioukos avaient été acquis par une entité inconnue. « Je connais les actionnaires de la compagnie, et ce sont des individus, déclara-t-il. Ce sont des individus qui travaillent depuis longtemps dans le secteur de l'énergie. » Deux jours plus tard, Rosneft racheta Baïkalfinansgroup, prenant ainsi le contrôle des avoirs de Ioukos, mais s'assurant aussi qu'elle ne pourrait jamais être poursuivie pour avoir acquis la société grâce à une vente aux enchères truquée[35].

Cela faisait à peine plus de un an que Khodorkovski avait été arrêté, et il était évident que la Russie avait passé un cap. À présent que l'homme le plus riche du pays se retrouvait derrière les barreaux pour une durée indéterminée, il était clair que plus personne en Russie, pas même les riches et les puissants, ne jouissait d'une réelle liberté d'action. Et, avec le détournement, au vu et au su de tous, des avoirs de la plus grande compagnie privée, Poutine venait de s'affirmer comme le parrain d'un clan mafieux qui contrôlait le pays. Comme tous les chefs de mafia, il n'établissait pas de distinction entre ses biens personnels, les biens de son clan et ceux des individus qui étaient redevables à son clan. En parfait mafioso, il amassait des richesses en recourant purement et simplement au vol, comme avec Ioukos, en percevant des cotisations indues et en plaçant ses amis partout où il y avait de l'argent ou des avoirs à siphonner. À la fin de l'année 2007, un expert politique russe – quelqu'un qui apparemment avait accès au Kremlin – estimait la fortune personnelle de Poutine à 40 milliards de dollars[36].

Ce chiffre ne peut être ni confirmé ni réfuté, mais il y a une histoire que j'ai été en mesure de rapporter en détail et qui éclaire à la fois l'ampleur de la fortune de Poutine et les mécanismes mis en œuvre pour la constituer. Il m'a fallu une bonne dose de chance comme reporter et le concours d'un homme très courageux pour pouvoir la raconter.

Au début des années 1990, Sergueï Kolesnikov faisait partie de ces centaines de scientifiques soviétiques devenus entrepreneurs dans la nouvelle Russie. Docteur en biophysique, il commença par fabriquer des équipements médicaux avant de se mettre à en importer. Sous l'administration Sobtchak, il constitua une joint-venture avec la ville de Saint-Pétersbourg et créa un commerce florissant qui équipait les cliniques et les hôpitaux de l'agglomération. À la fin du mandat de Sobtchak, il racheta la part de la ville et fit de son entreprise une compagnie privée, restant dans la même branche.

Dès que Poutine fut élu président, Kolesnikov fut contacté par un de ses anciens associés de l'époque de Saint-Pétersbourg. Celui-ci lui soumit un plan : certains des hommes les plus riches du pays allaient verser d'importantes sommes d'argent afin d'acheter du matériel médical pour des établissements russes. Kolesnikov se servirait de son expertise pour fournir les équipements en pratiquant une remise élevée sur ces achats en gros. La différence entre le prix de référence du matériel, celui qui serait communiqué au donateur, et la somme réellement dépensée devait être au moins de 35 %. Si Kolesnikov obtenait une remise supérieure, il pouvait garder la différence comme profit. Les 35 % devaient être déposés sur un compte bancaire en Europe de l'Ouest et étaient destinés à être réinvestis ultérieurement dans l'économie russe.

Kolesnikov n'eut aucun scrupule à accepter la proposition. Comme Browder, il pensait agir dans son intérêt tout en œuvrant pour le bien du pays : l'équipement médical, dont le besoin se faisait nettement sentir, était un bien indiscutable ; en outre, ses nouveaux partenaires investiraient de grandes quantités d'argent dans l'économie russe. Certes, ils retenaient une partie de l'argent donné – plus du tiers –, mais c'était pour l'investir en Russie, non pour se remplir les poches. De plus, « on savait que ce n'était pas de l'argent gagné à la sueur de son front. On ne peut pas obtenir ce type de gains de façon honnête[37] ».

Le premier donateur fut Roman Abramovitch, un oligarque russe discret, futur propriétaire du Chelsea Football Club. Il fit don de 203 millions de dollars, dont environ 140 millions servirent à acheter du matériel pour l'académie médicale militaire à Saint-Pétersbourg (administrée par l'ami de Poutine devenu ministre de la Santé, qui avait autrefois aidé Sobtchak à sortir du bureau du procureur et de Russie) tandis que plus de 60 millions étaient placés sur un compte européen. Suivit une série de dons plus petits. En 2005, près de 200 millions de dollars s'étaient ainsi accumulés. Kolesnikov et ses deux partenaires – l'un avait débuté avec lui à Saint-Pétersbourg, l'autre l'avait introduit dans cette nouvelle branche – fondèrent une nouvelle compagnie dénommée Rosinvest, filiale à 100 % d'une société suisse qui faisait des affaires à travers une troisième compagnie, également suisse, dont la propriété fut établie d'après des actions au porteur. Autrement dit, toute personne en possession des papiers appropriés en était le propriétaire légal. Chacun des trois hommes obtint 2 % des parts ; les 94 % restants furent attribués à Poutine lui-même.

La nouvelle compagnie avait seize projets d'investissement différents, la plupart dans la production industrielle ; tous avaient été soigneusement sélectionnés et offraient une variété d'avantages fiscaux et légaux tout en générant de jolis bénéfices, dont 94 % revenaient à Poutine. Parallèlement, il y avait aussi ce que Kolesnikov voyait alors comme le petit projet personnel du président, une maison au bord de la mer Noire dont le budget s'élevait à 16 millions de dollars. « Mais de nouveaux éléments s'y ajoutaient sans cesse, me raconterait-il plus tard. Un ascenseur menant à la plage, une marina, une ligne à haute tension et un gazoduc particuliers, trois nouvelles autoroutes qui menaient directement au palais et trois héliports. L'édifice lui-même se transformait : il y a eu l'ajout d'un amphithéâtre, puis d'un théâtre d'hiver. Et puis il a fallu tout décorer aussi : mobilier, objets d'art, argenterie. Tout ça coûte très cher ! » Kolesnikov se rendait sur la côte de la mer Noire deux fois par an afin de superviser le projet ; la dernière fois qu'il s'y rendit, au printemps 2009, la maison initialement prévue s'était transformée en vingt édifices, et le budget total avait dépassé depuis longtemps la barre du milliard de dollars.

Il s'était passé autre chose quelques mois plus tôt. Dans le sillage de la crise financière mondiale, le partenaire de Kolesnikov l'avait informé que Rosinvest ne réaliserait plus d'investissements ; son seul objet était désormais l'achèvement du palais de la mer Noire. Kolesnikov, qui s'était montré rien moins que tatillon en matière de légalité mais qui était fier de son travail et sincèrement convaincu de contribuer à créer de la richesse pour son pays, fut profondément offensé. Il décida de fuir la Russie, emportant avec lui les documents de la compagnie, puis versa une somme d'argent considérable à un cabinet d'avocats de Washington pour qu'ils examinent ces pièces et vérifient sa théorie. C'est alors qu'il rendit publique l'histoire de ce que l'on appelle désormais le palais de Poutine. Si cette affaire suscita un certain intérêt lorsque j'écrivis à ce sujet en Russie, elle ne provoqua pourtant que très peu de réactions de la part du gouvernement : l'attaché de presse de Poutine déclara tout d'abord que c'étaient des bêtises, puis, lorsque des copies de certains des contrats de construction furent publiés par la *Novaïa gazéta*, le Kremlin se borna à confirmer l'existence du projet de la mer Noire[38].

On serait en droit de penser que le projet du palais n'était qu'une des nombreuses machinations conçues pour soutirer de l'argent à la Russie. Mais la question qui se pose est celle-ci : Quel est le principe directeur de toutes ces manœuvres ? En d'autres mots, il faut à nouveau s'interroger : Qui est M. Poutine ?

Il y a d'un côté Poutine le bureaucrate qui n'acceptait pas les pots-de-vin – un épisode clé à l'origine de l'intérêt de Boris Bérézovski pour cet homme, qui fut déterminant dans l'accession de Poutine à la présidence. Le bras droit de Bérézovski, Iouli Doubov, depuis longtemps exilé à Londres, m'a raconté l'une des histoires les plus frappantes sur la probité de Poutine. Un jour, au début des années 1990, Doubov rencontrait des difficultés dans les formalités administratives concernant la station-service que

Bérézovski souhaitait ouvrir à Saint-Pétersbourg. Il avait besoin que Poutine passe un coup de fil pour faciliter la procédure, et à cette fin il avait organisé un déjeuner avec lui. Doubov arriva à la mairie en avance, tout comme Poutine – un fait inhabituel. Alors qu'ils attendaient ensemble l'heure prévue pour partir déjeuner, Doubov aborda le sujet du coup de téléphone. Poutine s'en chargea immédiatement, mais refusa ensuite d'aller déjeuner. « Soit vous me demandez de vous rendre service pour votre affaire, soit vous m'emmenez déjeuner[39] » : telle fut la réponse que Doubov se rappelait avoir obtenue. Manifestement, Poutine n'était pas seulement un bureaucrate qui n'acceptait pas de pots-de-vin ; c'était un bureaucrate dont l'identité même reposait sur l'incorruptibilité.

De l'autre côté, il y a le Poutine sous la responsabilité duquel des contrats d'une valeur de 100 millions de dollars se sont évaporés, comme Marina Salié l'a démontré. L'aspect le plus choquant de cette histoire n'est pas le vol en soi – on sait bien que des escroqueries ont été commises absolument partout en Russie durant ces années-là, et dans des situations similaires, ce qui explique pourquoi les révélations de Salié n'ont suscité aucune réaction particulière ; c'est le fait que tous les fonds semblent avoir disparu. J'imagine que, si Poutine s'était contenté de 5, 10, 20 ou même 30 % de l'argent, il ne se serait pas fait un ennemi à vie comme ce fut le cas avec Salié ; de même, Kolesnikov ne serait pas parti en guerre si le palais était demeuré un simple projet annexe très onéreux.

Mais c'est comme si Poutine ne pouvait résister à l'envie de s'emparer de tout. Et c'est sans doute la stricte vérité. En plusieurs occasions, dont une, extrêmement gênante, en public, Poutine s'est comporté comme une personne atteinte de kleptomanie. En juin 2005, alors qu'il accueillait un groupe d'hommes d'affaires américains à Saint-Pétersbourg, il a empoché la bague du Super Bowl des New England Patriots, avec ses 124 diamants, appartenant à Robert Kraft[40]. Il a demandé à la voir, l'a essayée, et aurait déclaré : « Je pourrais tuer quelqu'un avec ça », avant de la fourrer dans sa poche et de quitter la pièce précipitamment. À la suite de la parution d'un déluge d'articles dans la presse américaine, Kraft a annoncé quelques jours plus tard que la bague avait été un cadeau, empêchant ainsi qu'une situation inconfortable ne dégénère complètement.

En septembre 2005, Poutine était l'invité d'honneur du musée Solomon R. Guggenheim à New York[41]. À un moment donné, ses hôtes ont apporté une curiosité qui avait sans doute été offerte au musée par un autre invité russe : une réplique en verre d'une kalachnikov remplie de vodka. Ce souvenir de mauvais goût coûte environ 300 dollars à Moscou[42]. Poutine a adressé un signe à son garde du corps, qui a pris l'arme et l'a emportée, laissant les hôtes du musée interloqués.

La relation extraordinaire qu'entretient Poutine avec les possessions matérielles était déjà évidente lorsqu'il était étudiant, voire avant. Lorsqu'il accepta la voiture que ses parents avaient gagnée dans une loterie, bien que ce prix eût pu servir à améliorer grandement les conditions de vie de la famille, ou lorsqu'il dépensa presque tout l'argent qu'il avait touché pendant un été pour s'acheter un manteau atrocement cher – et offrir un gâteau à sa mère –, il se comportait d'une façon fort inhabituelle et à la limite de l'acceptable pour un jeune homme de sa génération et de son groupe social. Des signes ostentatoires de richesse pouvaient facilement compromettre ses projets de carrière au sein du KGB, et il le savait. L'histoire relatée par l'ancien radical d'Allemagne de l'Ouest – Poutine réclamant des cadeaux alors qu'il était à Dresde* – vient compléter ce tableau. Pour un homme qui avait misé presque tout son capital social sur sa capacité à se conformer à la norme, il s'agissait là d'une attitude étonnante : de toute évidence, c'était vraiment plus fort que lui.

Le terme correct ne serait sans doute pas *kleptomanie*, cette pathologie bien connue de tous qui se réfère au désir de posséder des objets sans valeur, mais plutôt *pléonexie* : plus exotique, il désigne le désir insatiable d'avoir ce qui appartient légitimement aux autres. Si Poutine souffre de cette pulsion irrépressible, cela

---

* Voir *supra*, p. 75-76. (N.d.T.)

explique le dédoublement apparent de sa personnalité : il compenserait sa conduite compulsive en se forgeant l'identité d'un fonctionnaire honnête et incorruptible.

Andreï Illarionov découvrit cette facette du président moins de un mois après être devenu son conseiller économique[43] : quelques jours à peine après son investiture, Poutine signa un décret qui regroupait 70 % des fabricants d'alcool au sein d'une même compagnie, et nomma à la tête de celle-ci un de ses proches associés de Saint-Pétersbourg. À l'époque, le prix du pétrole n'avait pas encore grimpé, et l'alcool était considéré comme le secteur le plus lucratif du pays. Ainsi qu'Illarionov s'en aperçut, aucun membre de l'équipe économique du nouveau président n'avait été consulté à propos de cette décision, ni n'en avait été informé. Dans les mois qui suivraient, il s'habituerait à cette façon de procéder : Poutine continuait à présenter une bonne politique économique au public et aux médias et semblait toujours écouter sa solide équipe de conseillers libéraux, mais il les court-circuitait avec des manœuvres qui concentraient toutes les ressources du pays entre les mains de ses amis.

S'est-il passé quelque chose de cet ordre avec Khodorkovski ? Poutine l'a-t-il fait arrêter parce qu'il souhaitait s'emparer de sa compagnie, et non pour des raisons de rivalité politique ou personnelle ? Pas exactement. Il a mis Khodorkovski derrière les barreaux pour la même raison que celle qui l'a conduit à supprimer des élections ou à ordonner la mort de Litvinenko : dans son effort constant pour transformer le pays en une version géante du KGB, il ne pouvait laisser aucune place aux dissidents ni même aux personnalités indépendantes. Celles-ci dérangent aussi, du reste, par leur refus d'accepter les règles de la mafia. Une fois que Khodorkovski s'est retrouvé en prison, l'occasion de le dépouiller s'est donc présentée. En saisissant cette occasion, Poutine, comme à son habitude, a pris le parti de ne pas distinguer entre ses biens personnels et l'État qu'il dirigeait. L'avidité n'est peut-être pas son instinct dominant, mais c'est celui auquel il ne peut jamais résister.

# CHAPITRE 11

# Retour en URSS

On était le 2 octobre 2011, et Boris Bérézovski sautillait d'excitation dans son bureau. Je me trouvais à Londres pour couvrir un procès dont il était à l'origine dans l'espoir de reprendre possession de certains de ses avoirs, plus de dix ans après s'être exilé, et il m'avait proposé de le rencontrer le dimanche avant que ne commencent les audiences afin de me révéler ce qu'il pensait de la situation politique en Russie.

« Vous comprenez ? commença-t-il. Le régime russe n'a ni idéologie, ni parti, ni politique ; ce n'est rien d'autre que le pouvoir d'un seul homme. » Il peignait le portrait d'un personnage digne du Magicien d'Oz, n'éprouvant visiblement nul besoin de reconnaître qu'il en était l'inventeur. « Il suffirait juste à quelqu'un de le discréditer – lui personnellement. » Bérézovski avait même un plan en tête, voire plusieurs, mais je dus jurer de garder le secret.

Je pris congé, amusée par cet homme qui se voyait toujours comme celui qui faisait et défaisait les rois, et pourtant j'étais bien obligée d'admettre que son analyse était correcte. L'édifice tout entier du régime russe – qui, aux yeux du monde, était depuis longtemps passé des « tendances autoritaires » à un autoritarisme pur et dur frisant la tyrannie – reposait sur un seul homme, celui que Bérézovski pensait avoir choisi pour le pays douze ans plus tôt. Cela signifiait que le régime actuel était fondamentalement vulnérable : la personne ou les personnes susceptibles de le renverser n'auraient pas à combattre une idéologie enracinée ; il leur suffirait de démontrer que le tyran avait des pieds d'argile. Cela signifiait également que le moment du basculement était impossible à prévoir, comme dans n'importe quelle tyrannie : il pouvait se produire dans quelques mois aussi bien que dans des années ou des décennies, et être déclenché par un événement mineur, très probablement une erreur du régime qui révélerait soudain au grand jour sa vulnérabilité.

J'avais vu quelque chose de similaire se produire en Yougoslavie onze ans auparavant : Slobodan Milosević, qui s'était accroché au pouvoir en recourant à la terreur d'une main et en exploitant la ferveur nationaliste de l'autre, avait convoqué des élections anticipées, persuadé à tort qu'il gagnerait, et il avait perdu mais s'en était aperçu trop tard pour réprimer la vague croissante de protestation. En 2011, on avait vu des dictateurs arabes tomber comme des dominos, renversés par des foules rendues soudain intrépides par le pouvoir des mots et l'exemple des autres. Le problème avec la Russie, néanmoins, c'était que ce pays immense demeurait aussi atomisé qu'il l'avait toujours été. La politique de Poutine avait bel et bien détruit l'espace public. Internet s'y était développé au cours des dix précédentes années, comme dans les autres pays, mais il prenait l'aspect curieux d'une série de bulles d'information. Les chercheurs américains occupés à « dresser la carte » des blogosphères du monde constataient que, contrairement à la blogosphère américaine – ou, par exemple, à l'iranienne –, qui formait une série de cercles imbriqués les uns dans les autres, la blogosphère russe consistait en des cercles discrets sans lien les uns avec les autres[1]. C'était une anti-utopie de l'ère de l'information : un nombre infini de chambres d'écho. Et ce phénomène ne concernait pas seulement Internet. Le Kremlin regardait sa propre télévision ; les grandes entreprises lisaient leurs propres journaux ; l'intelligentsia consultait ses propres blogs. Aucun de ces groupes n'avait conscience des autres réalités, et cela rendait les protestations de masse très peu probables.

Aux élections de 2000, Poutine avait obtenu près de 53 % des suffrages, tandis que ses dix adversaires recueillaient chacun entre 1 et 29 %. Lorsqu'il se représenta en 2004, il fit un score de 71 % – le résultat typique d'un régime autoritaire –, tandis que les cinq partis rivaux atteignaient entre 0,75 et 14 % chacun. En 2007, alors que son second mandat touchait à sa fin, les classes politisées se demandaient ce qui allait bien pouvoir se passer. Modifierait-il la Constitution pour s'autoriser plus de deux mandats consécutifs ? Suivrait-il la voie d'Eltsine en soumettant au vote du pays un successeur soigneusement choisi ? Pendant un temps, il sembla pencher pour le ministre de la Défense Sergueï Ivanov, un ancien collègue du KGB. Mais en décembre, cette année-là, Poutine tint un meeting télévisé avec les dirigeants de quatre partis fantoches, et ensemble ils déclarèrent qu'ils souhaitaient nommer comme président le premier vice-président du gouvernement, Dmitri Medvedev. Celui-ci se trouvait être présent pour ce moment historique soigneusement orchestré. Lors des élections qui suivirent, en mars 2008, il obtint plus de 70 % des suffrages, tandis que ses trois adversaires recueillaient chacun entre 0 et 17 %. Une fois intronisé, Medvedev désigna Poutine comme Premier ministre.

Cet homme de quarante-deux ans faisait paraître Poutine charismatique. Avec son mètre soixante-deux ou trois (sa taille exacte est un secret soigneusement gardé, mais de nombreuses rumeurs circulent, de même que des photos de Medvedev assis sur un coussin ou debout sur un marchepied pour atteindre le micro), il le faisait également paraître grand. Juriste de formation, il avait travaillé à la mairie de Saint-Pétersbourg mais n'avait jamais occupé un poste dans lequel il devait diriger une équipe, ni quoi que ce soit d'autre, *a fortiori* pas un pays. Il imitait la voix de robot de Poutine quand il parlait, si ce n'est que, là où celui-ci donnait un ton de menace à chacune de ses syllabes, Medvedev ressemblait davantage à un synthétiseur de parole. Et, contrairement à Poutine, il ne faisait pas de blagues vulgaires. Cette différence, ainsi peut-être que le besoin désespéré de placer leur espoir en quelqu'un, a suffi pour que les intellectuels russes se prennent d'affection pour Medvedev.

Pour la première fois depuis que Poutine a muselé les médias et verrouillé la politique russe, l'homme du Kremlin s'est adressé aux classes pensantes. Il s'est exprimé sur ce que les personnes chargées d'écrire ses discours ont choisi d'appeler « les Quatre I » : *institutions*, *infrastructures*, *investissement* et *innovation*. Exhibant un iPhone puis, dès que le produit fut introduit, un iPad, il semblait chercher à imprégner son vocabulaire un peu lourd d'un esprit moderne, occidental. L'intelligentsia a tout avalé. Lorsque Medvedev a invité les défenseurs des droits de l'homme, les analystes politiques libéraux et les autres penseurs à se joindre à un conseil présidentiel nouvellement formé, tous ont répondu présent, sacrifiant volontiers de leur temps pour écrire des Livres blancs qui n'ont de toute évidence jamais été lus. Lorsque les journalistes des médias d'opposition ont osé critiquer non seulement Poutine, mais aussi Medvedev, les rédacteurs en chef ont retiré leurs articles[2]. Lorsque Medvedev a annoncé à un groupe d'historiens engagés qu'il comptait finalement approuver un projet, longtemps resté dans les cartons, de musée national honorant la mémoire des victimes de la terreur stalinienne, les historiens ont tout laissé tomber pour dresser des plans, rédiger des documents et accomplir le travail qui aurait dû incomber à des fonctionnaires fédéraux, tout cela pour permettre à Medvedev de signer le décret – ce qu'il n'a jamais fait. Ce qu'il a fait, en revanche, c'est continuer à prononcer des discours, en promettant de lutter contre la corruption et de moderniser le pays, alors que rien ne changeait. Mikhaïl Khodorkovski a été jugé pour la deuxième fois. Sergueï Magnitski est mort en prison. Et Vladimir Poutine non seulement a construit son palais sur la mer Noire, mais surtout a continué à diriger le pays.

La fonction de Medvedev était presque exclusivement honorifique, et pourtant, dans leurs allocutions publiques, les deux dirigeants s'arrangeaient pour diviser et conquérir le pays. Medvedev, avec sa diction raffinée, son plaidoyer en faveur de l'innovation et ses promesses de lutte contre la corruption, s'adressait à la minorité des militants et des intellectuels, autrefois très bruyante, et réussissait à l'apaiser. Poutine, lui, réservait toujours à la majorité du peuple ses mémorables grossièretés. À la suite de deux explosions meurtrières survenues dans le métro de Moscou en mars 2010, il a renouvelé son engagement à « buter [les terroristes] jusque dans les chiottes » : « Nous savons qu'ils se terrent, mais c'est une question d'honneur pour les organismes d'exécution de la loi de racler le fond des égouts pour les ramener à la lumière du jour[3]. » En juillet 2009, répondant à la remarque de Barack Obama selon laquelle le Premier ministre russe avait « un pied dans l'ancienne façon de faire des affaires et un pied dans la nouvelle », Poutine a lancé : « On n'a pas l'habitude d'avoir les jambes écartées[4]. » En juillet 2008, lorsque le propriétaire majoritaire d'une compagnie de métaux et de charbon ne s'est pas présenté à une réunion où Poutine comptait lui passer un savon, celui-ci a déclaré : « Je comprends bien qu'une maladie est une maladie, mais je pense qu'Igor Vladimirovitch [Ziouzine] devrait guérir au plus vite. Sinon, il faudra lui envoyer le docteur pour régler tous ces problèmes[5]. » En août 2010, Poutine a annoncé au reporter d'un journal que les militants de l'opposition qui participaient à des manifestations non autorisées (à ce stade, la plupart des manifestations de l'opposition ne l'étaient pas) devaient s'attendre à « recevoir des coups de bâton sur la tête[6] ». Ces blagues de voyou étaient sa façon d'entretenir sa popularité, de même que les innombrables photos le montrant torse nu durant ses vacances dans la région septentrionale de Touva[7] ou, plus tard, le reportage sur sa plongée dans la mer Morte[8], d'où il émergea avec deux amphores du VIe siècle déposées là à son intention par des archéologues[9]. C'était bien là la campagne d'un dictateur, un homme qui ne tolérait ni l'opposition ni l'examen critique et qui comptait toujours sur une soigneuse orchestration.

Poutine faisait campagne pour demeurer le chef incontesté du pays – un but étonnamment facile à atteindre en présence de ce président en exercice – et, conséquence naturelle de son pouvoir demeuré inchangé au sommet de l'État, pour redevenir président une fois que le mandat de Medvedev prendrait fin en 2012. De fait, six mois après avoir été élu président, Medvedev a introduit – et le Parlement a voté – une mesure modifiant la Constitution afin d'allonger le mandat présidentiel à six ans[10]. L'idée était qu'il passe les quatre années de son mandat à ne rien faire, si ce n'est tenir de beaux discours, avant de céder le trône à Poutine, cette fois pour deux mandats consécutifs de six ans. Malgré la transparence de ce plan, l'espoir subsistait que Medvedev fût sincère dans ses intentions ou que, après avoir porté le titre de président durant quelques années, il finisse par nourrir de réelles ambitions présidentielles – ou tout simplement que le système créé par Poutine se désintègre, comme tous les systèmes clos sont voués à le faire.

Sa plus grande vulnérabilité découlait de la pléonexie de Poutine et de son entourage, ce désir insatiable de posséder ce qui appartient à autrui, qui exerçait de l'intérieur une pression de plus en plus forte sur le régime. Chaque année, la Russie reculait encore davantage sur l'Indice de perception de la corruption du groupe de surveillance Transparency International, passant au 154e rang sur 178 en 2011 (pour l'année 2010)[11]. En 2011, les défenseurs des droits de l'homme estimaient qu'au moins 15 % de la population carcérale russe étaient constitués d'entrepreneurs qui avaient été jetés en prison par des concurrents ayant des relations et usant du système judiciaire pour s'emparer de leurs sociétés[12]. Vers le milieu de l'année 2010, un avocat de trente-quatre ans nommé Alexeï Navalny comptabilisait des dizaines de milliers de visites par jour sur son blog où, grâce à l'examen minutieux des sites Web du gouvernement à la recherche d'excès décelables par tous, il suivait de près les nombreux scandales d'une bureaucratie incapable de rendre des comptes. Il y avait par exemple la région de Voronej qui faisait un appel d'offres en vue d'acheter trois montres-bracelets en or au prix de 15 000 dollars[13]. Il y avait la ville de Krasnodar, dans le sud de la Russie, qui offrait de payer environ 400 millions de dollars pour une documentation technique sur un futur passage à niveau[14]. Il y avait également deux lits et deux tables de chevet décorés d'un revêtement en or vingt-quatre carats acquis par le ministre de l'Intérieur[15]. Navalny surnommait les gens à la tête de la Russie « le Parti des escrocs et des voleurs », une appellation qui a aussitôt fait florès. À l'automne 2010, le magazine que je dirigeais a publié une longue interview de

Navalny, et j'ai écrit en une : « Un véritable homme politique vient d'être découvert en Russie[16] ». D'autres magazines ont suivi, faisant leur couverture sur ce beau blond, et l'attention a culminé avec un portrait paru dans le *New Yorker* en avril 2011[17].

Le 2 février 2011, Navalny a annoncé qu'il rendait sa campagne anticorruption publique, appelant aux contributions pour cette organisation nouvellement formée. Trois heures plus tard, il comptait déjà 5 000 dollars de donations, qui allaient de cinq kopecks (moins de un cent) à l'équivalent de 500 dollars. En vingt-quatre heures, il avait reçu un million de roubles (environ 30 000 dollars), un record pour des donations en ligne en Russie, toutes causes confondues[18]. C'était un signe on ne peut plus clair que les Russes en avaient assez de se faire duper et étaient prêts à payer pour que ça change. Mais il était également clair qu'un combattant solitaire comme Navalny ne pouvait rien y changer. Comme le champion d'échecs Garry Kasparov l'avait appris, être riche, célèbre et avoir raison ne suffisait pas à un outsider pour réussir à s'attaquer au système. Le monolithe ne pouvait être ébranlé que par une personne qui en faisait partie.

Cette personne a semblé faire son apparition en mai 2011. Surprenant tout le monde, lui-même compris, Mikhaïl Prokhorov, le deuxième homme le plus riche du pays, a annoncé qu'il entrait en politique. La vie de cet homme de quarante-six ans ressemblait à celle des autres oligarques russes : il s'était initié aux affaires durant les dernières années de ses études, il avait réalisé ses premiers gains à la fin des années 1980 en achetant et vendant tout ce qui lui tombait sous la main ; dans les années 1990, il avait amassé une petite fortune grâce à de sages privatisations, puis en investissant et remodelant de façon très intelligente ce qu'il avait privatisé. Contrairement à Goussinski, Bérézovski et Khodorkovski, il avait maintenu une certaine distance avec le Kremlin pendant l'essentiel de sa carrière, préférant être un bon administrateur et laisser la politique à son associé.

La décision d'entrer en politique ne venait pas exactement de lui, même s'il protesterait sans doute du contraire. Il avait été sollicité par le président et le Premier ministre pour prendre les rênes d'un parti libéral de droite plus ou moins oublié. C'était devenu un scénario habituel : les années de scrutin, le Kremlin consacrait un parti de droite et un parti de gauche afin qu'ils figurent aux côtés de la Russie unie de Poutine dans le simulacre d'élection. Pendant ce temps, les partis politiques réels, dotés de véritables dirigeants et de véritables programmes, se voyaient refuser l'inscription en raison des lois et des règlements tortueux adoptés au début des années 2000. Prokhorov avait donc été choisi pour servir de prête-nom à un parti de droite dormant, qui serait brièvement ressuscité pour les élections parlementaires de décembre 2011 : on lui demanderait de jouer un rôle écrit d'avance, peut-être de faire quelques déclarations indélicates typiques d'un milliardaire qui permettraient de reporter la confiance sur le Monsieur Tout-le-Monde qu'était Poutine, puis de regagner les coulisses au moment opportun.

Mais, cette fois, j'avais le sentiment que les marionnettistes du Kremlin s'étaient montrés trop confiants et avaient peut-être commis une erreur fatale. Je connaissais un peu Prokhorov : ces trois dernières années, j'avais dirigé un magazine dont il était le principal investisseur. Il semblait incapable par nature de se contenter d'être un prête-nom. En outre, il cherchait de manière active un domaine dans lequel il pourrait s'investir complètement. Il avait atteint tous les objectifs qu'il s'était fixés dans le monde des affaires en Russie ; il était profondément déprimé par l'état du pays et avait même envisagé – option démoralisante – de vendre tous ses avoirs afin de déménager à New York, où il avait acheté l'équipe de la NBA qui deviendrait les Brooklyn Nets. Mais voilà que, au lieu de quitter le pays, il pouvait le réparer. Il allait s'atteler à cette tâche, maîtriser cette nouvelle discipline, comme il avait cherché à maîtriser la métallurgie et les complexités de la gestion au niveau de l'usine lorsqu'il était entré en possession du géant de la métallurgie Norilsk Nickel, qu'il s'enorgueillissait d'avoir réformé de fond en comble, ralliant les ouvriers à la plupart des changements qu'il avait instaurés. Prokhorov était un homme brillant. Avec ses deux mètres sept, c'était, littéralement, un géant, et je l'estimais capable de renverser le système.

Au cours des mois qui ont suivi, j'ai observé une transformation remarquable chez Prokhorov. Il a été coaché par des experts : on l'a vu troquer ses costumes Brioni bleu marine un peu amples contre des tenues ajustées beiges et grises. Il a abandonné sa façon un peu mécanique de répondre aux questions par des paragraphes entiers à la grammaire parfaite, avec un air absolument sûr de lui, et a appris à agrémenter son discours de quelques qualificatifs et modificateurs mal placés. Plus important, il a rassemblé des dizaines d'experts issus de la politique, de l'économie et des médias pour l'aider à élaborer des positions nuancées sur la politique russe, et a ainsi commencé à se créer un réseau d'influence. Il a recouvert les murs des plus grandes villes du pays d'affiches reproduisant son visage et des slogans tels que « Misez sur votre avenir ». Il avait l'argent nécessaire non seulement pour acheter tout l'espace publicitaire du territoire, mais aussi pour remplacer ses affiches lorsqu'elles étaient arrachées par les autorités locales, choquées par son audace – et cela se produisit dans plus d'un endroit.

De toute évidence, ceux qui avaient eu l'idée d'utiliser Prokhorov comme doublure pour l'opposition ne s'étaient pas imaginé qu'il prendrait son rôle autant au sérieux. Vladislav Sourkov, un assistant de Poutine qui, au fil des ans, avait acquis la réputation d'être le grand marionnettiste du Kremlin – il avait pris la place libérée par Bérézovski –, a commencé à convoquer Prokhorov pour des entretiens presque journaliers. Celui-ci, qui n'avait jamais été sous les ordres de personne, s'est néanmoins soumis à ce rituel, qu'il trouvait étrange et particulièrement humiliant, consistant à présenter un compte rendu complet de ses activités politiques. Sourkov, à son tour, lui faisait des suggestions, lui conseillant par exemple d'éliminer quelqu'un des listes du parti. Prokhorov n'a pas tenu compte de ces recommandations et a poursuivi sur la voie qui lui paraissait être la bonne – jusqu'au 14 septembre 2011, lorsqu'il s'est soudain retrouvé exclu du congrès de son propre parti. La plupart des militants qu'il avait recrutés au cours des trois mois précédents n'ont pas été autorisés non plus à y participer, et c'est une assemblée entièrement différente qui a élu des dirigeants entièrement différents. Ceux qui avaient offert le parti à Prokhorov avaient à présent décidé de le lui retirer.

C'était douloureux de voir l'un des hommes les plus riches et les plus grands du pays se sentir complètement perdu, déconcerté et trahi. Prokhorov a organisé une conférence de presse pour annoncer que son exclusion du parti était illégale. Il a convoqué un autre congrès le lendemain et s'est exprimé à cette occasion, assurant qu'il veillerait à ce que Sourkov perde son poste. Il a promis de se battre. Il a promis de revenir dix jours plus tard et de présenter un plan d'action détaillé pour la bataille politique à venir.

Bien sûr, Sourkov – si c'était bien lui – n'était pas le seul à s'être gravement trompé. Prokhorov, qui vivait à une distance prudente du Kremlin, dans la bulle d'information que lui avait permis d'édifier son expérience des affaires, était allé dangereusement loin. Dans les jours qui ont suivi les deux congrès, il a reçu suffisamment de messages sur ce qui risquait de lui arriver, à lui et à ses affaires, pour qu'il se résolve à renoncer à l'idée de faire de la politique. Prokhorov n'est jamais revenu avec son plan d'action ; il a tout simplement disparu de la scène.

Apparemment, ceux qui l'avaient choisi pour s'opposer à Poutine avaient commis une erreur classique en faisant preuve d'une confiance aveugle, mais ils s'étaient rattrapés bien à temps.

Le 24 septembre 2011, Russie unie a tenu son propre congrès. Dmitri Medvedev s'est adressé à la foule.

« Je pense qu'il serait juste de soutenir la candidature de Vladimir Vladimirovitch Poutine à la présidence », a-t-il déclaré. Il y a eu un tonnerre d'applaudissements dans la salle. Lorsque le calme a fini par revenir, Medvedev, sans la moindre gêne, a expliqué à l'assemblée que lui et Poutine avaient passé cet accord à l'époque où Medvedev avait accédé à la présidence. Ainsi, dès que Poutine retrouverait son poste de président, Medvedev deviendrait son Premier ministre[19].

Quelques heures plus tard, la blogosphère russe était envahie de photos de Poutine retouchées pour lui donner un air plus âgé et une forte ressemblance avec Léonid Brejnev, le dirigeant soviétique mort après dix-huit années au pouvoir, quasiment paralysé et complètement incohérent. Poutine, rappelaient les blogueurs, aurait soixante et onze ans lorsque son second mandat de six ans prendrait fin.

Et ainsi, la reconversion de la Russie en URSS, selon les vœux de Poutine, était vraiment complète.

## ÉPILOGUE

# Une semaine en décembre

*Samedi 3 décembre 2011*

J'ai invité ma famille à aller voir une comédie américaine insipide dans un luxueux centre commercial du cœur de Moscou. La neige est en retard cette année, et la ville semble plongée en permanence dans une obscurité humide. L'éclairage aveuglant du périphérique du Jardin – la rocade à huit voies qui ceinture le centre-ville – ne remédie pas vraiment à cette impression. Mais mon regard est attiré par une immense structure tout illuminée. On pourrait parler d'affiche ou de panneau d'affichage, mais aucun de ces deux termes ne rend justice à ses dimensions. Plantée au sommet d'un immeuble de deux étages datant du XVIIIe siècle, elle paraît plus grande que le bâtiment lui-même. Équipée d'un dispositif de rétroéclairage, elle est, de plus, brillamment éclairée sur les côtés, qui forment une sorte de cadre de photo numérique à la King Kong. À l'intérieur, Poutine et Medvedev, arborant l'un une cravate rouge, l'autre une bleue, ont le regard résolument fixé au-delà l'un de l'autre, surmontant une légende gigantesque : RUSSIE UNIE, ENSEMBLE NOUS VAINCRONS.

Les élections législatives ont lieu demain. En vertu de la loi, aujourd'hui est un « jour de silence » où toute campagne est interdite – affichage extérieur compris. Je m'arrête à une intersection, prends une photo de cette monstruosité avec mon téléphone portable et la poste sur Facebook. Moins de une heure plus tard, la photo fait déjà l'objet de dix-sept commentaires – ce n'est pas un record du monde, mais c'est une réaction plus importante que celle à laquelle je m'attendais pour un samedi soir. Chose encore plus surprenante, les commentateurs ne font pas partie de ma bande d'amis politiquement engagés. « Quels salauds ! » proteste un directeur commercial. « Vous pouvez penser qu'on a vu pis, ça donne quand même envie de dégueuler », écrit un ancien journaliste politique qui a abandonné le métier il y a quatorze ans.

Cela fait plus de douze ans que je n'ai pas voté à une élection législative, parce que les lois de Poutine avaient privé le processus électoral de tout intérêt : les partis politiques ne pouvaient plus participer au scrutin sans l'approbation du Kremlin, les membres du Parlement n'étaient plus élus au suffrage direct, et, de toute façon, les résultats étaient truqués par les agents électoraux.

Pourtant, il y a quelques mois, quand un groupe d'écrivains, d'artistes et de militants libéraux bien connus a appelé le peuple à participer aux élections et à écrire un message obscène sur leur bulletin de vote, j'ai critiqué cette idée sur Internet, affirmant que c'était un combat perdu d'avance. Le gouvernement avait transformé les élections en parodie, bien sûr, mais, selon moi, on ne peut pas lutter contre le cynisme par la dérision. Nous avions besoin de quelque chose de sérieux pour remplacer la raillerie – par exemple une bonne raison de voter. Au cours des échanges de vues qui ont suivi sur plusieurs sites, quelques personnes ont fait chorus, avançant de vrais motifs d'aller aux urnes : primo, s'assurer que le Parti des escrocs et des voleurs ne voterait pas en notre nom ; secundo, voter pour un des partis plus ou moins d'opposition qui se présentaient afin que celui de Poutine, Russie unie, n'obtienne pas la majorité constitutionnelle au Parlement. Chose stupéfiante, ces exhortations d'internautes se sont répandues comme une traînée de poudre.

Ayant consacré sa thèse aux élections, ma compagne se fait un principe de ne jamais manquer un scrutin. Elle s'est réveillée l'autre matin et m'a demandé : « J'ai rêvé ou tu as bien dit que tu allais voter ?

— Oui, je vais voter.

— Pourquoi ?

— Je ne sais pas exactement. Mais j'ai l'impression qu'il va se passer quelque chose. »

J'ai dit cela parce que, ces derniers jours, j'ai eu plusieurs discussions avec mes amis, qui vont aller aux urnes eux aussi : nous nous sommes demandé à quel soi-disant parti nous allions donner notre voix. Des milliers de gens, dont un certain nombre de mes amis, se sont inscrits et ont suivi une formation d'observateurs bénévoles du scrutin, soit individuellement, soit dans le cadre d'un mouvement appelé Observateur citoyen, créé par un éminent politologue, Dmitri Orechkine (qui se trouve être également le père de ma compagne). Ils passeront la journée de demain dans les bureaux de vote pour essayer de déjouer les tentatives de fraude. Il y a aussi des gens qui débattent de la photo de Poutine et Medvedev sur ma page Facebook, comme si, tout d'un coup, c'était vraiment important pour eux.

*Dimanche 4 décembre 2011*

Je me rends au bureau de vote une demi-heure avant la fermeture, selon les conseils des internautes, pour pouvoir prendre les voleurs électoraux la main dans le sac s'ils ont déjà utilisé mon nom pour voter. Mais non : ni ma grand-mère de quatre-vingt-onze ans, enregistrée à la même adresse que moi, ni moi n'avons encore voté. Et je ne relève aucune infraction. Je glisse mon bulletin dans l'urne sans incident, je prends une photo, je la poste sur Facebook pour qu'elle puisse éventuellement servir de preuve lors du dénombrement des voix (une autre idée des internautes), et je me rends chez une amie qui fête ses quarante ans.

Ses invités forment un groupe disparate : des représentants des milieux de l'édition, des journalistes, des stylistes et au moins un riche industriel – mon amie fait partie de ces gens qui connaissent apparemment tout le monde. Et tout le monde ne parle que des élections. J'entends des trentenaires déclarer : « C'est la première fois de ma vie que je vote ! » Au bout d'un moment, on peut prédire que tous ceux qui ont atteint la majorité légale après l'arrivée de Poutine au pouvoir prononceront cette phrase à peine la porte franchie. Deux invités qui ont travaillé comme observateurs électoraux bénévoles nous régalent de leurs récits d'infractions : des jeunes qui ont été payés pour cacher sous leurs vêtements des bulletins déjà remplis et les fourrer dans l'urne en même temps que le leur ; des agents électoraux qui ont fait partir les observateurs dès que le décompte a commencé. (Demain, nous découvrirons que de nombreux agents se sont contentés de falsifier les comptes définitifs, sans tenir compte des bulletins réels.)

Rien de tout cela n'est nouveau pour Daria et moi.

Ce qu'il y a de nouveau, en revanche, c'est que nous en parlons dans une fête, tard dans la nuit. Et que nous avons tous voté. Autre chose encore : les observateurs électoraux nous disent qu'il y avait parmi eux un instituteur, la femme d'un homme d'affaires qui est arrivée en Range Rover, et d'autres gens qui sont... qui ne sont pas comme nous. Quelque chose a bougé, pour d'autres que nous, accros des médias et scotchés à nos pages Facebook.

« À votre avis, qu'est-ce qu'il faudra pour que les gens descendent dans la rue ? » demande à ceux qui sont rassemblés dans la cuisine Vladimir, un jeune et intelligent journaliste qui fait partie de l'équipe chargée de suivre les faits et gestes du président pour le principal quotidien économique.

« Je ne sais pas, dis-je, mais il y a quelque chose dans l'air. Je le sens. »

*Lundi 5 décembre 2011*

En amenant les enfants à l'école, j'écoute les résultats partiels à la radio. Il semblerait que Russie unie n'ait obtenu qu'un peu moins de 50 % des voix. Je sais que ce n'est pas un chiffre exact, mais il est nettement inférieur aux résultats, eux aussi falsifiés, des précédentes élections législatives, lors desquelles le parti de Poutine avait prétendument recueilli 66 % des suffrages. Peut-être les vrais chiffres étaient-ils tellement bas cette fois-ci que certains agents électoraux ont estimé ne pas pouvoir pousser la duperie plus loin. Comme je le découvrirais également aujourd'hui, certains bureaux ont résisté aux pressions les incitant à truquer leurs chiffres. Les cinq cents observateurs électoraux d'Observateur citoyen, postés dans cent soixante-dix bureaux de Moscou, n'ont relevé aucune infraction majeure dans trente-six d'entre eux. Quand on a additionné les résultats de ces seuls bureaux, Russie unie arrivait en deuxième position, avec à peine plus de 23 % des voix, derrière le Parti communiste[1]. En extrapolant à partir de cette trentaine de bureaux, il semblerait que le décompte officiel ait accordé à Russie unie plus du double des voix qu'elle a véritablement remportées. Observateur citoyen rapporte également que la participation électorale s'est élevée à 49 % – un taux bien supérieur à celui de toute autre élection russe récente.

Une manifestation est prévue pour ce soir, et je décide d'y aller. Je n'en ai pas vraiment envie : les manifestations à Moscou sont barbantes, dangereuses, ou les deux. À l'heure actuelle, tous ceux qui souhaitent organiser un rassemblement ou une manifestation publics doivent en aviser les autorités dix ou quinze jours à l'avance ; la ville peut alors refuser son autorisation, ou l'accorder pour un lieu et un nombre de participants précis. Si l'autorisation est accordée, la police met en place des cordons tout autour de l'espace réservé au nombre de participants prévu, et installe des détecteurs de métaux sur tout le périmètre. Si l'autorisation est refusée mais que la manifestation ait tout de même lieu, les participants ont de bonnes chances de se faire arrêter, et tabasser par la même occasion. Les manifestants doivent se soumettre à une procédure de fouille qui peut être très déplaisante, puis tenir leur rassemblement derrière le cordon de police, ce qui les oblige en quelque sorte à ne parler qu'à eux-mêmes. Je déteste encore plus les rassemblements légaux que les illégaux, mais, de temps en temps, j'ai le sentiment qu'il faut que j'y aille. C'est le cas aujourd'hui.

Je tchatte avec mon amie Ana, qui m'envoie un extrait d'un article du *New York Times* d'aujourd'hui sur les élections russes. Ana, que j'ai rencontrée au Kosovo, a passé plusieurs années à Moscou comme correspondante de presse. Elle vit maintenant à La Haye. « "La démocratie est en action", a dit M. Medvedev, qui se trouvait avec M. Poutine au siège de campagne de Russie unie, où tous deux semblaient un peu ébranlés[2]. » Elle ajoute : « Si ce n'était pas siiii triste, ce serait plutôt marrant. »

« Ouais, je lui réponds. Il se passe quelque chose, mais ça n'aboutit à rien. »

Je vais à la manif. Le temps est toujours étrangement doux pour Moscou, autrement dit il fait froid et désagréable : la température tourne autour de zéro et il pleut à verse. Qui va braver les intempéries pour défendre vainement la démocratie ?

Tout le monde.

Tous ceux que je connais, en tout cas. Avec deux amis, Andreï et Macha, nous approchons du parc où la manifestation doit avoir lieu et, tandis que nous marchons, d'autres gens se joignent à nous. Un des jeunes frères d'Andreï, puis un autre. Deux de mes anciens reporters – ceux qui m'appelaient à tour de rôle depuis la scène de la tragédie du théâtre il y a neuf ans. L'un d'eux, Anton, est aujourd'hui un militant de l'art radical, et il a passé un certain temps en prison pour avoir pris part à des manifestations-canulars. L'autre, Gricha, a récemment démissionné de son poste de rédacteur à la suite d'un différend sur la censure préélectorale : on lui avait donné pour directive de supprimer les articles critiques de ses revues de la presse internationale consacrée aux événements en Russie. En nous approchant, nous n'arrivons même pas à repérer les détecteurs de métaux tant la foule est dense. Une rumeur circule : la zone cernée par le cordon de police est pleine, ils ne laisseront plus passer personne. Cela veut dire qu'il y a au moins cinq cents contestataires dans le parc – un chiffre considérable compte tenu des critères moscovites actuels.

Nous marchons dans la rue en longeant le parc, regardant à l'intérieur par-dessus une clôture basse. Ce ne sont pas des centaines mais des milliers de gens qui se pressent là. Nous formons une phalange informelle d'environ dix personnes de front. Les cars qui ont conduit les policiers jusqu'ici sont rangés le long du trottoir en compagnie de fourgons cellulaires. « Nous bloquons la circulation, fait remarquer Andreï. Ils vont nous arrêter. » Nous sommes une bonne douzaine à escalader la grille pour rejoindre les manifestants, sous le regard indifférent des policiers. Il pleut toujours. J'ai les cheveux trempés, et l'impression que mes pieds vont se détacher de mes jambes. Je suis enchantée d'être là, gelée, ne cessant de saluer les amis qui surgissent de partout.

Voici le photographe avec qui j'ai voyagé dans les zones de guerre dans les années 1990. Puis, séparément, son fils, un étudiant de deuxième année né un an après l'effondrement de l'Union soviétique. Et voilà Tatiana, qui était ma rédactrice en chef il y a plus de quinze ans. « Je n'y arrive plus, tu sais, me dit-elle. Tu te rappelles comment nous faisions le décompte des manifestants dans les années 1990, en divisant mentalement la foule en quarts de cercle ? Je n'arrive plus à le faire. » Moi non plus : j'ai oublié cette méthode, et de toute façon je ne distingue rien dans cette foule compacte, sous la pluie, dans l'obscurité. Mais je suis persuadée que nous sommes largement plus de cinq mille – les estimations ultérieures iront jusqu'à dix mille –, ce qui fait de notre rassemblement la plus grande manifestation en Russie depuis le début des années 1990.

Quand la foule se disperse, j'invite notre groupe à venir chez moi, juste au coin de la rue. Les femmes acceptent, mais les hommes préfèrent participer à une marche jusqu'au bâtiment du Comité électoral central. Ce cortège est évidemment illégal, et j'ai peur qu'ils ne se fassent arrêter. Il y aura effectivement près de trois cents interpellations, ainsi que des violences. Mais il y aura aussi autre chose : une heure plus tard environ, au moment où je préparerai un dîner tardif pendant que les autres sirotent du cognac, cherchant toujours à se réchauffer, Gricha tweetera qu'Andreï vient de faire sortir ses deux petits frères d'un panier à salade en les tirant par le col de leur manteau. Une heure plus tard, six jeunes gens – Gricha, Andreï, les deux frères d'Andreï et deux inconnus – débarqueront chez moi, échevelés et très contents d'eux-mêmes, ivres d'une griserie romantique et révolutionnaire, embellissant le récit du sauvetage des prisonniers chaque fois qu'ils le répètent.

Je me dis : *j'ai déjà vu ça.* C'est le moment où la peur s'évanouit. Quelqu'un s'introduit dans un fourgon de police pour sauver ses frères, et les flics en tenue antiémeute s'écartent et le laissent faire. Un moment minuscule qui annonce un immense changement.

Les jeunes mangent puis filent au poste de police, où leurs copains moins chanceux sont détenus.

*Mardi 6 décembre 2011*

En accompagnant les enfants à l'école, je choisis de passer devant le bureau de police où l'on a conduit certains des manifestants d'hier soir. J'aperçois une petite foule massée sur le trottoir : une centaine de personnes ont passé la nuit glaciale et pluvieuse sur place, réclamant – en vain – que des avocats puissent entrer dans le bâtiment.

Une nouvelle manifestation, illégale, est prévue pour ce soir. Toute la journée, je me demande si je vais m'y rendre, et finalement je décide que non. J'ai déjà pris part à des manifestations interdites et j'ai toujours réussi à en sortir indemne (quitte à me glisser, comme je l'ai fait un jour, entre les jambes d'un flic antiémeute). Mais ma compagne est enceinte de sept mois, et ce n'est peut-être pas le moment de risquer quinze jours de détention provisoire – le lot d'un grand nombre de ceux qui seront arrêtés.

Je vaque à mes occupations en proie à un étrange sentiment. Je vais au gymnase, puis dans un café pour rencontrer le directeur général de la maison d'édition où je commence à travailler la semaine prochaine. Le café n'est pas très éloigné de la place où aura lieu la manifestation de ce soir, raison pour laquelle le réseau de mon téléphone est vacillant. On parle d'un brouillage provoqué par les autorités. En rentrant chez moi, je passe devant des blindés et des cars de police. On dirait qu'ils sont garés sur toutes les places du centre-ville. La radio annonce qu'on a fait venir en renfort à Moscou plusieurs dizaines de milliers de policiers d'autres villes.

Je ne sais plus d'où je tiens ça – d'un ami, de Facebook ou de la radio –, mais une nouvelle manifestation autorisée est prévue pour samedi. Cela rend la présence policière et le brouillage des communications plus excitants que menaçants : la manifestation de lundi n'était pas un coup d'épée dans l'eau. Après tout, peut-être cela aboutira-t-il tout de même à quelque chose.

Mais je regrette que la révolution qui se prépare n'ait pas de symbole d'unité, pas de slogan entraînant. À 2 h 43 du matin, un publicitaire du nom d'Arsen Révazov poste un message Facebook :

> LA RÉVOLUTION DE NEIGE, OU UN NOUVEAU DÉPART
>
> Quand des millions de gens noueront des rubans blancs à leur bras ou à leur voiture, à leur sac à main ou au revers de leur veste, etc., il deviendra impossible d'inventer ou de falsifier quoi que ce soit. Parce que tout se fera au grand jour, et que tout le monde le saura.
>
> Il neigera. Toute la ville se couvrira de blanc. Les citoyens arborent des rubans blancs. Ils sont d'abord dix pour cent de la population, puis trente, puis cinquante, puis soixante-quinze pour cent. Dès qu'ils sont plus de trente pour cent, plus personne n'a peur. Et tout d'un coup, tout le monde – ou presque tout le monde – aime et respecte les autres à cause de cela...
>
> Il faut tenir bon jusqu'en mars. La suite est entre les mains de Dieu. Je suis persuadé que si, dans notre ville, plusieurs millions de personnes nouent des rubans blancs (ou même des serviettes en papier), tout changera pour le mieux, rapidement et sans violence.

En l'espace de quelques heures, près de un millier de personnes « aiment » ce message et plus de sept cents le « partagent » avec d'autres. On apprend également qu'un autre mouvement en faveur d'un ruban blanc a été lancé quelques heures auparavant. La révolution a maintenant un symbole.

Trois cents autres contestataires ont été arrêtés lors de la manifestation illégale. Un ami crée un groupe Facebook pour coordonner les efforts d'assistance aux détenus. J'y adhère, comme des centaines d'autres internautes. Dès demain, il y aura des livraisons régulières de nourriture, grâce au café où j'ai tenu ma réunion de travail aujourd'hui, et on apportera des sacs de couchage et des couvertures à tous les détenus, obligés de rester debout ou assis sur des bancs durs. Le groupe s'appelle HELP-Revolution, et à 3 heures du matin je rayonne d'orgueil : j'en ai été nommée administratrice.

*Mercredi 7 décembre 2011*

Avant que j'aille me coucher hier soir, le nombre de gens qui avaient cliqué sur « J'y vais » sur la page Facebook de la manifestation de samedi prochain approchait les trois mille. Ce matin, ils sont plus de cinq mille. Mikhaïl Gorbatchev, l'ancien président âgé désormais de quatre-vingts ans, a réclamé un nouveau scrutin[3]. Dans un post destiné au blog d'opinion de l'*International Herald Tribune*, auquel je contribue régulièrement, je décris la manifestation de lundi et essaie d'exprimer par des mots le sentiment désormais irrépressible que la Russie a franchi un point de non-retour.

Le problème du régime soviétique – et de celui que Vladimir Poutine a créé à l'image de celui-ci – est qu'il s'agit de systèmes clos dont la destruction est imprévisible. Il n'existe pas de relation de cause à effet évidente entre les manifestations de rue et la chute ultime du régime, parce qu'il n'y a pas de mécanismes obligeant le gouvernement à rendre compte au peuple.

Même le parallèle récent le plus évident, celui de la Révolution orange de l'Ukraine en 2004, ne peut servir de modèle : dans ce pays-là, l'affrontement entre les manifestants qui étaient descendus dans la rue et le gouvernement qui leur avait volé les élections a été réglé par la Cour suprême, laquelle a ordonné un nouveau décompte des voix et un nouveau scrutin. Mais la Russie ne possède pas de système judiciaire indépendant de l'exécutif. Pis encore, un nouveau décompte ou de nouvelles élections n'y pourraient rien changer, car les lois électorales ont été manipulées depuis longtemps pour n'autoriser que la participation de partis ayant obtenu l'aval du Kremlin.

Ceux qui manifestent contre les élections volées réclament donc, en fait, le démantèlement du système tout entier. Ce qui, faute de meilleurs parallèles, nous reconduit à la chute de l'URSS.

Ce processus a duré cinq ans et son évolution s'est faite en dents de scie. Les manifestations ont été autorisées, puis interdites, puis autorisées à nouveau. Des dissidents ont été libérés, mais ensuite leurs appartements ont été saccagés par la police. La censure a été supprimée par à-coups. Au plus fort du mouvement de protestation, des centaines de milliers de personnes sont descendues dans la rue, bravant non seulement la police, mais les chars, et pourtant nul ne pourrait dire quelles actions ont eu des conséquences directes – parce que, comme aujourd'hui, les gens ne disposaient d'aucun mécanisme pour demander des comptes au gouvernement.

> Mais, avec le recul, une chose est claire : une fois le processus engagé, le régime était condamné. Plus il pompait d'air chaud dans la bulle où il vivait, plus il devenait également vulnérable aux pressions de l'extérieur. C'est exactement ce qui se passe aujourd'hui. Cela prendra peut-être des mois, peut-être même quelques années, mais la bulle Poutine finira par éclater[4].

Qu'adviendra-t-il ensuite ? Le Kremlin semble s'agiter. Hier, des dizaines de milliers de jeunes transportés en car depuis l'extérieur de la ville ont été parqués dans le centre de Moscou pour un rassemblement célébrant la victoire de Russie unie. On leur a distribué des gilets et des tambours bleu vif, qu'ils ont jetés négligemment par terre après la manifestation. Des photos des tambours cabossés, souillés et trempés, empilés sur les trottoirs, ont envahi les blogs, parfaits symboles du régime : beaucoup de bruit et d'apparat, et puis un abandon sans gloire sous la pluie sombre et glaciale. Quelles sont les autres options du gouvernement ? La plupart des contestataires arrêtés lundi et mardi sont encore dans les cellules de la police, et leur nombre dépasse déjà largement les capacités des installations et des tribunaux : il est impensable que la manifestation de samedi donne lieu à des arrestations massives. Les violences sont possibles, mais peu probables, car Poutine, me semble-t-il, n'a pas encore vraiment compris combien sa situation est désespérée. Il cherchera plus vraisemblablement à apaiser les contestataires en leur donnant un os à ronger. Vladislav Sourkov, le marionnettiste en chef du Kremlin, a déjà suggéré de former un nouveau parti pour accueillir les « communautés urbaines irritées[5] ». Ils ne se rendent manifestement pas compte que c'est tout le pays qui est irrité contre eux, et ils pensent sans doute qu'autoriser un ersatz de candidat d'opposition de leur choix à se présenter à l'élection présidentielle de mars suffira à faire tomber la pression. Les manifestations devront se poursuivre jusqu'à ce que Poutine et son premier cercle comprennent qu'ils ne sont qu'une minorité infime et méprisée – ils se conduiront alors comme une bête acculée. Quelles autres possibilités leur offre leur répertoire limité – un attentat terroriste qui permettrait à Poutine de déclarer l'état d'urgence ? Pareille mesure ne sauvera pas son régime, mais elle pourrait retarder sa mort de un an ou deux.

Le soir, je vais à une réunion de Rouss Sidiachtchaïa (La Russie derrière les barreaux), une organisation créée il y a deux mois par Olga Romanova, une ancienne rédactrice de l'industrie qui est devenue militante à plein-temps de la défense des droits des prisonniers après l'arrestation de son mari, un industriel condamné à huit ans de prison pour fraude. Ayant échoué à le faire libérer à l'aide de pots-de-vin, Romanova a lancé sa propre enquête et a pu produire des preuves que son mari avait été condamné sur la foi de documents forgés de toutes pièces – fournis, pense-t-elle, par son ancien associé, qui était également sénateur jusqu'à l'année dernière. Romanova est allée jusqu'à la Cour suprême, qui a cassé le jugement ; le tribunal municipal de Moscou ayant ignoré cette décision, elle s'est à nouveau adressée à la Cour suprême et a une nouvelle fois obtenu l'annulation du jugement. Elle a ensuite pris l'avion jusqu'à une colonie pénitentiaire lointaine pour aller chercher son mari, qui avait déjà passé plus de trois ans derrière les barreaux. La vidéo de leurs retrouvailles a fait un tabac.

Rouss Sidiachtchaïa se réunit dans un café du centre-ville, le genre d'endroit où des jeunes gens et des jeunes femmes sérieux font leur choix parmi dix-huit variétés d'excellents thés avant de passer à quelques variétés de vin médiocre. Mais ces réunions du mercredi soir rassemblent surtout des femmes qui ont une allure de comptables ou de cadres moyens, la seule différence étant qu'elles consacrent tout leur temps à essayer de faire libérer leurs maris « prisonniers économiques ». Je m'assieds à une table avec Svetlana Bakhmina, une ancienne juriste de chez Ioukos qui a fait quatre ans et demi de prison, et une jeune femme timide à lunettes qui me dit que son mari a été condamné sur présomption de fraude.

« Voici Irek Mourtazine ! » s'écrie Romanova, une femme corpulente de quarante-cinq ans teinte en roux.

Un homme fluet, la quarantaine bien sonnée, fait son entrée. C'est un ancien cadre de télévision du Tatarstan qui a été renvoyé en octobre 2002 à la suite de sa couverture du siège du théâtre. Devenu un blogueur populaire, il a été arrêté en 2009 pour avoir prétendument calomnié le président du Tatarstan. Il a été condamné à vingt et un mois de prison pour diffamation et, pour reprendre les attendus du jugement, « incitation à l'hostilité contre un groupe social précis[6] », à savoir les fonctionnaires du gouvernement.

« J'ai une bonne et une mauvaise nouvelle, annonce Mourtazine. La mauvaise, c'est qu'un juge du Tatarstan qui a renversé et tué un jeune homme alors qu'il conduisait en état d'ivresse l'été dernier vient d'être acquitté. »

La salle pousse un soupir collectif : cette mauvaise nouvelle n'est pas vraiment une nouvelle – les accidents provoqués par des fonctionnaires de l'État qui sont ensuite acquittés sont monnaie courante.

« La bonne nouvelle, poursuit Mourtazine, c'est que presque la moitié des juges de paix qui sont censés traiter le cas des détenus des manifestations de lundi et mardi se sont fait porter malades aujourd'hui. Ça nous fait quatre-vingts juges grippés. »

Ça, en revanche, c'est une vraie nouvelle. De plus, les centres de détention étant bondés, on a entrepris de libérer certains détenus en leur donnant la vague injonction de se présenter à la justice à une date ultérieure. Alexeï Navalny, cependant, un des chefs de file de la lutte contre la corruption, a été déféré aujourd'hui devant un juge et condamné à quinze jours d'emprisonnement pour son rôle de meneur lors de la marche illégale de lundi.

Une des participantes distribue des rubans blancs à tout le monde. En moins de vingt-quatre heures, le symbole de la révolution est devenu officiel.

Quand je rentre chez moi, le nombre de gens qui ont cliqué sur « J'y vais » sur la page Facebook de la manifestation de samedi dépasse les dix mille.

*Jeudi 8 décembre 2011*

Plus de vingt mille utilisateurs de Facebook déclarent avoir l'intention de participer à la manifestation de samedi.

Je parle à quelqu'un qui est en contact quotidien avec des membres de l'administration présidentielle et du gouvernement fédéral. « Ils sont complètement hystériques, me dit-il. Personne ne sait quoi faire, ils prennent leurs décisions en fonction de leur humeur au saut du lit. Hier, Medvedev voulait couper Dojd [la chaîne de télévision câblée indépendante]. Nous n'avons réussi à l'en empêcher qu'*in extremis*. » Dans quelques jours, j'apprendrais que des câblo-opérateurs ont effectivement reçu des appels leur enjoignant de cesser de fournir un accès à Dojd mais ont décidé de ne pas obtempérer, invoquant des obligations contractuelles. Le plus surpris a été le propriétaire et directeur de Dojd. Sur ces entrefaites, le président Medvedev a retiré Dojd de la liste d'abonnés de son compte Twitter.

Les employés municipaux ont entrepris à la hâte des travaux sur la place de la Révolution où doit se tenir la manifestation de samedi – une tactique classique de dernier recours pour empêcher les contestataires de se réunir.

*Vendredi 9 décembre 2011*

Je suis angoissée. En conduisant les enfants à l'école, j'écoute la radio avec inquiétude – pourtant, le présentateur annonce que plus de vingt-cinq mille personnes ont l'intention de venir samedi. C'est comme au début d'une histoire d'amour passionnée, où les mots sont exactement les mêmes que ceux qui ont été prononcés la veille, mais où curieusement la température semble avoir baissé d'un degré. Je dépose les enfants, je rentre à la maison et je retourne me coucher.

Mais quand je me réveille deux heures plus tard, la révolution se poursuit et les passions sont aussi ardentes qu'on peut le souhaiter. Le sujet de préoccupation du moment est que, si la manifestation de samedi est théoriquement légale, la demande initiale des organisateurs – déposée il y a dix jours – précisait qu'il y aurait trois cents participants. Lors des précédents rassemblements, les manifestants en surnombre ont été arrêtés. Il sera pourtant impossible d'interpeller un excédent de plusieurs milliers, voire dizaines de milliers de contestataires – ce qui pourrait entraîner des violences policières.

Deux organisateurs – un politicien de métier et un rédacteur en chef de revue – se rendent à l'hôtel de ville de Moscou pour essayer de négocier. En milieu d'après-midi, le rédacteur, Sergueï Parkhomenko, poste le résultat de leurs négociations sur sa page Facebook : la ville a proposé un nouvel emplacement pour la manifestation de demain, accordé aux organisateurs l'autorisation d'accueillir jusqu'à trente mille participants et étendu la durée de la manifestation de deux à quatre heures. Bientôt, la ville accepte également d'accorder à tous ceux qui se rendront par erreur place de la Révolution un passage sans entraves jusqu'au nouveau site, à une demi-heure à pied. La seule mauvaise nouvelle est que, au lieu de la place de la Révolution, au nom idéal, la manifestation se tiendra sur la place Bolotnaïa (c'est-à-dire « place Marécageuse »). Lev Rubinstein, un ami, grand poète et commentateur politique, parle immédiatement de « défi linguistique ».

L'écrivain le plus lu et le plus aimé du pays, Grigori Tchkhartichvili, qui signe des romans policiers sous le pseudonyme de Boris Akounine, poste sur son blog :

> COMMENT RESTER ASSIS DANS MON COIN ?
>
> Pourquoi faut-il que, dans ce pays, tout se passe toujours comme ça ? La société civile elle-même trouve bon de se réveiller au moment le plus malcommode pour l'écrivain.
>
> Je suis parti dans la campagne française pour y passer un petit moment tranquille et écrire mon prochain roman. Mais je n'arrive pas à me concentrer. Je crois que je vais rentrer. Ça veut dire cinq cents kilomètres de route – et souhaitez-moi bonne chance pour trouver un avion.
>
> J'espère y arriver et assister à cet événement historique de mes propres yeux et non sur Youtube.
>
> Mais la raison pour laquelle j'écris ce message est qu'on m'a demandé de prévenir tous ceux qui n'ont pas encore reçu cette information :
>
> LA MANIFESTATION AURA LIEU PLACE BOLOTNAÏA (au lieu de la place de la Révolution)[7].

Le soir, lors d'une réunion parents-professeurs, je remarque que de nombreux parents d'autres enfants portent des rubans blancs.

Quand je mets ma fille au lit, elle me demande si elle peut m'accompagner à la manifestation demain.

« Non, franchement, je ne crois pas que ce soit une bonne idée d'emmener les enfants pour le moment.

— Mais c'est bien une manifestation légale, non ? »

Elle sait qu'autrement je risque de me faire arrêter.

Je la rassure sur ce point et lui confirme qu'il ne m'arrivera rien. « Je vais sans doute aller à beaucoup de manifestations ces prochains mois, lui dis-je, et je ne pourrai probablement pas t'emmener. Mais tu m'accompagneras à la dernière, quand on fera la fête.

— Tu veux dire quand Poutine ne sera plus là ? »

Elle retient son souffle, comme si c'était une éventualité trop incroyable pour qu'elle puisse l'envisager. Elle a dix ans ; elle est née après l'arrivée de Poutine au pouvoir et a entendu parler de lui toute sa vie. Quand mes enfants étaient petits, ils avaient fait de Poutine une sorte de monstre domestique, le croquemitaine qui vient vous prendre si vous vous tenez mal à table. J'y ai mis le holà et, quand ils ont grandi, j'ai cherché à leur donner une image raisonnablement nuancée de la politique. Mais peut-être ai-je négligé de leur dire que personne ne gouverne pour toujours.

*Samedi 10 décembre 2011*

En revenant de notre datcha, où les enfants et Daria resteront pendant que je vais à la manifestation, j'écoute la radio et je me ronge les sangs. Trente-cinq mille personnes ont annoncé sur Facebook qu'elles iraient à la manifestation. Et alors ? J'ai entendu parler de gens qui avaient reçu sur Facebook sept cents confirmations pour une fête – et pas un seul invité n'était venu. C'est le week-end, après tout : les gens auront envie de flemmarder, de rester au lit ou dans leurs datchas, ils se diront que les autres n'ont qu'à aller à la manif.

Aux abords de la place Bolotnaïa, je vois du monde affluer de toutes parts : en groupe, en couple, seuls ; jeunes, vieux, d'âge moyen. Ils portent des rubans blancs, des écharpes blanches, des chapeaux blancs, même des pantalons blancs, des ballons blancs et des œillets blancs. Comme il n'a pas encore neigé, tout ce blanc compensera.

Je retrouve un groupe d'amis, parmi lesquels Andreï et deux de ses frères. À côté de leurs détecteurs de métaux, les policiers sont calmes et courtois. À l'intérieur du périmètre sécurisé, nous parcourons la place à la recherche de visages familiers. À la manifestation de lundi, je savais que tout le monde était là parce que je pouvais tous les voir. Aujourd'hui, je sais qu'ils sont tous là parce que je n'arrive pas à les distinguer au milieu de la foule. Il devient même impossible d'envoyer des SMS, parce que le réseau de Moscou est saturé.

Nous restons bouche bée devant les banderoles maison que certains ont apportées. L'une représente un diagramme des résultats officiels transmis par le Comité électoral central, recouvert d'une courbe en cloche qui transmet un autre message : elle montre quelle serait la véritable répartition du soutien à Russie unie. « Nous n'avons pas confiance en vous, nous avons confiance en Gauss », dit l'affiche, faisant allusion à Carl Friedrich Gauss, le mathématicien qui a inventé la courbe en cloche.

« Je n'ai pas voté pour ces salauds-là, proclame une autre banderole portée par un jeune barbu roux. J'ai voté pour les autres salauds. J'exige un nouveau décompte. »

« Il y a tant de monde ici ! hurle un très jeune homme dans son téléphone portable. Et ils sont tous normaux ! J'ai dû entendre un million de blagues et elles étaient toutes marrantes ! »

Quand vous avez passé des années à avoir l'impression que vos idées ne sont partagées que par une poignée d'amis intimes et que vous vous retrouvez soudain au milieu de dizaines de milliers de gens qui pensent comme vous, vous avez vraiment l'impression d'entendre un million de blagues désopilantes à la fois.

Quelque part, très loin, il y a une tribune. Je ne la vois pas, et j'entends à peine les orateurs. Une de mes amies se rappelle alors un truc du début des années 1990, quand les gens apportaient des radios portatives aux rassemblements et s'en servaient pour écouter les orateurs : elle allume la radio de son téléphone portable (le réseau est peut-être encombré, mais cette place publique offre la wifi gratuite) et nous transmet les points forts des discours. Nous regardons autour de nous et scandons parfois avec les autres : « Nouvelles élections ! » « Liberté ! » « Une Russie sans Poutine ! »

Parmi les orateurs figurent Boris Akounine (revenu à temps du sud de la France), un présentateur de télévision très populaire, pendant longtemps sur liste noire, et tout un assortiment d'activistes. Le père de Daria parle de la fraude électorale. Aucun de ceux qui se font passer pour des hommes politiques d'opposition – « les autres salauds » – n'est là. Ils n'ont pas encore compris que le pouvoir s'est éloigné des murs du Kremlin. Navalny est encore en prison, alors un journaliste lit son discours aux contestataires. Mikhaïl Prokhorov, le milliardaire qui a mis sa carrière politique entre parenthèses il y a deux mois, garde toujours le silence. Lundi, il annoncera qu'il se présente à l'élection présidentielle, mais il sera alors trop tard pour convaincre la foule révolutionnaire : il se fera immédiatement traiter de taupe de Poutine.

Je porte des sous-vêtements en Thermolactyl, deux vestes et de grosses bottes de neige. Aucune tenue ne permet de rester longuement immobile dans le froid d'un hiver russe. Au bout de deux heures, nous décidons de partir, mes amis et moi. D'autres gens continuent d'arriver. Alors que nous nous éloignons de la manifestation, je m'arrête sur un pont piétonnier et je me retourne. Il y a bien plus de trente-cinq mille personnes ; les estimations ultérieures iront jusqu'à cent cinquante mille.

Nous prenons place à une grande table dans un restaurant qui, comme tous les établissements des environs, est bondé de manifestants impatients de boire un vin chaud dans l'espoir de cesser de grelotter. Des amis et des inconnus s'échangent les dernières nouvelles d'une table à l'autre. Andreï est le premier à lire quelques lignes du site Internet d'une station de radio : « La manifestation touche à sa fin. Un représentant de la police est monté à la tribune. Il déclare : "Aujourd'hui, nous avons agi comme la force de police d'un pays démocratique. Merci." On l'applaudit. » À notre table, il y a un instant de silence. Et puis nous commençons tous à dire : « C'est super », en nous lançant des regards incrédules. « C'est super. » Depuis combien de temps l'un d'entre nous n'avait-il pas pu dire, sincèrement : « C'est super » à propos d'un événement survenu dans notre ville ?

Je laisse mes amis au restaurant pour aller retrouver ma famille à la datcha. Je franchis le Grand Pont de pierre – le plus grand pont sur la Moskova – au moment précis où la police quitte la place Bolotnaïa. Il y a des centaines et des centaines de flics, avançant sur le trottoir à quatre ou cinq de front, sur toute la longueur du pont. Pour la première fois, aussi loin que remontent mes souvenirs, je peux voir des policiers en uniforme antiémeute sans avoir un nœud à l'estomac. Je suis coincée derrière un camion orange équipé d'un chasse-neige. Il n'a toujours pas neigé, et je ne sais pas très bien ce que fait ce camion dans la rue, mais j'aperçois un ballon blanc attaché à l'angle du chasse-neige.

On a manifesté aujourd'hui dans quatre-vingt-dix-neuf villes de Russie ainsi que devant les consulats et les ambassades russes de plus de quarante villes à travers le monde[8].

Dans la soirée, le porte-parole de Poutine, Dmitri Peskov, déclare aux journalistes que le gouvernement n'a aucun commentaire à faire sur la manifestation et promet de les tenir informés dans l'éventualité où il déciderait de s'exprimer[9].

Quelques minutes plus tard, NTV, la chaîne de télévision confisquée à Vladimir Goussinski il y a dix ans et littéralement étripée, diffuse un excellent reportage sur la manifestation. Je le regarde sur Internet – cela fait des années que je n'ai plus de téléviseur en état de marche – et je reconnais quelque chose que j'ai observé dans d'autres pays lorsque j'ai couvert leurs propres révolutions. Vient un jour où on allume la télé et où les abrutis qui, hier encore, vous débitaient leur propagande, assis dans les mêmes studios, devant le même décor, se mettent à tenir un langage humain. Et, aujourd'hui, ce moment miraculeux me grise encore plus parce que je me souviens de ces journalistes avant qu'ils ne soient devenus des abrutis, la dernière fois qu'ils ont parlé comme des êtres humains, il y a douze ans.

# Notes

La translittération anglaise des mots russes, telle qu'elle figure dans l'ouvrage original, a été conservée dans l'ensemble du texte des notes.

## Prologue

1. Le texte complet de cette loi est disponible sur http://www.shpik.info/statya1.html. Consulté le 14 juillet 2010.
2. Marina Katis, « Polozhitelny itog : Interview s deputatom Gosudarstvennoy Dumy, sopredsedatelem federalnoy partii Demokraticheskaya Rossiya Galinoy Starovoitovoy », *Professional*, 1er juillet 1998. http://www.starovoitova.ru/rus/main.php?i=5&s=29. Consulté le 14 juillet 2010.
3. Décision de la Cour constitutionnelle citant le décret et annulant ses principales dispositions. http://www.panorama.ru/ks/d9209.shtml. Consulté le 14 juillet 2010.
4. En réalité, l'interdiction des manifestations se fit en deux temps : le cabinet publia une interdiction, et Gorbatchev promulgua ensuite un décret instituant une force de police spéciale chargée de veiller à son application. Ces deux mesures furent jugées anticonstitutionnelles par le gouvernement russe, dont Gorbatchev ne reconnaissait pas l'autorité. http://iv.garant.ru/SESSION/PILOT/main.htm. Consulté le 15 juillet 2010.
5. Andreï Tsiganov, « Seleznev dobilsya izvineniya za statyu Starovoitovoi », *Kommersant*, 14 mai 1999. http://www.kommersant.ru/doc-rss.aspx?DocsID=218273. Consulté le 15 juillet 2010.

## Chapitre premier
## Un président par défaut

1. Andrei Shleifer et Daniel Treisman, « A Normal Country : Russia After Communism », *Journal of Economic Perspectives*, vol. 19, n° 1 (hiver 2005), p. 151-174.

http://www.economics.harvard.edu/faculty/shleifer/files/normal_jep.pdf. Consulté le 30 avril 2011.
2. David Hoffman, *The Oligarchs : Wealth and Power in the New Russia*, New York, PublicAffairs, 2002.
3. Interview de Bérézovski par l'auteur, juin 2008.
4. Hoffman.
5. Il n'est pas absolument certain que Bérézovski ait réellement été propriétaire de 25 % de Sibneft et de 49 % d'ORT, la première chaîne : au moment où cet ouvrage est sous presse, un tribunal de Londres cherche à élucider ce point. Mais une chose est sûre : il était l'unique directeur de la société de télévision et tirait d'importants revenus de la société pétrolière.
6. Natalia Guévorkian, Natalia Timakova et Andreï Kolesnikov, *Ot pervogo litsa : Razgovory s Vladimirov Putinym.* http://archive.kremlin.ru/articles/bookchapter1.shtml. Consulté le 7 février 2011.
7. Blog de Tatiana Ioumachéva (Diatchenko), notice datée du 6 février 2010. http://t-yumasheva.livejournal.com/13320.html#cutid1. Consulté le 23 avril 2011.

## CHAPITRE 2
## La guerre électorale

1. Nombre de victimes indiqué dans le jugement du tribunal de Moscou dans l'affaire A.O. Dekouchev et I.I. Krimchakhalov. http://terror1999.narod.ru/sud/delokd/prigovor.html. Consulté le 5 mai 2011.
2. Discours de Sergueï Iouchenkov, membre de la Douma, au Kennan Institute de Washington, D.C., 24 avril 2002. http://terror99.ru/commission/kennan.htm. Consulté le 5 mai 2011.
3. Intervention télévisée de Poutine du 24 septembre 1999. http://www.youtube.com/watch?v=A_PdYRZSW-I. Consultée le 5 mai 2011.
4. Note inédite que m'a transmise l'équipe de Bérézovski en novembre 1999.
5. Interview de Marina Litvinovitch, 1er juillet 2008.
6. Discours de Boris Eltsine, 31 décembre 1999. Texte : http://stra.teg.ru/library/national/16/0. Consulté 6 mai 2011. Vidéo : http://www.youtube.com/watch?v=yvSpiFvPUP4&feature=related. Consulté le 6 mai 2011.
7. Discours de Vladimir Poutine, 31 décembre 1999. Texte : http://stra.teg.ru/library/national/16/2/print. Consulté le 6 mai 2011. Vidéo : http://www.youtube.com/watch?v=i4LLxY4RPwk. Consulté le 6 mai 2011.
8. Interview de Natalia Guévorkian, juin 2008.
9. Pavel Goutiontov, « Zauryadnoye delo. » http://www.ruj.ru/authors/gut/100303_4.htm. Consulté le 8 mai 2011.
10. Transcription d'un journal télévisé de NTV du 9 février 2000. http://www.library.cjes.ru/online/?a=con&b_id=426&c_id=4539. Consulté le 7 mai 2011.
11. Andreï Babitski, *Na voine*, transcriptions d'enregistrements en russe du manuscrit d'un ouvrage [*Un témoin indésirable*, Paris, Robert Laffont, 2002] préparé pour un éditeur français. http://somnenie.narod.ru/ab/ab6.html. Consulté le 7 mai 2011.

12. Transcription d'une conférence de presse d'Andreï Babitski le 1er mars 2000. http://archive.svoboda.org/archive/hr/2000/ll.030100-3.asp. Consultée le 8 mai 2011.
13. Oleg Panfilov, *Istoriya Andreïa Babitskogo*, chapitre 3. http://www.library.cjes.ru/online/?a=con&b_id=426&c_id=4539. Consulté le 8 mai 2011.
14. Panfilov, *Istoriya Andreïa Babitskogo.*
15. Broadcasting Board of Governors FAQ. http://www.bbg.gov/about/faq/#q6. Consulté le 8 mai 2011.
16. Congressional Research Service Report, « Chechnya Conflict : Recent Developments », mis à jour le 3 mai 2000. http://www.fas.org/man/crs/RL30389.pdf. Consulté le 8 mai 2011.
17. Interview de Guévorkian.
18. Pour la chronologie des événements de Riazan, je me suis principalement appuyée sur Alexandre Litvinenko et Iouri Felchtinski, *FSB vsryvayet Rossiyu*, 2e éd., New York, Liberty Publishing, 2004, p. 65-108 [*Le Temps des assassins*, trad. V. Darboy, Paris, Calmann-Lévy, 2007], qui associe de nombreux rapports de presse avec des récits de première main, et sur *Riazanski Sahar*, « Nezavisimoye rassledovaniye s Nikolayem Nikolayevym », l'émission de NTV diffusée le 24 mars 2000. http://video.yandex.ru/users/provorotl/view/54/. Consulté le 8 mai 2011.
19. « 13 sentyabrya v Rossii – den' traura po pogibshim ot vzryvov », un article sans signature publié dans Gazeta.ru, 10 septembre 1999. http://gazeta.lenta.ru/daynews/10-09-1999/10mourn.htm. Consulté le 8 mai 2011.
20. ITAR-TASS, cité par Litvinenko et Felchtinski, *FSB vsryvayet Rossiyu.*
21. *Riazanski Sahar.*

## CHAPITRE 3
## L'autobiographie d'un voyou

1. Michael Jones, *Leningrad : State of Siege*, New York, Basic Books, 2008.
2. Ales' Adamovitch et Daniil Granine, *Blokadnaya kniga*. http://lib.rus.ec/b/212340/read. Consulté le 7 février 2011.
3. Harrison Salisbury, *The 900 Days : The Siege of Leningrad*, New York, Da Capo Press, 2003, p. vii-viii [*Les 900 Jours : le siège de Leningrad*, trad. Max Roth et Robert Latour, Genève, Sari, 1971].
4. Oleg Blotski, *Vladimir Putin : Istoriya zhizni*, Moscou, Mezhdunarodniye Otnosheniya, p. 24.
5. Guévorkian *et al.*
6. Iouri Poliakov, Valentina Jitomirskaïa et Natalia Aralovets, « 'Demograficheskoye ekho' voyny », publié sur le journal en ligne *Skepsis*. http://scepsis.ru/library/id_1260.html. Consulté le 7 février 2011.
7. Irina Bobrova, « Kto pridumal Putiny gruzinskiye korni? », *Moskovski komsomolets*, 13 juin 2006. http://www.compromat.ru/page_18786.htm. Consulté le 7 février 2011.
8. Interview de Natalia Guévorkian, juin 2008.
9. Viktor Borissenko, un ami d'enfance de Poutine, cité dans Blotski, *Vladimir Putin : Istoriya zhizni*, p. 72, 89.

10. Guévorkian *et al.*
11. Evguéni Poutine, cité dans Blotski, p. 46.
12. Viktor Borissenko, cité dans Blotski, p. 68-69.
13. Viktor Borissenko, cité dans Blotski, p. 68.
14. Viktor Borissenko, cité dans Blotski, p. 67.
15. Guévorkian *et al.*
16. Véra Gourevitch, enseignante, citée *ibid.*
17. Grigory Gueïlikman, cité dans Blotski, p. 160.
18. Nikolaï Alekhov, cité dans Blotski, p. 161.
19. Sergueï Roldouguine, cité dans Guévorkian *et al.*
20. Blotski, p. 259.
21. « S vyslannymi iz SshA razvedchikami vstretilsya Vladimir Putin », 25 juillet 2010. http://lenta.ru/news/2010/07/25/spies/. Consulté le 25 février 2011.
22. Blotski, p. 199.
23. I. Popov, « Diversanty Stalina ». http://militera.lib.ru/h/popov_au2/01.html. Consulté le 25 février 2011.
24. Guévorkian *et al.*
25. *Ibid.*
26. Blotski, p. 199-200.
27. Guévorkian *et al.*
28. Blotski, p. 155.
29. http://www.ref.by/refs/1/31164/1.html. Mikhaïl Blinkine, « Avtomobil' v gorode : Osobennosti natsionalnogo puti », http://www.intelros.ru/pdf/arc/02_2010/42-45%20Blinkin.pdf. Consulté le 27 octobre 2011.
30. Guévorkian *et al.*
31. *Ibid.*
32. Guévorkian *et al.* ; Blotski, p. 226-227.
33. Guévorkian *et al.*
34. Blotski, p. 287.
35. *Ibid.*, p. 287-288.
36. Sergueï Roldouguine, cité dans Guévorkian *et al.*
37. Guévorkian *et al.*
38. Sergueï Zakharov, « Brachnost' v Rossii : Istoriya is sovremennost' », *Demoskop Weekly*, 16-29 octobre 2006, p. 261-262. http://www.demoscope.ru/weekly/2006/0261/tema02.php. Consulté le 27 février 2011.
39. Guévorkian *et al.*
40. *Ibid.*
41. *Ibid.*
42. Vadim Bakatine, *Izbavleniye ot KGB*, Moscou, Novosti, 1992, p. 45-46.
43. Bakatine, p. 32-33.
44. Filipp Bobkov, *KGB i vlast*, Moscou, Veteran MP, 1995.
45. Guévorkian *et al.*
46. Vladimir Ousoltsev, *Sosluzhivets*, Moscou, Eksmo, 2004, p. 186.
47. *Ibid.*
48. Bobkov.
49. Guévorkian *et al.*
50. *Ibid.*

51. Lioudmila Poutina, citée *ibid.*
52. *Ibid.*
53. Interview de Sergueï Bezroukov, ancien agent du KGB en poste à Berlin, Düsseldorf, 17 août 2011.
54. Ousoltsev ; interview de Bezroukov.
55. Ousoltsev, p. 36.
56. *Ibid.*, p. 30.
57. Interview de Bezroukov.
58. Cette personne a demandé que son nom ne soit pas publié ; interviewée en Bavière, 18 août 2011.
59. Ousoltsev, p. 62.
60. Ousoltsev ; Bezroukov.
61. Interview de Bezroukov.
62. Bobkov.
63. *Obshchestvennaya zhizn*, p. 192.
64. Elizabeth A. Ten Dyke, *Dresden and the Paradoxes of Memory in History*, New York, Routledge, 2001.
65. Guévorkian *et al.*
66. Lioudmila Poutina, citée *ibid.*
67. Roldouguine, cité dans Guévorkian *et al.*

## CHAPITRE 4
## Espion un jour...

1. O.N. Ansberg et A.D. Margolis (éd.), *Obshchestvennaya zhizn'Leningrada v gody perestroiki, 1985-1991 : Sbornik materialov*, Saint-Pétersbourg, Serebryany Vek, 2009, p. 502.
2. Sergueï Vassiliev, Mémoires publiés dans l'*Obvodny Times*, vol. 4, n° 22 (avril 2007), p. 8, cité dans *Obshchestvennaya zhizn'*, p. 447.
3. Alexandre Vinnikov et Tsena Svobodi, cités dans *Obshchestvennaya zhizn'*, p. 449.
4. Éléna Zélinskaïa, « Vremya ne zhdet », *Merkuriy*, vol. 3 (1987), citée dans *Obshchestvennaya zhizn'*, p. 41-42.
5. Vassiliev, cité dans *Obshchestvennaya zhizn'*, p. 447.
6. *Ibid.*, p. 47, 76.
7. *Ibid.*, p. 51, 52, 54, 74.
8. *Ibid.*, p. 632.
9. *Ibid.*, p. 633.
10. *Ibid.*, p. 112.
11. Le premier rassemblement du Front populaire qui eut lieu à Leningrad en août 1988 réunit des représentants de vingt organisations originaires de différentes villes russes auxquels s'ajoutèrent douze envoyés d'autres républiques soviétiques. http://www.agitclub.ru/front/frontdoc/zanarfront1.htm. Consulté le 13 janvier 2011.
12. *Obshchestvennaya zhizn'*, p. 119.
13. Andreï Boltianski, interviewé en 2008, *ibid.*, p. 434.
14. Petr Chélich, interviewé *ibid.* en 2008, p. 884 de la version en ligne.

15. Thomas De Waal, *Black Garden : Armenia and Azerbaijan Through Peace and War*, New York, New York University Press, 2004.
16. *Obshchestvennaya zhizn'*, p. 115.
17. Alexandre Vinnikov, notice biographique, *ibid.*, p. 450.
18. *Ibid.*, p. 126.
19. Article 70, code pénal de la RSFSR. http://www.memo.ru/history/diss/links/st70.htm. Consulté le 17 janvier 2011.
20. *Obshchestvennaya zhizn'*, p. 127.
21. Interview de Natalia Serova, *ibid.*, p. 621.
22. http://pravo.levonevsky.org/baza/soviet/sssr1440.htm. Consulté le 17 janvier 2011.
23. Tract publié par le comité Élection-89, reproduit dans *Obshchestvennaya zhizn'*, p. 139-140.
24. Anatoli Sobtchak, *Zhila-Byla Kommunisticheskaya partiya*, p. 45-48, cité *ibid.*, p. 623.
25. Iouri Afanasiev, interviewé par Evguéni Kiselev sur la radio Écho de Moscou en 2008. http://www.echo.msk.ru/programs/all/548798-echo/. Consulté le 18 janvier 2011.
26. Alexandre Nikichine, « Pokhorony akademika A.D. Sakharova », *Znamya*, n° 5 (1990), p. 178-188.
27. « A.D. Sakharov », *Voskreseniye*, vol. 33, n° 65. http://piter.anarhist.org/fevral12.htm. Consulté le 18 janvier 2011.
28. Alexandre Vinnikov, notice biographique, *Obshchestvennaya zhizn'*, p. 453.
29. Marina Salié, interview réalisée en 2008, *ibid.*, p. 615-616.
30. Marina Salié, interview réalisée en 2008, dans *Obshchestvennaya zhizn'*, p. 615-616.
31. Igor Koutcherenko, notice biographique, *ibid.*, p. 556.
32. Alexandre Vinnikov, notice biographique, *ibid.*, version en ligne exclusivement, p. 568-569.
33. Viktor Voronkov, interview réalisée en 2008, *ibid.*, p. 463.
34. Nikolaï Guirenko, notice biographique, *ibid.*, p. 463.
35. Viktor Veniaminov, notice biographique in *Avtobiografiya Peterburgskogo gorsoveta*, p. 620, cité *ibid.*, p. 449.
36. Bella Kurkova, notice biographique, *ibid.*, p. 552.
37. Salié, interviewée par l'auteur le 14 mars 2010.
38. Vladimir Guelman, interview, dans *Obshchestvennaya zhizn'*, p. 471.
39. Dmitri Goubine, « Interview predsedatelya Lenosveta A.A. Sobchaka », *Ogonyok*, n° 28 (1990), cité dans *Obshchestvennaya zhizn'*, p. 269.
40. Alexandre Vinnikov, notice biographique, dans *Obshchestvennaya zhizn'*, p. 453-454.
41. Interview de Salié ; Vinnikov, notice biographique, dans *Obshchestvennaya zhizn'*, p. 453-454.
42. Bakatine, p. 138.
43. *Ibid.*, p. 36-37.
44. Guévorkian *et al.*
45. *Ibid.*

46. Anatoli Sobtchak, interview, dans *Literaturnaya Gazeta*, février 2000, p. 23-29, cité dans Anatoli Sobtchak, *Kakim on byl*, Moscou, Gamma-Press, 2007, p. 20.
47. Interview de Bezroukov.
48. Guévorkian *et al.*
49. Komitet Konstitutsionnogo Nadzora SSSR, 1989-1991. http://www.panorama.ru/ks/iz8991.shtml. Consulté le 8 mars 2011.
50. Bakatine, p. 135.
51. *Ibid.*
52. Guévorkian *et al.*
53. *Ibid.*

## CHAPITRE 5
## Un putsch et une croisade

1. « Playing the Communal Card : Communal Violence and Human Rights », Rapport du Human Rights Watch. http://www.hrw.org/legacy/reports/1995/communal/. Consulté le 26 janvier 2011.
2. *Leningradskaya pravda*, 28 novembre 1990, cité dans *Obshchestvennaya zhizn'*, p. 299.
3. Vladimir Monakhov, interview, *ibid.*, p. 574.
4. Iouli Rybakov, interview, *ibid.*, p. 610.
5. Vladimir Béliakov, notice biographique, *ibid.*, p. 425-426.
6. Salié, interview de l'auteur.
7. Alexandre Konanikhine. http://www.snob.ru/go-to-comment/305858. Consulté le 10 mars 2011.
8. « Obrashcheniye k sovetskomu narodu », dans I. Kazarine et B. Iakovlev, *Smert' zagovora : Belaya kniga*, Moscou, Novosti, 1992, p. 12-16.
9. Kazarine et Yakovlev, « Zayavleniye sovetskogo rukovodstva », p. 7.
10. Igor Artémiev, notice biographique, in *Obshchestvennaya zhizn'*, p. 407-408.
11. Alexandre Vinnikov, notice biographique, *ibid.*, p. 454-455.
12. Igor Artémiev, notice biographique, *ibid.*, p. 408.
13. Interview de Salié, mars 2010.
14. Bakatine, p. 21.
15. A. Golovkine et A. Tchernov, interview d'Anatoli Sobtchak, *Moskovskiye novosti*, 26 août 1991, citée dans *Obshchestvennaya zhizn'*, p. 627.
16. Sobtchak, notice biographique, citée dans *Obshchestvennaya zhizn'*, p. 627.
17. Kazarine et Yakovlev, p. 131.
18. G. Popov, « Zayavleniye mera goroda Moskvy », cité dans Kazarine et Yakovlev, p. 68-69.
19. Center Labyrinth, biographie de Loujkov. http://www.anticompromat.org/luzhkov/luzhkbio.html. Consulté le 13 mars 2011.
20. Iouli Rybakov, interview, citée dans *Obshchestvennaya zhizn'*, p. 612.
21. B. Eltsine, I. Silaïev et R. Khasboulatov, « K grazhdanam Rossii », cité dans Kazarine et Yakovlev, p. 42.
22. Viatcheslav Chtcherbakov, interview, citée dans *Obshchestvennaya zhizn'*, p. 681.

23. Chtcherbakov, *ibid.* ; interview de Salié par l'auteur ; texte du décret dicté par Routskoï et lu par Sobtchak, fourni par Salié.
24. Zélinskaïa, interview, citée dans *Obshchestvennaya zhizn'*, p. 505.
25. Salié, interview de l'auteur.
26. Chtcherbakov, cité dans *Obshchestvennaya zhizn'*, p. 683.
27. Guévorkian *et al.*
28. Roguinski, interview de l'auteur, Moscou, 20 juin 2008.
29. Lettre de Marina Salié à Iouri Boldyrev, président de la Cour des comptes de la Fédération russe, datée du 25 mars 1992, inédite.
30. Lettre de Iouri Boldyrev à Petr Aven, datée du 13 mars 1992, document n° 105-177/n.
31. Irene Commeaut, interview, Paris, juin 2010.
32. Alexandre Margolis, interview, Saint-Pétersbourg, juin 2008.
33. Marina Ientaltseva, citée dans Guévorkian *et al.*
34. Guévorkian *et al.*
35. *Otchet rabochey deputatskoy gruppy Komiteta po mezhdunarodnym I vneshnim svyazyam, postoyannykh komissiy po prodovolstviyu, torgovle I sfere bytovykh uslug Sank-Peterburgskogo gorodskogo Soveta narodnykh deputatov po voprosu kvotirovaniya I litsenzirovaniya eksporta I importa tovarov na territorii Sankt-Peterburga*, avec une résolution du 8 mai 1992, n° 88 ; Marina Salié, « Putin – prezident korrumpirovannoy oligarkhii ! », document obtenu par la Glasnost Foundation de Moscou, 18 mars 2000.
36. Guévorkian *et al.*
37. Salié, « Putin – prezident ».
38. « Analiz normativnykh dokumentov, izdavayemykh merom I vitse-merom S. Peterburga », datée du 15 janvier 1992 ; porte l'indication : « Donné à B. Eltsine le 15 janvier 1992. »
39. Voir, par exemple, « Rasporyazheniye mera Sankt-Peterburga o predostavlenii zhilosy ploshchadi Kurkovoy B.A. », 8 décembre 1992, n° 1107-R ; et « Rasporyazheniye mera Sankt-Peterburga o predostavlenii zhilosy ploshchadi Stepashinu S.V. », 16 décembre 1992, n° 1147-R.
40. Interview de Salié, 20 mars 2010.
41. *Ibid.*
42. http://1993.sovnarkom.ru/TEXT/SPRAVCHN/VSOVET/vsovet1.htm. Consulté le 2 avril 2011.
43. Besik Pipia, « Lensovetu stuknulo 10 let », *Nezavisimaya gazeta*, 5 avril 2000. http://www.ng.ru/politics/2000-04-05/3_lensovet.html. Consulté le 2 avril 2011.
44. Interview de Salié, 2010.
45. « Pokhmelkin, Yushenkov, Gologlev I Rybakov vyshli iz SPS », article non signé, Newsru.com. http://www.newsru.com/russia/14jan2002/sps.html. Consulté le 8 mai 2011.
46. « V Moskve ubit deputat Gosdumy Sergueï Yushenkov », article non signé, Newsru.com. http://www.newsru.com/russia/17apr2003/killed.html. Consulté le 8 mai 2011.
47. Masha Gessen, « Pamyati Sergeya Yushenkova », polit.ru, 18 avril 2003. http://www.polit.ru//world/2003/04/18/615774.html. Consulté le 8 mai 2011.

## CHAPITRE 6
## La fin d'un réformateur

1. Guévorkian *et al.*
2. Vladimir Tchourov, *ibid.*
3. Anatoli Sobtchak, *Dyuzhina nozhey v spinu*, Moscou, Vagrius/Petro-News, 1999, p. 72.
4. Reportage original pour Masha Gessen, « Printsip Pitera », *Itogi*, 5 septembre 2000.
5. Alexandre Bogdanov, interview, citée dans *Obshchestvennaya zhizn'*, p. 431-432.
6. Interview de Boldyrev.
7. Interview d'Anna Charogradskaïa, 1er juin 2008.
8. Sobtchak, *Dyuzhina*, p. 73-78.
9. Boris Vichnevski, « Kto I zachem kanoniziruyet Sobchaka ? », Radio Svoboda, 25 février 2010. http://www.svobodanews.ru/content/article/1968322.html. Consulté le 27 octobre 2011.
10. « Lyudi on horoshiye, no kvartirny vopros ih isportil... », *Na strazhe Rodiny*, 14 août 1996 ; Brian Whitmore, « Is a Probe of City Graft a Tool of City Hall ? », *St. Petersburg Times*, 9 avril 1998.
11. Guévorkian *et al.*
12. *Ibid.* ; Boris Vishnevsky, *K demokratii i obratno*. http://www.yabloko.ru/Publ/Book/Freedom/freedom_054.html. Consulté le 10 avril 2011.
13. Julie Corwin, « Russia : U.S. Academics Charge Putin with Plagiarizing Thesis », RFERL website, 27 mars 2006. http://www.rferl.org/content/article/1067113.html. Consulté le 10 avril 2011.
14. Peter Reddaway, « Some Notes on the Possible Murder of Sobchak, the Political Career and Persecution of Marina Sal'ye, and some Related Cases », article inédit.
15. Reddaway.
16. Interview de Natalia Rojdestvenskaïa.
17. Arkadi Vaksberg, *Le Laboratoire des poisons : de Lénine à Poutine*, trad. L. Jurgensen, Paris, Buchet-Chastel, 2007.
18. Reddaway.

## CHAPITRE 7
## Le jour où les médias moururent

1. Rapport de mission de l'OSCE, 26 mars 2000, élection, traduction russe. http://hro-uz.narod.ru/vibori.html. Consulté le 17 mai 2011.
2. Statistiques des élections de 2000. http://www.electoralgeography.com.ru/countries/r/russia/2000-president-elections-russia.html. Consulté le 17 mars 2011.
3. Andreï Kolesnikov, *Ya Putina videl 8*, Moscou, Eksmo, 2005, p. 13.
4. Brenda Connors, spécialiste du mouvement, citée dans Paul Starobin, « The Accidental Autocrat », *Atlantic*, 18 mars 2005. http://www.theatlantic.com/magazine/archive.2005/03/the-accidental-autocrat/3727/. Consulté le 9 mai 2011.

5. Shamil Idiatullin et Olga Tatartchenko, « Pora perevodit' chasy na pravuyu ruku », *Kommersant*, 18 mai 2000. http://www.kommersant.ru/Doc/148145. Consulté le 19 mai 2011.
6. « Kakiye chasy nosyat prezidenty i oligarkhi », article non signé sur newsru.com, posté le 17 février 2005. http://www.newsru.com/russia/17feb2005/watch.html. Consulté le 19 mai 2011.
7. Kolesnikov, p. 16.
8. Vitali Iarotchevski, « Operatsiya 'Vnedreniye' zavershena », entretien avec Olga Krichtanovskaïa, *Novaïa gazéta*, 30 août 2004. http://www.novayagazeta.ru/data/2004/63/43.html. Consulté le 19 mai 2011.
9. Entretien de l'auteur avec Mikhaïl Kassianov, Moscou, 18 mai 2011.
10. Masha Gessen, « Losckstep to Putin's New Military Order », *The New York Times*, 29 février 2000, p. 21.
11. Sergueï Parkhomenko, « Besedy na yasnom glazu », *Itogi*, 18 juillet 2000. http://www.itogi.ru/archive/2000/20/111020.html. Consulté le 21 mai 2011.
12. Compte rendu original pour Masha Gessen, « Leningradskoye delo », *Itogi*, 18 juillet 2000. http://itogi.ru/archive. 2000/29/112897.html. Consulté le 23 mai 2011.
13. Entretien de l'auteur avec Nina Leptchenko, 3 juillet 2000.
14. Masha Gessen, « Leningradskoye delo », *Itogi*, 18 juillet 2000.
15. « Glava 'Russkogo video' Dmitry Rozhdestvensky umer ot serdechnogo pristupa », article non signé sur lenta.ru. http://lenta.ru/russia/2002/06/06/rusvideo/. Consulté le 23 mai 2011.
16. Mikhaïl Kassianov, *Bez Putina*, Moscou, Novaïa Gazeta, 2009, p. 70-73.
17. Dmitri Pinsker, « Ulika nomer 6 », *Itogi*, 26 septembre 2000. http://www.itogi.ru/archive/2000/39/114667.html. Consulté le 25 mai 2011.
18. « Gusinsky ne budet ispolnyat' soglasheniya s Gazprom, potomu shto oni podpisany pod ugrozoy lisheniya svobody. Ugrozhal yemu lichno Lesin », article non signé sur polit.ru. http://old.polit.ru/documents/320557.html. Consulté le 25 mai 2011.
19. « Putin schitayet, shto konflikt mezhdu Gazprom i Media-Mostom – spor khozyaystvuyushchikh subyetkov, reshat, kotoryi delzhen sud », information sur polit.ru. http://old.polit.ru/documents/329166.html. Consulté le 25 mai 2011.
20. « Kasyanov snova publichno otchital Lesina. Na tom delo i konchilos' », information non signée sur polit.ru. http://old.polit.ru/documents/334896.html. Consulté le 25 mai 2011.
21. Boris Kouznetsov, *« Ona utonula... » : Pravda o « Kurske », kotoruyu skryl genprokuror Ustinov*, Moscou, De-Fakto, 2005.
22. « Gibel atomnoy podvodnoy lodki 'Kursk'. Khronologiya », information non signée sur RIA Novosti. http://ria.ru/society/20050812/41140663.html. Consulté le 1er juin 2011.
23. Entretien de l'auteur avec Marina Litvinovitch, 1er juillet 2008.
24. Kolesnikov, p. 35.
25. *Ibid.*, p. 38-39.
26. *Programma Sergeya Dorenka ob APL Kursk*, diffusé le 1er juin 2011.

27. *Larry King Live*, « Russian President Vladimir Putin Discusses Domestic and Foreign Affairs », diffusé le 8 septembre 2000. http://transcripts.cnn.com/TRANSCRIPTS:OOO9/08/lkl.00.html. Consulté le 1er juin 2011.
28. Témoignage d'Alexandre Volochine, tribunal de commerce de Londres, 14 novembre 2011.
29. Entretien de l'auteur avec Boris Bérézovski, juin 2008.
30. Éléna Bonner, conférence de presse, Moscou, 30 novembre 2000.
31. Iouri Samodourov, conférence de presse, Moscou, 30 novembre 2000.

## CHAPITRE 8
## Le démantèlement de la démocratie

1. « Une année de Poutine », table ronde tenue à Moscou le 26 décembre 2000. Les intervenants étaient Leonid Ionine, doyen de science politique appliquée à l'École supérieure d'économie, Viatcheslav Igrounov, député à la Douma, Simor Kordonski, conseiller politique, Alexandre Tsipko, philosophe, et Andreï Ryabov, chercheur au centre Carnegie.
2. Iouli Rybakov, entretien avec Marina Koroleva sur Écho de Moscou, 17 janvier 2001. http://www.echo.msk.ru/programs/beseda/13380.phtml. Consulté le 7 juin 2011.
3. Leonid Dratchevski travailla au sein des ambassades de l'Union soviétique en Espagne et en Pologne.
4. Viktor Tcherkessov et Georgi Poltavtchenko.
5. Petr Latichev.
6. Viktor Kazantsev et Konstantin Poulikoski.
7. Boris Bérézovski, « Lichniye svobody – glavny zakon demokraticheskogo obchshestva. Otkrytoye pismo prezidentu Rossiyskoy federatsii Vladimiru Putinu », *Kommersant*, 31 mai 2000. http://www.kommersant.ru/doc/149293/print. Consulté le 1er mai 2011.
8. Rapport de la mission d'observation des élections de l'OSCE 2004. http://www.osce.org/odihr/elections/russia/33101. Consulté le 8 juin 2011.
9. Deux ans après avoir soutenu sa thèse sur le sujet, Daria est devenue ma compagne.
10. Daria Orechkina, *Kartograficheskiy metod v issledovanii elektoral' nogo povedeniya Rossiyskoy Federatsii*, thèse de doctorat soutenue à l'université d'État de Moscou en 2006.
11. Entretien d'Ilia Kolmanovski avec Alexandre Margolis, Saint-Pétersbourg, juin 2008.
12. Conférence de presse de Golos, Moscou, 14 mars 2004.
13. Soyuz Zhurnalistov Rossii, « Predvaritel' niy otchyot o monitoringe osveshcheniya s SMI vyborov Prezindenta Rossiyskoy Federatsii 14 marta 2004 g ». http://www.ruj.ru/news_2004/news_040331_l.html. Consulté le 3 décembre 2011.
14. « Putin obyavil o perestroike gosudarstva posle tragedii v Beslane », information non signée sur newsru.com, et la totalité de l'allocution de Poutine le 13 septembre 2004. http://www.newsru.com/russia/13sep2004/putin.html. Consulté le 9 juin 2011.

## CHAPITRE 9
## Le règne de la terreur

1. « Terrible Effects of Poison on Russian Spy Shown in First Pictures », article non signé, *Daily Mail*, 21 novembre 2006. http://www.dailymail.co.uk/news/article-417248/Terrible-effects-poison-Russian-spy-shown-pictures.html. Consulté le 22 juin 2011.
2. Entretien de l'auteur avec Marina Litvinenko à Londres, 24 avril 2011.
3. Alexandre Litvinenko et Iouri Felchtinski, *FSB vzryvayet Rossiyu*, New York, Liberty Publishing, 2004.
4. Alexandre Goldfarb et Marina Litvinenko, *Sasha, Volodya, Boris*..., 2e éd., New York et Londres, AGC/Grani, 2010, p. 236.
5. L. Burban *et al.*, « Nord-Ost. Neokonchennoye rassledovaniye. Sobytiya, fakty, vyvody », Moscou, 26 avril 2006, annexe 6.5, « Opisaniye sobytiy poterpevshey Karpovoy T.I. ». http://www.pravdabeslana.ru/nordost/pril6.htm. Consulté le 23 juin 2011.
6. L. Burban *et al.*, *Khronologiya terakta*. http://www.pravdabeslana.ru/nordost/1-2.htm. Consulté le 23 juin 2011.
7. Elaine Sciolino, « Putin Unleashes His Fury Against Chechen Guerrillas », *The New York Times*, 12 novembre 2002. http://www.nytimes.com/2002/11/12/international/europe/12RUSS.html. Consulté le 23 juin 2011.
8. Voir, par exemple, http://www.youtube.com/watch?v=m-6ejE1KG8A. Consulté le 23 juin 2011.
9. Entretien de l'auteur avec Akhmed Zakaïev, Londres, 6 juin 2011.
10. « Litvinenko : FSB ubila Yushenkova za pravdu o Nord-Oste », article non signé sur grani.ru en date du 25 avril 2003. http://grani.ru/Events/Terror/m.30436.html. Consulté le 24 juin 2011.
11. Anna Politkovskaïa, « Odin iz gruppy terroristov utselel. My yego nashli », *Novaïa Gazeta*, 28 avril 2003. http://politkovskaya.novayagazeta.ru/pub/2003/2003-035.shtml. Consulté le 20 juin 2011.
12. « K zaklyucnehiyu kommissionnoy sudebno-meditsinskoy expertizy o pravilnosti lecheniya Shchekochikhina Yuriya Petrovicha, 1950 goda rozhdeniya », *Novaïa Gazeta*, 1er juillet 2004. http://2004.novayagazeta.ru/nomer/2004/46n/n46n-s05.shtml. Consulté le 20 juin 2011.
13. Entretien de l'auteur avec Akhmed Zakaïev, Londres, 6 juin 2011.
14. Sergueï Sokolov et Dmitri Mouratov, « Anna Politkovskaya otravlena FSB », *Novaïa Gazeta*, 4 septembre 2004. http://tapirr.narod.ru/politkovskaya2005.html#отравлена. Consulté le 20 juin 2011.
15. « Pravda Beslana ». http://www.pravdabeslana.ru/pravda_beslana.pdf. Consulté le 26 juin 2011.
16. Anna Politkovskaïa, « Shto delalo MVD do Beslana, vo vremya I posle », *Novaïa Gazeta*, 28 août 2006. http://politkovskaya.novayagazeta.ru/pub/2006/2006-77.shtml. Consulté le 26 juin 2011.
17. Blog d'Alexeï Tchadaïev, 21 mars 2006. http://kerogazz-batyr.livejournal.com/365459.html?thread=4023699#t4023699. Consulté le 3 décembre 2011.

18. Alexandre Litvinenko, « Annu Politkovskuyu ubil Putin », *Chechenpress*, 8 octobre 2006. http://alexanderlitvinenko.narod.ru/myweb2/article3.html. Consulté le 27 juin 2011.
19. « V Dresdene Putina nazvali ubiytsey », article non signé, grani.ru, 10 octobre 2006. http://grani.ru/Society/Media/m.112666.html. Consulté le 27 juin 2011.
20. Poutine s'exprimant lors d'une conférence de presse à Dresde, le 10 octobre 2006. http://www.newstube.ru/Media.aspx?mediaid=511BE4A2-5153-4F4EBE A2-3086663E96D4. Consulté le 27 juin 2011.
21. Entretien de l'auteur avec Alex Goldfarb, Londres, 6 juin 2011 ; Alexandre Goldfarb et Marina Litvinenko, *Sasha, Volodya, Boris...*

## CHAPITRE 10
## Une avidité insatiable

1. OSCE, Assemblée parlementaire, Mission d'observation d'élections internationales, « Statement of Preliminary Findings and Conclusions ». http://www.osce.org/odihr/elections/russia/18284. Consulté le 14 juin 2011.
2. « Russians Inch Toward Democracy », éditorial non signé, *The New York Times*, 8 décembre 2003. http://www.nytimes.com/2003/12/08/opinion/russians-inch-toward-democracy.html. Consulté le 14 juin 2011.
3. David Holley et Kim Murphy, « Election Bolsters Putin's Control », *Los Angeles Times*, 8 décembre 2003. http://articles.latimes.com/2003/dec/08/world/fg-russelect8. Consulté le 14 juin 2011.
4. « Racists, Killers and Criminals Run for Duma », *National Post*, 6 décembre 2003.
5. « Putin's Way », *The Economist*, 11 décembre 2003. http://www.economist.com/node/2282403. Consulté le 14 juin 2011.
6. « Bush and Putin : Best of Friends », *BBC News*, 16 juin 2001. http://news.bbc.co.uk/2/hi/1392791.stm. Consulté le 11 juillet 2011.
7. Robert O. Freeman, « Russia, Iran and the Nuclear Question : The Putin Record », une publication du Strategic Studies Institute. http://www.strategicstudiesinstitute.army.mil/pdffiles/pub737.pdf. Consulté le 11 juillet 2011.
8. Voir par exemple « Russia Signs Arms Deals with Arab States Totaling $12 Billion », article non signé dans pravda.ru. http://english.pravda.ru/russia/economics/22-02-2011/116979-russia_arms_deals-0/. Consulté le 11 juillet 2011.
9. L'économiste était German Gref et le groupe de réflexion Tsentr strategicheskih razrabotok (Centre pour les initiatives stratégiques).
10. Entretien de l'auteur avec Andreï Illarionov, Moscou, juin 2011 ; Andreï Illarionov, « Slovo i delo », *Kontinent*, n° 134, 2007, p. 83-147.
11. Entretien de l'auteur avec William Browder, Londres, 13 mai 2011.
12. David Hoffman, *The Oligarchs*.
13. Mikhaïl Khodorkovski et Léonid Nevzline, *Chelovek s rublem*. http://lit.lib.ru/n/newzlin_l_b/text_0010.shtml. Consulté le 16 juillet 2011.
14. Lioudmila Oulitskaïa et Mikhaïl Khodorkovski, « Dialogi », *Znamya*, n° 10, 2009. http://magazines.russ.ru/znamia/2009/10/ul12.html. Consulté le 16 juillet 2011. Ce dialogue entre Lioudmila Oulitskaïa et Mikhaïl Kho-

dorkovski a été publié en français dans le recueil : Mikhaïl Khodorkovski, *Paroles libres*, Paris, Fayard, 2011.

15. *Ibid.*
16. Entretien de l'auteur avec Pavel Ivlev, New York, 2 juillet 2011.
17. Entretien de l'auteur avec Charles Krause, New York, 30 juin 2011.
18. Cette conférence a eu lieu à Zvenigorod le 27 octobre 2002.
19. Entretien de l'auteur avec Marina Litvinovitch, décembre 2009.
20. « Korruptsiya v Rossii – tormoz ekonomicheskogo rosta » : diaporama fourni par le Centre de presse de Khodorkovski à Moscou, juin 2011.
21. Andreï Kolesnikov, *Ya Putina videl !*, p. 284.
22. Enregistrement vidéo de la réunion : http://www.youtube.com/watch?v=3KLzF3_-ShU&NR=1. Consulté le 17 juillet 2011.
23. Entretien de l'auteur avec Mikhaïl Kassianov, Moscou, mai 2011.
24. Entretien de l'auteur avec Léonid Nevzline, Greenwich, Connecticut, 1er juillet 2011.
25. Entretien de l'auteur avec Andreï Illarionov, Moscou, juin 2011.
26. *The Moscow Times*, 21 janvier 2004. Pour le texte complet : http://hermitage fund.com/newsandmedia/index.php?ELEMENT_ID=312. Consulté le 17 juillet 2011.
27. Témoignage de Sergueï Magnitski au tribunal, document non publié.
28. Transparency International, Rapport mondial sur la corruption 2003 et Rapport mondial sur la corruption 2010. http://www.transparency.org/publications/gcr. Consulté le 17 juillet 2011. Le classement réel est 86e en 2003 et 154e en 2010, mais en raison de la variation du nombre total de pays dans les rapports (133 en 2003, 178 en 2010), je donne ici les chiffres sous forme de pourcentages.
29. Entretien de l'auteur avec Andreï Illarionov, Moscou, juin 2011.
30. Andreï Illarionov, « Drugaya Strana », publié à l'origine dans *Kommersant*, 27 janvier 2006. http://www.liberal.ru/anons/312. Consulté le 17 juillet 2011.
31. « Kasyanov, Mikhail », dossier Lentapedia non signé. http://lenta.ru/lib/14159606/full.htm. Consulté le 17 juillet 2011.
32. Entretien de l'auteur avec Karina Moskalenko, Strasbourg, 5 juillet 2011.
33. « Miller, Alexei », dossier de Lentapedia non signé. http://lenta.ru/lib/14160384/. Consulté le 18 juillet 2011.
34. Éléna Loubarskaïa, « 'Iouganskneftegaz,'utopili v'Baikale' », lenta.ru, 20 décembre 2004. http://lenta.ru/articles/2004/12/20/ugansk/. Consulté le 18 juillet 2011. Denis Skorobogatko, Dmitri Boutrine et Nikolaï Kovalev, « 'Yugansk' kupili ludi iz 'Londona' », *Kommersant*, 12 décembre 2004. http://www.kommersant.ru/doc/534631?isSearch=True. Consulté le 18 juillet 2011. « Russia to Hold Ioukos Auction Despite US Ruling », article non signé, MSNBC. http://www.msnbc.msn.com/id/6726341/. Consulté le 18 juillet 2011.
35. « 'Rosneft' kupila 'Baïkalfinansgroup,' poluchiv control nad 'Iouganskneftegaz,om' », article non signé, newsru.com. http://www.newsru.com/finance/23dec2004/rosneft.html. Consulté le 18 juillet 2011.
36. Luke Harding, « Putin, the Kremlin Power Struggle, and the $40bn Fortune », *The Guardian*, 21 décembre 2007. http://www.guardian.co.uk/world/2007/dec/21/russia.topstories3. Consulté le 18 juillet 2011.

37. Entretien de l'auteur avec Sergueï Kolesnikov, Helsinki, juin 2011.
38. Roman Anine, « Dvortsovaya ploshad 740 tysyach kvadratnykh metrov », *Novaya Gazeta*, 14 février 2011. http://www.novayagazeta.ru/data/2011/016/00.html#sup. Consulté le 19 juillet 2011. Pavel Korobov et Oleg Kachine, « Vot chego-chego, a kontrollerov u nas khvatayet », *Kommersant*, 20 avril 2011. http://www.kommersant.ru/Doc/1625310. Consulté le 19 juillet 2011.
39. Entretien de l'auteur avec Iouli Doubov, Londres, 6 juin 2011.
40. Jacob Gershman, « Putin Pockets Patriots Ring », *New York Sun*, 28 juin 2005. http://www.nysun.com/foreign/putin-pockets-patriots-ring/16172/. Consulté le 19 juillet 2011. Donovan Slack, « For Putin, It's a Gem of a Cultural Exchange », *Boston Globe*, 29 juin 2005. http://www.boston.com/sports/football/patriots/articles/2005/06/29/for_putin_its_a_gem_of_a_cultural_exchange/. Consulté le 19 juillet 2011. « Vladimir Putin poluchil persten s 124 brilliantami », article non signé, *Kommersant*, 30 juin 2005. http://www.kommersant.ru/news/984560. Consulté le 19 juillet 2011. La remarque de Poutine selon laquelle il « pourrai[t] tuer quelqu'un avec ça » a été rapportée par la femme de Robert Kraft, Myra : voir « Myra Kraft : Putin Stole Robert's Ring », *Jewish Russian Telegraph*, 18 mars 2007. http://www.jrtelegraph.com/2007/03/myra_kraft_puti.html. Consulté le 31 octobre 2011.
41. Le consultant en art Nic Iljine relate l'incident dans son essai « Guggenheim 24/7 », dans Laura K. Jones (éd.), *A Hedonist's Guide to Art*, Londres, Filmer, 2010 ; voir, par exemple : http://www.theaustralian.com.au/news/world/book-details-strongman-vladimir-putins-artful-ways/story-e6frg6so-1225978192724.
42. Ici, par exemple, le prix indiqué est de 8 200 roubles : http://www.alco-port.ru/katalog/products/vodka/vodka-kalashnikov/vodka-kalashnikov-1l. Consulté le 19 juillet 2011.
43. Entretien de l'auteur avec Andreï Illarionov, Moscou, juin 2011.

## CHAPITRE 11
## Retour en URSS

1. Entretien avec Bruce Eitling et John Kelly, Cambridge, Massachusetts, 7 novembre 2008.
2. En mars 2011, Dojd, une chaîne de télévision sur Internet, a annulé le programme *Grazhdanin Poet* à cause d'un sketch qui étrillait Medvedev. La directrice générale, Natalia Sindeïéva, a expliqué dans une déclaration qu'elle ne voulait pas insulter Medvedev personnellement. http://tvrain.ru/teleshow/poet_and_citizen/. Consulté le 10 novembre 2011. J'ai eu plusieurs expériences similaires en tant que directrice de www.snob.ru, l'éditeur m'ayant par exemple fait supprimer une référence à un article de journal britannique dans lequel Medvedev était appelé l'« assistant de Poutine ».
3. « Putin poruchil spetssluzhbam 'vykovyryat' terroristov so dna kanalizatsii », article non signé sur www.lenta.ru, 30 mars 2010. http://lenta.ru/news/2010/03/30/drainpipe/. Consulté le 10 novembre 2011.

4. « Putin obidelsya na sravneniye Obamy : My neumeyem stoyat' 'vraskoryachku' », article non signé sur www.newsru.com, 3 juillet 2009. http://www.newsru.com/russia/03jul2009/raskoryachka.html. Consulté le 10 novembre 2011.
5. Piotr Mironenko, Dmitri Boutrine et Éléna Kisséliova, « Rvyot i Mechel », *Kommersant*, 25 juillet 2008. http://www.kommersant.ru/Doc/915811. Consulté le 10 novembre 2011.
6. « Putin predrek oppozitsioneram 'otovarivaniye dubinkoy' », article non signé sur www.lenta.ru, 30 août 2010. http://lenta.ru/news/2010/08/30/explain/. Consulté le 10 novembre 2011.
7. « Vladimir Putin Goes Fishing », galerie photos, *The Guardian*, 14 août 2007. http://www.guardian.co.uk/news/gallery/2007/aug/14/russia.internationalnews. Consulté le 10 novembre 2011.
8. « Vladimir Putin, nashedshiy amfory VI veka, stalobyektom dlya nasmeshek rossiyskikh bloggerov I zarubezhnykh SMI », article non signé sur www.newsru.com, 11 août 2011. http://www.newsru.com/russia/11aug2011/putin_amf.html. Consulté le 10 novembre 2011.
9. L'attaché de presse de Poutine, Dmitri Peskov, a plus tard admis que les amphores avaient été placées là à dessein. Voir Stepane Opalev, « Peskov pro Putina : Amfory nashel ne sam », www.slon.ru, 5 octobre 2011. http://slon.ru/russia/peskov_pro_putina_amfory_nashel_ne_sam-684066.xhtml. Consulté le 10 novembre 2011.
10. « Medvedev vnyos v Gosdumuzakonoproekt o prodlenii prezidentskikh polnomochiy », article non signé sur www.lenta.ru, 11 novembre 2008. http://lenta.ru/news/2008/11/11/medvedev/. Consulté le 11 novembre 2011.
11. Transparency International, Indice de perception de la corruption. http://www.transparency.org/policy_research/surveys_indices/cpi/2010/results. Consulté le 15 novembre 2011.
12. Lioudmila Alexeïéva s'exprimant à la cérémonie du prix Egor-Gaïdar, Moscou, 14 novembre 2011.
13. « Zolotiye chasy dlya upravleniya delami Voronozhskoy oblasti. Prodolzheniye », blog Rospil, 6 octobre 2011. http://rospil.info/news/p/983. Consulté le 11 novembre 2011.
14. « Recheniye komissii FAS po zakazu s tsenoy kontrakta boleye chem 11.5 mlrd rubley », blog Rospil, 11 octobre 2011. http://rospil.info/news/p/999. Consulté le 11 novembre 2011.
15. « MVD zaplatit 25 millionov rubley zaotdelanniye zolotom krovati », article non signé sur www.lenta.ru, 19 août 2008. http://lenta.ru/news/2009/08/19/gold/. Consulté le 11 novembre 2011.
16. Anna Katchourovskaïa, « Alexei Navalny : Tol'ko, pozhaluysta, ne nado govorit' : 'Navalny sravnil sebya s Obamoy' », *Snob*, novembre 2010.
17. Julia Ioffe, « Net Impact : One Man's Cyber-Crusade Against Russian Corruption », *New Yorker*, 4 avril 2011. http://www.newyorker.com/reporting/2011/04/04/110404fa_fact_ioffe. Consulté le 11 novembre 2011.
18. « Proekt 'Rospil' sobral perviy million na 'Yandexden'gakh' », article non signé sur www.lenta.ru, 3 février 2011. http://lenta.ru/news/2011/02/03/million/. Consulté le 11 novembre 2011.

19. « Putin vydvigayetsya na prezidentskiye vybory 2012 goda », article non signé sur www.gazeta.ru, 24 septembre 2011. http://www.gazeta.ru/news/lastnews/2011/09/24/n_2022837.shtml. Consulté le 12 novembre 2011.

## ÉPILOGUE
## Une semaine en décembre

1. Alexeï Zakharov, « Rezultaty vyborov na tekh uchastkakh, gde ne byli zafiksirovany narusheniya », www.slon.ru, 5 décembre 2011. http://slon.ru/calendar/event/723777/. Consulté le 11 décembre 2011.
2. David Herszenhorn, Ellen Barry, « Majority for Putin's Party Narrows in Rebuke From Voters », *The New York Times*, 4 décembre 2011. http://www.nytimes.com/2011/12/05/world/europe/russians-vote-governing-party-claims-early-victory.html?n=Top/News/World/Countries%20and%20Territories/Russia?ref=russia. Consulté le 11 décembre 2011.
3. « Mikhail Gorbachev – Novoy, » *Novaïa Gazeta*, 7 décembre 2011. http://www.novayagazeta.ru/politics/49918.html. Consulté le 12 décembre 2011.
4. Masha Gessen, « When There's No Going Back », *International Herald Tribune*, 8 décembre 2011. http://latitude.blogs.nytimes.com/2011/12/08/when-theres-no-going-back/?scp=2&sq=masha%20gessen&st=cse. Consulté le 12 décembre 2011.
5. Natalia Raïbman, « Surkov: Nuzhno sozdat' partıyu dlya razdrazhennykh gorozhan », *Vedomosti*, 6 décembre 2011. http://www.vedomosti.ru/politics/news/1444694/surkov_nuzhno_sozdat_partiyu_dlya_razdrazhennyh_gorozhan. Consulté le 12 décembre 2011.
6. Olga Korol, « Ex-press-sekretaryu prezidenta Tatarstana Murtazinu dali real'niy srok », *Komsomol'skaya Pravda*, 26 novembre 2009. http://www.kp.ru/online/news//577494/. Consulté le 12 décembre 2011.
7. Article du blog de Boris Akounine « Comment rester assis dans mon coin ? » [en russe], 9 décembre 2011. http://borisakunin.livejournal.com/45529.html. Consulté le 12 décembre 2011.
8. Konstantin Benioumov, « Vstavay, strana ogromnaya ! Mitingi protesta 10 dekabrya proshli v 99 gorodakh Rossii », onair.ru. http://www.onair.ru/main/enews/view_msg/NMID_38499/. Consulté le 13 décembre 2011.
9. « Dmitry Peskov ne kommentiruyet miting na Bolotnoy ploshchadi », article non signé, www.gazeta.ru, 10 décembre 2011. http://www.gazeta.ru/news/lenta/2011/12/10/n_2130194.shtml. Consulté le 12 décembre 2011.

## Index des noms de personnes

# Table

*Photocomposition Nord Compo*
*Villeneuve-d'Ascq*

*Cet ouvrage a été imprimé*
*par CPI Firmin-Didot*
*Mesnil-sur-l'Estrée*
*pour le compte des Editions Fayard*
*en février 2012*

Dépôt légal : février 2012
N° d'édition : 36-57-3242-9/01 - N° d'impression : 109893
*Imprimé en France*